APPRENDRE À VIVRE

DU MÊME AUTEUR

Philosophie politique I. Le Droit : la nouvelle querelle des Anciens et des Modernes, Paris, PUF, 1984.

Philosophie politique II. Le Système des philosophies de l'histoire, Paris, PUF, 1984.

Philosophie politique III. Des droits de l'homme à l'idée républicaine, Paris, PUF, 1985 (en coll.).

La Pensée-68. Essai sur l'anti-humanisme contemporain, Paris, Gallimard, 1985 (avec Alain Renaut).

Système et critiques, Bruxelles, Ousia, 1985 (en coll.).

68-86. Itinéraires de l'individu, Paris, Gallimard, 1987 (en coll.).

Heidegger et les modernes, Paris, Grasset, 1988 (en coll.).

Homo Aestheticus. L'invention du goût à l'âge démocratique, Paris, Grasset, 1990.

Pourquoi nous ne sommes pas nietzschéens, Paris, Grasset, 1991 (en coll.).

Le Nouvel Ordre écologique, Paris, Grasset, 1992.

Des animaux et des hommes. Une anthologie, Paris, Le Livre de Poche, Hachette, 1994 (en coll.).

L'Homme-Dieu ou le sens de la vie, Paris, Grasset, 1996.

La Sagesse des Modernes, Paris, Laffont, 1998 (avec André Comte-Sponville).

Le Sens du beau, Paris, Cercle d'art, 1998.

Philosopher à dix-huit ans, Paris, Grasset, 1999 (en coll.).

Qu'est-ce que l'homme ?, Paris, Odile Jacob, 2000 (avec Jean-Didier Vincent).

Qu'est-ce qu'une vie réussie ?, Paris, Grasset, 2002.

Lettre ouverte à tous ceux qui aiment l'école, Paris, Odile Jacob (en coll.).

La Naissance de l'esthétique moderne, Paris, Cercle d'art, 2004.

Le Religieux après la religion, Paris, Grasset, 2004 (avec Marcel Gauchet).

Comment peut-on être ministre ? Réflexions sur la gouvernabilité des démocraties, Paris, Plon, 2005.

Luc Ferry

APPRENDRE À VIVRE

Traité de philosophie à l'usage
des jeunes générations

PLON

© Plon, 2006
ISBN : 2-259-20247-0

A Gabrielle, Louise et Clara.

Avant-propos

Dans les mois qui ont suivi la publication de mon livre *Qu'est-ce qu'une vie réussie ?*, plusieurs personnes m'ont abordé spontanément dans la rue pour me dire à peu près ceci : « Je vous ai un jour entendu parler de votre ouvrage... c'était limpide, mais quand j'ai essayé de vous lire, je n'ai plus rien compris... » La remarque était directe, mais pas agressive. Elle me consterna d'autant plus ! Je me promis de chercher une solution, sans savoir trop comment j'allais m'y prendre pour être un jour aussi clair à l'écrit qu'on m'assurait l'être à l'oral...

Une circonstance m'a donné l'occasion d'y réfléchir à nouveau. En vacances dans un pays où la nuit tombe à six heures, quelques amis m'ont demandé d'improviser un cours de philosophie pour parents et enfants. L'exercice m'a contraint d'aller à l'essentiel comme jamais je n'avais pu le faire jusqu'alors, sans le secours de mots compliqués, de citations savantes ou d'allusions à des théories inconnues de mes auditeurs. Au fur et à mesure que j'avançais dans le récit de l'histoire des idées, je me suis rendu compte qu'il n'existait pas d'équivalent en librairie du cours que j'étais en train de construire, tant bien que mal, sans l'aide de ma bibliothèque. On trouve naturellement de nombreuses histoires de la philosophie. Il en est même d'excellentes, mais les meilleures sont trop arides pour quelqu'un qui est sorti du monde universitaire, *a fortiori* pour qui n'y est pas encore entré, et les autres n'ont guère d'intérêt.

Ce petit livre est directement issu de ces réunions amicales. Bien que réécrit et complété, il en conserve encore le style oral. Son objectif est modeste et ambitieux. Modeste, parce qu'il s'adresse à un public de non-spécialistes, à l'image des jeunes avec lesquels j'ai conversé pendant le temps de ces vacances. Ambitieux, car je me suis refusé à admettre la moindre concession aux exigences de la simplification dès lors qu'elle aurait pu conduire à déformer la présentation des grandes pensées. J'éprouve un tel respect pour les œuvres majeures de la philosophie que je ne puis me résoudre à les caricaturer pour des motifs pseudo-pédagogiques. La clarté fait partie du cahier des charges d'un ouvrage qui s'adresse à des débutants, mais elle doit pouvoir s'obtenir sans détruire son objet, sinon elle ne vaut rien.

J'ai donc cherché à proposer une initiation qui, pour être aussi simple que possible, ne fasse pas son deuil de la richesse et de la profondeur des idées philosophiques. Son but n'est pas d'en donner seulement un avant-goût, un vernis superficiel ou un aperçu biaisé par les impératifs de la vulgarisation, mais bien de les faire découvrir telles qu'en elles-mêmes afin de satisfaire deux exigences : celle d'un adulte qui veut savoir ce que c'est que la philosophie mais n'envisage pas d'aller nécessairement plus loin ; celle d'un adolescent qui souhaite éventuellement l'étudier plus à fond, mais ne dispose pas encore des connaissances nécessaires pour pouvoir commencer à lire par lui-même des auteurs difficiles.

Voilà pourquoi j'ai tenté de faire figurer ici tout ce que je considère aujourd'hui comme vraiment essentiel dans l'histoire de la pensée, tout ce que je voudrais léguer à ceux que je tiens au sens ancien, incluant la famille, comme mes amis.

Pourquoi cette tentative ?

D'abord, égoïstement, parce que le spectacle le plus sublime peut devenir une souffrance si l'on n'a pas la chance d'avoir à ses côtés quelqu'un pour le partager. Or c'est peu de dire, je m'en rends compte chaque jour davantage, que la philosophie ne fait pas partie de ce qu'on nomme d'ordinaire la « culture générale ». Un « homme cultivé » est censé connaître son histoire de France, quelques grandes références littéraires et artistiques, voire quelques bribes de biologie ou de physique, mais nul ne lui reprochera de tout ignorer d'Epictète, de Spinoza ou de Kant. Pourtant, j'ai acquis au fil des ans la conviction qu'il est précieux pour tout un chacun, y compris pour ceux aux yeux desquels elle ne saurait être une vocation, d'étudier un tant soit peu la philosophie, ne serait-ce que pour deux raisons toutes simples.

La première, c'est qu'on ne peut, sans elle, rien comprendre au monde dans lequel nous vivons. C'est la formation la plus éclairante, plus encore que celle des sciences historiques. Pourquoi ? Tout simplement parce que la quasi-totalité de nos pensées, de nos convictions, mais aussi de nos valeurs s'inscrit, sans que nous le sachions toujours, dans de grandes visions du monde déjà élaborées et structurées au fil de l'histoire des idées. Il est indispensable de les comprendre pour en saisir la logique, la portée, les enjeux...

Certaines personnes passent une grande part de leur vie à anticiper le malheur, à se préparer à la catastrophe – la perte d'un emploi, un accident, une maladie, la mort d'un proche, etc. D'autres au contraire vivent apparemment dans l'insouciance la plus totale. Elles considèrent même que des questions de ce genre n'ont pas droit de cité dans l'existence quotidienne, qu'elles relèvent d'un goût du morbide qui confine à la pathologie. Savent-elles, les unes comme les autres, que ces deux attitudes plongent leurs racines dans des visions du monde dont les tenants et les aboutissants ont été déjà explorés avec une profondeur inouïe par les philosophes de l'Antiquité grecque ?

Le choix d'une éthique égalitaire plutôt qu'aristocratique, d'une esthétique romantique plutôt que classique, d'une attitude d'attachement ou de non-attachement aux choses et aux êtres face à la mort, l'adhésion à des idéologies politiques autoritaires ou libérales, l'amour de la nature et des animaux plus que des hommes, du monde sauvage plus que de la civilisation, toutes ces options et bien d'autres encore furent d'abord de grandes constructions métaphysiques avant de devenir des opinions offertes, comme sur un marché, à la consommation des citoyens. Les clivages, les conflits, les enjeux qu'elles dessinaient dès l'origine continuent, que nous le sachions ou non, à commander nos réflexions et nos propos. Les étudier à leur meilleur niveau, en saisir les sources profondes, c'est se donner les moyens d'être non seulement plus intelligent, mais aussi plus libre. Je vois mal au nom de quoi on devrait s'en priver.

Mais, au-delà même de ce que l'on gagne en compréhension, en intelligence de soi et des autres par la connaissance des grandes œuvres de la tradition, il faut savoir qu'elles peuvent, tout simplement, aider à vivre mieux et plus libre. Comme le disent chacun à leur façon plusieurs penseurs contemporains, on ne philosophe pas pour s'amuser, ni même seulement pour comprendre le monde et se comprendre mieux soi-même, mais, parfois, « pour sauver sa peau ». Il y a dans la philosophie de quoi vaincre les peurs qui paralysent la vie, et c'est une erreur de croire que la psychologie pourrait aujourd'hui s'y substituer.

Apprendre à vivre, apprendre à ne plus craindre vainement les divers visages de la mort ou, tout simplement, à surmonter la banalité de la vie quotidienne, l'ennui, le temps qui passe, tel était déjà le but premier des écoles de l'Antiquité grecque. Leur message mérite d'être entendu, car à la différence de ce qui a lieu dans l'histoire des sciences, les philosophies du passé nous parlent encore. C'est là d'ailleurs un point qui mérite à lui seul réflexion.

Quand une théorie scientifique se révèle être fausse, quand elle est réfutée par une autre manifestement plus vraie, elle tombe en désuétude et n'intéresse plus personne – hors quelques érudits. Les grandes réponses philosophiques apportées depuis la nuit des temps à la question de savoir comment vivre demeurent au contraire présentes. De ce point de vue, on pourrait comparer l'histoire de la philosophie à celle des arts, plutôt qu'à celle des sciences : de même que les œuvres de Braque ou de Kandinsky ne sont pas « plus belles » que celles de Vermeer ou de Manet, les réflexions de Kant ou de Nietzsche sur le sens ou le non-sens de la vie ne sont pas supérieures – ni d'ailleurs inférieures – à celles d'Epictète, d'Epicure ou de Bouddha. Il y a là des propositions de vie, des attitudes face à l'existence qui continuent de s'adresser à nous à travers les siècles et que rien ne peut rendre obsolètes. Alors que les théories scientifiques de Ptolémée ou de Descartes sont radicalement « dépassées » et n'ont plus d'intérêt autre qu'historique, on peut encore puiser dans les sagesses anciennes comme on peut aimer un temple grec ou une calligraphie chinoise tout en vivant de plain-pied dans le xxie siècle.

A l'instar du premier manuel de philosophie qui fut jamais écrit dans l'histoire, celui d'Epictète, ce petit livre tutoie son lecteur. Parce qu'il s'adresse d'abord à un élève, à la fois idéal et réel, qui est au seuil de l'âge adulte mais appartient encore par bien des liens au monde de l'enfance. Qu'on n'y voie aucune familiarité de mauvais aloi, mais seulement une forme d'amitié ou de complicité auxquelles seul le tutoiement convient.

Chapitre 1

Qu'est-ce que la philosophie ?

Je vais donc te raconter l'histoire de la philosophie. Pas toute, bien sûr, mais quand même ses cinq plus grands moments. Chaque fois, je te donnerai l'exemple d'une ou deux grandes visions du monde ou, comme on dit parfois, d'un ou deux grands « systèmes de pensée » liés à une époque afin que tu puisses commencer à lire par toi-même, si tu en as envie. Je veux aussi te faire d'entrée de jeu une promesse : si tu prends la peine de me suivre, tu sauras vraiment ce que c'est que la philosophie. Tu en auras même une idée assez précise pour décider si tu souhaites ou non y aller voir de plus près – par exemple en lisant plus à fond un des grands penseurs dont je vais te parler.

Malheureusement – à moins que ce ne soit au contraire une bonne chose, une ruse de la raison pour nous obliger à réfléchir – la question qui devrait aller de soi : « Qu'est-ce que la philosophie ? », est une des plus controversées que je connaisse. La plupart des philosophes d'aujourd'hui en discutent encore, sans trouver toujours à s'accorder.

Quand j'étais en classe de terminale, mon professeur m'assurait qu'il s'agissait « tout simplement » d'une « formation à l'esprit critique et à l'autonomie », d'une « méthode de pensée rigoureuse », d'un « art de la réflexion » enraciné dans une attitude d'« étonnement », de « questionnement »... Ce sont là des définitions que tu trouveras encore aujourd'hui un peu partout dans les ouvrages d'initiation.

Malgré tout le respect que j'ai pour lui, je dois te dire d'emblée qu'à mes yeux, de telles définitions n'ont à peu près rien à voir avec le fond de la question.

Qu'on réfléchisse en philosophie, cela est, certes, préférable. Qu'on y pense si possible avec rigueur et parfois sur le mode critique ou interrogatif aussi. Mais tout cela n'a rien, absolument rien de spécifique. Je suis sûr que tu connais toi-même une infinité d'autres activités humaines où l'on se pose aussi des questions, où l'on s'efforce d'argumenter du mieux qu'on peut sans être pour autant le moins du monde philosophe.

Les biologistes et les artistes, les physiciens et les romanciers, les mathématiciens, les théologiens, les journalistes et même les hommes politiques réfléchissent ou se posent des questions. Ils ne sont pas pour autant, que je sache, des philosophes. L'un des principaux travers de la période contemporaine est de réduire la philosophie à une simple « réflexion critique » ou encore à une « théorie de l'argumentation ». La réflexion et l'argumentation sont sans aucun doute des activités hautement estimables. Elles sont même indispensables à la formation de bons citoyens, capables de participer avec une certaine autonomie à la vie de la cité, c'est vrai. Mais ce ne sont là que des moyens pour d'autres fins que celles de la philosophie – car cette dernière n'est pas davantage un instrument politique qu'une béquille de la morale.

Je vais donc te proposer d'aller au-delà de ces lieux communs et d'accepter provisoirement, en attendant d'y voir plus clair par toi-même, une tout autre approche.

Elle part d'une considération fort simple, mais qui contient en germe l'interrogation centrale de toute philosophie : l'être humain, à la différence de Dieu – s'il existe –, est mortel ou, pour parler comme les philosophes, c'est un « être fini », limité dans l'espace et dans le temps. Mais à la différence des animaux, il est le seul être qui ait conscience de ses limites. Il sait qu'il va mourir et que ses proches, ceux qu'il aime, aussi. Il ne peut donc s'empêcher de s'interroger sur cette situation qui, *a priori*, est inquiétante, voire absurde ou insupportable. Et bien sûr, pour cela, il se tourne d'abord vers les religions qui lui promettent le « salut ».

La finitude humaine et la question du salut

Je voudrais que tu comprennes bien ce mot – « salut » – et que tu perçoives aussi comment les religions tentent de prendre en charge les questions qu'il soulève. Car le plus simple, pour commencer à cerner ce qu'est la philosophie, c'est encore, comme tu vas voir, de la situer par rapport au projet religieux.

Ouvre un dictionnaire et tu verras que le « salut » désigne d'abord et avant tout « le fait d'être sauvé, d'échapper à un grand danger ou à un grand malheur ». Fort bien. Mais à quelle catastrophe, à quel péril effrayant les religions prétendent-elles nous faire échapper ? Tu connais déjà la réponse : c'est de la mort, bien sûr, qu'il s'agit. Voilà pourquoi elles vont toutes s'efforcer, sous des formes diverses, de nous promettre la vie éternelle, pour nous assurer que nous retrouverons un jour ceux que nous aimons – parents ou amis, frères ou sœurs, maris ou femmes, enfants ou petits-enfants, dont l'existence terrestre, inéluctablement, va nous séparer.

Dans l'Evangile de Jean, Jésus lui-même fait l'expérience de la mort d'un ami cher, Lazare. Comme le premier être humain venu, il pleure. Tout simplement, il fait l'expérience, comme toi et moi, du déchirement lié à la séparation. Mais, à la différence de nous autres, simples mortels, il est en son pouvoir de ressusciter son ami. Et il le fait, pour montrer, dit-il, que « l'amour est plus fort que la mort ». Et c'est au fond ce message qui constitue l'essentiel de la doctrine chrétienne du salut : la mort, pour ceux qui aiment, pour ceux qui ont confiance dans la parole du Christ, n'est qu'une apparence, un passage. Par l'amour et par la foi, nous pouvons gagner l'immortalité.

Ce qui tombe bien, il faut l'avouer. Que désirons-nous, en effet, par-dessus tout ? Ne pas être seuls, être compris, aimés, ne pas être séparés de nos proches, bref, ne pas mourir et qu'ils ne meurent pas non plus. Or l'existence réelle déçoit un jour ou l'autre toutes ces attentes. C'est donc dans la confiance en un Dieu que certains cherchent le salut et les religions nous assurent qu'ils y parviendront.

Pourquoi pas, si l'on y croit et que l'on a la foi ?

Mais pour ceux qui ne sont pas convaincus, pour ceux qui doutent de la véracité de ces promesses, le problème, bien entendu, reste entier. Et c'est là justement que la philosophie prend, pour ainsi dire, le relais.

D'autant que la mort elle-même – le point est crucial si tu veux comprendre le champ de la philosophie – n'est pas une réalité aussi simple qu'on le croit d'ordinaire. Elle ne se résume pas à la « fin de la vie », à un arrêt plus ou moins brutal de notre existence. Pour se rassurer, certains sages de l'Antiquité disaient qu'il ne faut pas y penser puisque, de deux choses l'une : ou bien je suis en vie, et la mort, par définition, n'est pas présente, ou bien elle est présente et, par définition aussi, je ne suis plus là pour m'inquiéter ! Pourquoi, dans ces conditions, s'embarrasser d'un problème inutile ?

Le raisonnement, malheureusement, est un peu trop court pour être honnête. Car la vérité, c'est que la mort, à l'encontre de ce que suggère l'adage ancien, possède bien des visages différents *dont la présence est paradoxalement tout à fait perceptible au cœur même de la vie la plus vivante.*

Or c'est bien là ce qui, à un moment ou à un autre, tourmente ce malheureux être fini qu'est l'homme puisque seul il a conscience que le temps lui est compté, que l'irréparable n'est pas une illusion et qu'il lui faut peut-être bien réfléchir à ce qu'il doit faire de sa courte vie. Edgar Poe, dans un de ses poèmes les plus fameux, incarne cette idée de l'irréversibilité du cours de l'existence dans un animal sinistre, un corbeau perché sur le rebord d'une fenêtre, qui ne sait dire et répéter qu'une seule formule : *Never more* – « plus jamais ».

Poe veut dire par là que la mort désigne en général tout ce qui appartient à l'ordre du « jamais plus ». Elle est, *au sein même de la vie*, ce qui ne reviendra pas, ce qui relève irréversiblement du passé et que l'on n'a aucune chance de retrouver un jour. Il peut s'agir des vacances de l'enfance en des lieux et avec des amis qu'on quitte sans retour, du divorce de ses parents, des maisons ou des écoles qu'un déménagement nous oblige à abandonner, et de mille autres choses encore : même s'il ne s'agit pas toujours de la disparition d'un être cher, tout ce qui est de l'ordre du « plus jamais » appartient au registre de la mort.

Tu vois, en ce sens, combien elle est loin de se résumer à la seule fin de la vie biologique. Nous en connaissons une infinité d'incarnations au beau milieu de l'existence elle-même et ces visages multiples finissent par nous tourmenter, parfois même sans que nous en ayons tout à fait conscience. Pour bien vivre, pour vivre libre, capable de joie, de générosité et d'amour, il nous faut d'abord et avant tout vaincre la peur – ou, pour mieux dire, « les » peurs, tant les manifestations de l'Irréversible sont diverses.

Mais c'est là, justement, que religion et philosophie divergent fondamentalement.

Philosophie et religion : deux façons opposées
d'approcher la question du salut

Face à la menace suprême qu'elles prétendent nous permettre de surmonter, comment opèrent, en effet, les religions ? Pour l'essentiel, par la foi. C'est elle, et elle seule en vérité, qui peut faire retomber sur nous la grâce de Dieu : si tu as foi en Lui, Dieu te sauvera, disent-elles, en quoi elles requièrent avant toute autre vertu *l'humilité* qui s'oppose à leurs yeux – c'est ce que ne cessent de répéter les plus grands penseurs chrétiens, de saint Augustin à Pascal – à l'arrogance et à la vanité de la philosophie. Pourquoi cette accusation lancée contre la libre pensée ? Tout simplement parce que cette dernière prétend bien, elle aussi, nous sauver sinon de la mort elle-même, du moins des angoisses qu'elle inspire, *mais par nos propres forces et en vertu de notre seule raison.* Voilà, du moins d'un point de vue religieux, l'orgueil philosophique par excellence, l'audace insupportable déjà perceptible chez les premiers philosophes, dès l'Antiquité grecque, plusieurs siècles avant Jésus-Christ.

Et c'est vrai. Faute de parvenir à croire en un Dieu sauveur, le philosophe est d'abord celui qui pense qu'en connaissant le monde, en se comprenant soi-même et en comprenant les autres autant que nous le permet notre intelligence, nous allons parvenir, dans la lucidité plutôt que dans une foi aveugle, à surmonter nos peurs.

*En d'autres termes, si les religions se définissent elles-mêmes comme des « doctrines du salut » **par un Autre**, grâce à Dieu, on pourrait définir les grandes philosophies comme des doctrines du salut **par soi-même**, sans l'aide de Dieu.*

C'est ainsi qu'Epicure, par exemple, définit la philosophie comme une « médecine de l'âme [1] » dont l'objectif ultime est de nous faire comprendre que « la mort n'est pas à redouter ». C'est là encore tout le programme philosophique que son plus éminent disciple, Lucrèce, expose dans son poème intitulé *De la nature des choses* :

> « Il faut avant tout chasser et détruire cette crainte de l'Achéron [le fleuve des Enfers] qui, pénétrant jusqu'au fond de notre être, empoisonne la vie humaine, colore toute chose de la noirceur de la mort et ne laisse subsister aucun plaisir limpide et pur. »

Mais c'est tout aussi vrai pour Epictète, l'un des plus grands représentants d'une autre école philosophique de la Grèce ancienne dont je te parlerai dans un instant, le stoïcisme, qui va même jusqu'à réduire *toutes* les interrogations philosophiques à une seule et même source : la crainte de la mort.

Ecoutons-le un instant s'adresser à son disciple au fil des entretiens qu'il échange avec lui :

> « As-tu bien dans l'esprit, lui dit-il, que *le principe de tous les maux* pour l'homme, de la bassesse, de la lâcheté, c'est... la crainte de la mort ? Exerce-toi contre elle ; qu'à cela tendent *toutes tes paroles, toutes tes études, toutes tes lectures et tu sauras que c'est le seul moyen pour les hommes de devenir libres* [2]. »

On retrouve encore ce même thème chez Montaigne, dans son fameux adage selon lequel « philosopher c'est apprendre à mourir », mais aussi chez Spinoza, avec sa belle réflexion sur le sage qui « meurt moins que le

---

1. Il propose dans cette optique quatre remèdes aux maux directement liés au fait que nous sommes mortels : « Les dieux ne sont pas à craindre, la mort n'est pas à redouter, le bien facile à acquérir, le mal facile à supporter. »
2. Voir le recueil intitulé *Les Stoïciens*, Paris, Gallimard, La Pléiade, p. 1039.

fou », chez Kant, lorsqu'il se demande « ce qu'il nous est permis d'espérer », et même chez Nietzsche, qui retrouve, avec sa pensée de « l'innocence du devenir », les éléments les plus profonds des doctrines du salut forgées dans l'Antiquité.

Ne t'inquiète pas si ces allusions aux grands auteurs ne te disent encore rien. C'est normal puisque tu commences. Nous allons revenir à chacun de ces exemples pour les clarifier et les expliciter.

Ce qui importe seulement, pour l'instant, c'est que tu comprennes pourquoi, aux yeux de tous ces philosophes, la crainte de la mort nous empêche de bien vivre. Pas seulement parce qu'elle génère de l'angoisse. A vrai dire, la plupart du temps, nous n'y pensons pas – et je suis sûr que tu ne passes pas tes journées à méditer le fait que les hommes sont mortels ! Mais, bien plus profondément, parce que l'irréversibilité du cours des choses, qui est une forme de mort au cœur même de la vie, menace toujours de nous entraîner dans une dimension du temps qui corrompt l'existence : celle du passé où viennent se loger ces grands corrupteurs de bonheur que sont la nostalgie et la culpabilité, le regret et le remords.

Tu me diras peut-être qu'il suffit de ne plus y penser, d'essayer, par exemple, de s'en tenir aux souvenirs les plus heureux plutôt que de ressasser les mauvais moments.

Mais paradoxalement, la mémoire des instants de bonheur peut tout aussi bien nous tirer insidieusement hors du réel. Car elle les transforme avec le temps en des « paradis perdus » qui nous attirent insensiblement vers le passé et nous interdisent ainsi de goûter le présent.

Comme tu le verras dans ce qui suit, les philosophes grecs pensaient que le passé et le futur sont les deux maux qui pèsent sur la vie humaine, les deux foyers de toutes les angoisses qui viennent gâter la seule et unique dimension de l'existence qui vaille d'être vécue – tout simplement parce qu'elle est la seule réelle : celle de l'instant présent. Le passé n'est plus et le futur n'est pas encore se plaisaient-ils à souligner, et pourtant, nous vivons presque toute notre vie entre souvenirs et projets, entre nostalgie et espérance. Nous nous imaginons que nous serions beaucoup plus heureux si nous avions enfin ceci ou cela, de nouvelles chaussures ou un ordinateur plus performant, une autre maison, d'autres vacances, d'autres amis... Mais à force de regretter le passé ou d'espérer en l'avenir, nous en finissons par manquer la seule vie qui vaille d'être vécue, celle qui relève de l'ici et du maintenant et que nous ne savons pas aimer comme elle le mériterait sûrement.

Face à ces mirages qui corrompent le goût de vivre, que nous promettent les religions ?

Que nous n'avons plus à avoir peur, puisque nos principales attentes seront comblées et qu'il nous est possible de vivre le présent tel qu'il est... en attendant quand même un avenir meilleur ! Il existe un Etre infini et bon qui nous aime par-dessus tout. Nous serons ainsi sauvés par lui de la solitude, de la séparation d'avec des êtres chers qui, même s'ils disparaissent un jour en cette vie, nous attendrons dans une autre.

Que faut-il faire pour être ainsi « sauvé » ? Pour l'essentiel, il suffit de croire. C'est en effet dans la foi que l'alchimie doit s'opérer et par la grâce de Dieu. Face à Celui qu'elles tiennent pour l'Etre suprême, Celui dont tout dépend, elles nous invitent à une attitude qui tient tout entière en deux mots : confiance – en latin le mot se dit *fides* qui veut également dire « foi » – et humilité.

C'est en quoi aussi la philosophie, qui emprunte un chemin contraire, confine au *diabolique*.

La théologie chrétienne a développé dans cette optique une réflexion profonde sur les « tentations du diable ». Le démon, contrairement à l'imagerie populaire souvent véhiculée par une Eglise en mal d'autorité, n'est pas celui qui nous écarte, sur le plan moral, du droit chemin en faisant appel à la faiblesse de la chair. C'est celui qui, sur le plan spirituel, fait tout son possible pour nous *séparer* (*dia-bolos* veut dire en grec « celui qui sépare ») du lien vertical qui relie les vrais croyants à Dieu et qui seul les sauve de la désolation et de la mort. Le *Diabolos* ne se contente pas d'opposer les hommes entre eux, en les poussant par exemple à se haïr et à se faire la guerre, mais beaucoup plus grave, il coupe l'homme de Dieu et le livre ainsi à toutes les angoisses que la foi avait réussi à guérir.

Pour un théologien dogmatique, la philosophie – sauf, bien entendu, si elle est soumise de part en part à la religion et mise tout entière à son service (mais alors, elle n'est plus vraiment philosophie...) – est par excellence l'œuvre du diable, car en incitant l'homme à se détourner des croyances pour faire usage de sa raison, de son esprit critique, elle l'entraîne insensiblement vers le terrain du *doute*, qui est le premier pas hors de la tutelle divine.

Au début de la Bible, dans le récit de la Genèse, c'est, comme tu t'en souviens peut-être, le serpent qui joue le rôle du Malin quand il pousse Adam et Eve à *douter* du bien-fondé des commandements divins interdisant de toucher au fruit défendu. Si le serpent veut que les deux premiers humains s'interrogent et croquent la pomme, c'est afin qu'ils désobéissent à Dieu, parce que en les séparant de Lui, il sait qu'il va pouvoir leur infliger tous les tourments inhérents à la vie des simples mortels. C'est avec la « chute », la sortie du paradis premier – où nos deux humains vivaient heureux, sans peur aucune, en harmonie avec la nature comme avec Dieu –, que les premières formes d'angoisse apparaissent. Toutes sont liées au fait qu'avec la chute, elle-même directement issue du doute quant à la pertinence des interdits divins, les hommes sont devenus mortels.

La philosophie – toutes les philosophies, si divergentes soient-elles parfois dans les réponses qu'elles tentent d'apporter – nous promet aussi d'échapper à ces peurs primitives. Elle a donc, au moins à l'origine, en commun avec les religions la conviction que l'angoisse empêche de vivre bien : elle nous interdit non seulement d'être heureux, mais aussi d'être libres. C'est là, comme je te l'ai déjà suggéré par quelques exemples, un thème omniprésent chez les premiers philosophes grecs : on ne peut ni penser ni agir librement quand on est paralysé par la sourde inquiétude que génère, même lorsqu'elle est devenue inconsciente, la crainte de l'irréversible. Il s'agit donc d'inviter les humains à se « sauver ».

Mais, comme tu l'as maintenant compris, ce salut doit venir non d'un *Autre*, d'un Etre « transcendant » (ce qui veut dire « extérieur et supérieur » à nous), *mais bel et bien de nous-mêmes*. La philosophie veut que nous nous tirions d'affaire par nos propres forces, par les voies de la simple raison, si du moins nous parvenons à l'utiliser comme il faut, avec audace et fermeté. Et c'est cela, bien sûr, que veut dire Montaigne quand, faisant lui aussi allusion à la sagesse des anciens philosophes grecs, il nous assure que « philosopher, c'est apprendre à mourir ».

Toute philosophie est-elle donc vouée à être athée ? Ne peut-il y avoir une philosophie chrétienne, juive, musulmane ? Et si oui, en quel sens ? Inversement, quel statut accorder aux grands philosophes qui, comme Descartes ou comme Kant, furent croyants ? Et pourquoi d'ailleurs, me diras-tu peut-être, refuser la promesse des religions ? Pourquoi ne pas accepter avec humilité de se soumettre aux lois d'une doctrine du salut « avec Dieu » ?

Pour deux raisons majeures, qui sont sans doute à l'origine de toute philosophie.

D'abord – et avant tout – parce que la promesse que nous font les religions pour calmer les angoisses de mort, à savoir celle d'après laquelle nous sommes immortels et allons retrouver après la mort biologique ceux que nous aimons, est, comme on dit, trop belle pour être vraie. Trop belle aussi, et tout aussi peu crédible, l'image d'un Dieu qui serait comme un père avec ses enfants. Comment la concilier avec l'insupportable répétition des massacres et des malheurs qui accablent l'humanité : quel père laisserait ses enfants dans l'enfer d'Auschwitz, du Rwanda, du Cambodge ? Un croyant dira sans doute que c'est là le prix de la liberté, que Dieu a fait les hommes libres et que le mal doit leur être imputé. Mais que dire des innocents ? Que dire des milliers de petits enfants martyrisés au cours de ces ignobles crimes contre l'humanité ? Un philosophe finit par douter que les réponses religieuses suffisent [1]. Il finit toujours plus ou moins par penser que la croyance en Dieu, qui vient comme par contrecoup, en guise de consolation, nous fait peut-être bien perdre davantage en lucidité qu'elle ne nous fait gagner en sérénité. Il respecte les croyants, bien entendu. Il ne prétend pas nécessairement qu'ils ont tort, que leur foi est absurde, encore moins que l'inexistence de Dieu est certaine. Comment, d'ailleurs, pourrait-on prouver que Dieu n'existe pas ? Simplement, il n'a pas la foi, un point c'est tout, et dans ces conditions, il lui faut chercher ailleurs, penser autrement.

Mais il y a plus. Le bien-être n'est pas le seul idéal sur Terre. La liberté, aussi, en est un. Et si la religion calme les angoisses en faisant de la mort une illusion, elle risque de le faire au prix de la liberté de pensée. Car elle exige toujours plus ou moins, en contrepartie de la sérénité qu'elle prétend procurer, qu'à un moment ou à un autre on abandonne la raison pour faire place à la foi, qu'on mette un terme à l'esprit critique pour accepter de croire. Elle veut que nous soyons, face à Dieu, comme des petits enfants, non des adultes en qui elle ne voit, finalement, que d'arrogants raisonneurs.

Philosopher plutôt que croire, c'est au fond – du moins

---

1. On objectera que cette argumentation ne vaut que contre les visions populaires de la religion. Sans doute. Elles n'en sont pas moins les plus nombreuses et les plus puissantes en ce sens.

du point de vue des philosophes, celui des croyants étant bien entendu différent – préférer la lucidité au confort, la liberté à la foi. Il s'agit bien en un sens, c'est vrai, de « sauver sa peau », mais pas à n'importe quel prix.

Dans ces conditions, me diras-tu peut-être, si la philosophie est pour l'essentiel une quête de la vie bonne hors religion, une *recherche du salut sans Dieu*, d'où vient qu'on la présente si volontiers dans les manuels comme un art de bien penser, de développer l'esprit critique, la réflexion et l'autonomie individuelle ? D'où vient que, dans la cité, à la télévision ou dans la presse, on la réduise si souvent à un engagement moral qui oppose, dans le cours du monde tel qu'il va, le juste et l'injuste ? Le philosophe n'est-il pas par excellence celui qui comprend ce qui est, puis s'engage et s'indigne contre les maux du temps ? Quelle place accorder à ces autres dimensions de la vie intellectuelle et morale ? Comment les concilier avec la définition de la philosophie que je viens d'esquisser ?

Les trois dimensions de la philosophie : l'intelligence de ce qui est (théorie), la soif de justice (éthique) et la quête du salut (sagesse)

Bien évidemment, même si la quête du salut sans Dieu est bien au cœur de toute grande philosophie, si c'est là son objectif essentiel et ultime, il ne saurait s'accomplir sans passer par une réflexion approfondie sur l'intelligence de ce qui est – ce qu'on nomme d'ordinaire la « théorie » – comme sur ce qui devrait être ou qu'il faudrait faire – ce qu'on désigne habituellement sous le nom de morale ou d'éthique [1].

_____

1. Une remarque de vocabulaire, pour éviter des malentendus. Faut-il dire « morale » ou « éthique » et quelle différence y a-t-il au juste entre ces deux termes ? Réponse simple et claire : *a priori*,

La raison en est d'ailleurs assez simple à comprendre. Si la philosophie, comme les religions, trouve sa source la plus profonde dans une réflexion sur la « finitude » humaine, sur le fait qu'à nous autres mortels, en effet, le temps est compté et que nous sommes les seuls êtres dans ce monde à en avoir pleinement conscience, alors il va de soi que la question de savoir ce que nous allons faire de cette durée limitée ne peut être éludée. A la différence des arbres, des huîtres ou des lapins, nous ne cessons de nous interroger sur notre rapport au temps, sur ce à quoi nous allons l'occuper ou l'employer – que ce soit d'ailleurs pour une période brève, l'heure ou l'après-midi qui vient, ou longue, le mois ou l'année en cours. Inévitablement, nous en venons, parfois à l'occasion d'une rupture, d'un événement brutal, à nous interroger sur ce que nous faisons, pourrions ou devrions faire de notre vie tout entière.

En d'autres termes l'équation « mortalité + conscience d'être mortel » est un cocktail qui contient comme en germe la source de toutes les interrogations philosophiques. Le philosophe est d'abord celui qui pense que nous ne sommes pas là « en touristes », pour nous divertir. Ou pour mieux dire, même s'il devait parvenir, au contraire de ce que je viens d'affirmer, à la conclusion

---

aucune, et tu peux les utiliser indifféremment. Le mot « morale » vient du mot latin qui signifie « mœurs » et le mot « éthique » du mot grec qui signifie, lui aussi, « mœurs ». Ils sont donc parfaitement synonymes et ne se distinguent que par leur langue d'origine. Cela dit, certains philosophes ont profité du fait que l'on avait deux termes pour leur donner des sens différents. Chez Kant, par exemple, la morale désigne l'ensemble des principes généraux et l'éthique leur application concrète. D'autres philosophes encore s'accorderont pour désigner par « morale » la théorie des devoirs envers autrui, et par « éthique » la doctrine du salut et de la sagesse. Pourquoi pas ? Rien n'interdit d'utiliser ces deux mots pour leur donner des sens différents. Mais rien n'oblige non plus à le faire et, sauf précision contraire, j'utiliserai ces deux termes comme des synonymes parfaits dans la suite de ce livre.

que seul le divertissement vaut la peine d'être vécu, du moins serait-ce là le résultat d'une pensée, d'une réflexion et non d'un réflexe. Ce qui suppose que l'on parcourt trois étapes : celle de la *théorie*, celle de la *morale* ou de l'*éthique*, puis celle de la conquête du *salut* ou de la *sagesse*.

On pourrait formuler les choses simplement de la façon suivante : la première tâche de la philosophie, celle de la théorie, consiste à se faire une idée du « terrain de jeu », à acquérir un minimum de connaissance du monde dans lequel notre existence va se dérouler. A quoi ressemble-t-il, est-il hostile ou amical, dangereux ou utile, harmonieux ou chaotique, mystérieux ou compréhensible, beau ou laid ? Si la philosophie est quête du salut, réflexion sur le temps qui passe et qui est limité, elle ne peut pas ne pas commencer par s'interroger sur la nature de ce monde qui nous entoure. Toute philosophie digne de ce nom part donc des sciences naturelles qui nous dévoilent la structure de l'univers – la physique, les mathématiques, la biologie, etc. – mais aussi des sciences historiques qui nous éclairent sur son histoire comme sur celle des hommes. « Nul n'entre ici s'il n'est géomètre », disait Platon à ses élèves en parlant de son école, l'Académie, et à sa suite aucune philosophie n'a jamais prétendu sérieusement faire l'économie des connaissances scientifiques. Mais il lui faut aller plus loin et s'interroger aussi sur les *moyens* dont nous disposons pour connaître. Elle tente donc, au-delà des considérations empruntées aux sciences positives, de cerner la nature de la connaissance en tant que telle, de comprendre les méthodes auxquelles elle recourt (par exemple : comment découvrir les causes d'un phénomène ?) mais aussi les limites qui sont les siennes (par exemple : peut-on démontrer, oui ou non, l'existence de Dieu ?).

Ces deux questions, celle de la nature du monde, celle des instruments de connaissance dont disposent les humains, constituent ainsi l'essentiel de la partie **théorique** de la philosophie.

Mais il va de soi qu'en plus du terrain de jeu, qu'en plus de la connaissance du monde et de l'histoire dans laquelle notre existence va prendre place, il nous faut aussi nous intéresser aux autres humains, à ceux avec lesquels nous allons jouer. Car non seulement nous ne sommes pas seuls, mais le simple fait de l'éducation montre que nous ne pourrions tout simplement pas naître et subsister sans l'aide d'autres humains, à commencer par nos parents. Comment vivre avec autrui, quelles règles du jeu adopter, comment nous comporter de manière « vivable », utile, digne, de manière tout simplement « juste » dans nos relations aux autres ? C'est toute la question de la deuxième partie de la philosophie, la partie non plus théorique, mais **pratique**, celle qui relève, au sens large, de la sphère **éthique**.

Mais pourquoi s'efforcer de connaître le monde et son histoire, pourquoi s'efforcer même de vivre en harmonie avec les autres ? Quelle est la finalité ou le sens de tous ces efforts ? Faut-il d'ailleurs que cela ait un sens ? Toutes ces questions, et quelques autres du même ordre, nous renvoient à la troisième sphère de la philosophie, celle qui touche, tu l'as compris, à la question ultime du **salut** ou de la **sagesse**. Si la philosophie, selon son étymologie, est « amour » (*philo*) de la sagesse (*sophia*), c'est en ce point qu'elle doit s'abolir pour faire place, autant qu'il est possible, à la sagesse elle-même, qui se passe bien sûr de toute philosophie. Car être sage, par définition, ce n'est pas aimer ou chercher à l'être, c'est, tout simplement, vivre sagement, heureux et libre autant qu'il est possible, en ayant enfin vaincu les peurs que la finitude a éveillées en nous.

*

Mais tout cela devient bien trop abstrait, j'en ai conscience et il ne sert à rien de continuer à explorer la définition de la philosophie sans en donner maintenant un exemple concret. Il te permettra de voir à l'œuvre les trois dimensions – théorie, éthique, quête du salut ou sagesse – que nous venons d'évoquer.

Alors le mieux, c'est d'entrer sans plus tarder dans le vif du sujet, de commencer par le commencement en remontant aux origines, aux écoles de philosophie qui fleurissaient dans l'Antiquité. Je te propose de considérer le cas de la première grande tradition de pensée : celle qui passe par Platon et Aristote puis trouve son expression la plus achevée, ou à tout le moins la plus « populaire », dans le stoïcisme. C'est donc par lui que nous allons débuter. Ensuite, nous pourrons continuer à explorer ensemble les plus grandes époques de la philosophie. Il nous faudra aussi comprendre pourquoi et comment on passe d'une vision du monde à une autre. Est-ce parce que la réponse qui précède ne nous suffit pas, parce qu'elle ne nous convainc plus, parce qu'une autre l'emporte sans contestation, parce qu'il existe en soi plusieurs réponses possibles ?

Tu comprendras alors en quoi la philosophie est, contrairement, là encore, à une opinion courante et faussement subtile, bien davantage l'art des réponses que celui des questions. Et comme tu vas pouvoir en juger *par toi-même* – autre promesse cruciale de la philosophie, justement parce qu'elle n'est pas religieuse et ne fait pas dépendre la vérité d'un Autre – tu vas bientôt percevoir combien ces réponses sont profondes, passionnantes, et pour tout dire géniales.

Chapitre 2

Un exemple de philosophie antique
L'amour de la sagesse selon les stoïciens

Commençons par un peu d'histoire, pour que tu aies au moins une idée du contexte dans lequel l'école stoïcienne est née.

La plupart des historiens s'accordent à dire que la philosophie a vu le jour en Grèce, aux alentours du vɪᵉ siècle avant J.-C. On a coutume d'appeler cela le « miracle grec », tellement cette naissance soudaine est étonnante. Qu'y avait-il, en effet, avant et ailleurs – avant le vɪᵉ siècle et dans d'autres civilisations que la civilisation grecque ? Et pourquoi cette brusque apparition ?

On peut bien sûr en discuter longuement – et savamment. Mais, pour l'essentiel, je crois qu'à ces questions deux réponses assez simples sont cependant possibles.

La première, c'est que dans toutes les civilisations que nous connaissons avant et ailleurs que dans l'Antiquité grecque, ce sont des religions qui tenaient lieu, si l'on peut dire, de philosophie. Ce sont elles qui détenaient le monopole des réponses apportées à la question du salut, des discours destinés à calmer les angoisses nées du sentiment de notre mortalité. La pluralité quasi infinie des cultes dont nous avons plus ou moins conservé la trace en témoigne. C'est dans la protection des dieux, non dans l'exercice de leur raison que les hommes, pendant longtemps, ont sans doute cherché leur salut.

Quant à savoir pourquoi cette quête prit un jour, en Grèce, la forme d'une recherche « rationnelle », émancipée des croyances religieuses, il semble bien que la nature, au moins pour une part démocratique, de l'organisation politique de la cité y soit pour quelque chose. Car elle favorisait chez les élites, comme nulle autre avant elle, la liberté et l'autonomie de pensée. Dans leurs assemblées, les citoyens grecs avaient pris l'habitude de discuter, de délibérer, d'argumenter en permanence et en public – et c'est très certainement cette tradition républicaine qui a favorisé l'apparition d'une pensée libre, affranchie des contraintes liées aux divers cultes religieux.

C'est ainsi qu'il existait déjà à Athènes, dès le IVe siècle avant notre ère, de nombreuses écoles philosophiques. Le plus souvent, on les désignait par le nom des lieux où elles s'étaient établies. Par exemple, le père fondateur de l'école stoïcienne, Zénon de Kition (qui est né vers 334 et mort vers 262 avant J.-C.), enseignait sous des arcades recouvertes de peintures. C'est comme cela que le mot « stoïcisme » a été créé. Il vient tout simplement du grec *stoa* qui signifie « portique ».

Les leçons que dispensait Zénon sous ses fameuses arcades étaient gratuites et publiques. Elles reçurent un écho si considérable qu'à sa mort son enseignement fut poursuivi et prolongé par ses disciples.

Le premier successeur de Zénon fut Cléanthe d'Assos (vers 331-230), et le second, Chrysippe de Soles (vers 280-208). Ce sont les trois grands noms de ce qu'il est convenu de désigner comme le « stoïcisme ancien ». En dehors d'un bref poème, l'*Hymne à Zeus* de Cléanthe, nous n'avons pratiquement rien conservé des très nombreux ouvrages rédigés par les premiers stoïciens. Nous ne connaissons leur pensée que de manière indirecte, par des écrivains bien postérieurs à eux (notamment Cicéron). Le stoïcisme a connu une deuxième vie, en Grèce, au IIᵉ siècle avant J.-C., puis une troisième, beaucoup plus tard, à Rome.

Les grandes œuvres de cette dernière période nous sont, à la différence des deux premières, très bien connues. Elles ne proviennent plus de philosophes se succédant à la tête de l'école et vivant à Athènes, mais d'un membre de la cour impériale romaine, Sénèque (vers – 8/– 65), qui fut aussi précepteur et ministre de Néron, d'un professeur, Musonius Rufus (25-80), qui enseigna le stoïcisme à Rome et fut persécuté par le même Néron, d'Epictète (vers 50-130), un esclave affranchi dont l'enseignement oral nous fut transmis de façon fidèle par des disciples, notamment par Arrien, l'auteur de deux livres qui allaient traverser les siècles, les *Entretiens* et le *Manuel*[1], et enfin de l'empereur Marc Aurèle lui-même (121-180).

Je voudrais maintenant te montrer, en t'en indiquant les aspects fondamentaux, comment une philosophie, en l'occurrence le stoïcisme, peut relever tout autrement que les religions le défi du salut, comment elle peut, par les voies de la simple raison, tenter d'apporter des réponses à la nécessité de vaincre les peurs nées de la finitude. Dans cette présentation, je suivrai les trois grands axes – théorie, éthique, sagesse – dont je viens de te parler. Je ferai aussi une assez large place aux citations des grands auteurs. J'ai bien conscience qu'elles gênent parfois un peu la lecture, mais elles sont essentielles pour que tu apprennes le plus vite possible à exercer ton esprit critique. Il faut que tu t'habitues à toujours aller vérifier par toi-même si ce qu'on t'a dit

---

1. On dit que ce titre vient du fait que les maximes d'Epictète devaient pouvoir être à tout moment « sous la main » de ceux qui veulent apprendre à vivre, comme un poignard doit être toujours « sous la poigne » de ceux qui veulent bien combattre.

est vrai ou non. Et pour cela, il est nécessaire de lire dès que possible les textes originaux, sans jamais te contenter des seuls « commentaires ».

I. *THEORIA* : LA CONTEMPLATION DE L'ORDRE COSMIQUE

Pour y trouver sa place, pour apprendre à y vivre et y inscrire ses actions, il faut d'abord connaître le monde qui nous entoure. C'est là, je te l'ai dit, la tâche première de la théorie philosophique.

En grec, elle se nomme aussi *theoria* et l'étymologie du mot mérite qu'on s'y arrête[1] : *to theion* ou *ta theia orao*, signifie « je vois (*orao*) le divin (*theion*) », « je vois les choses divines (*theia*) ». Et pour les stoïciens, en effet, la *the-oria* consiste bien à s'efforcer de contempler ce qui est « divin » dans le réel qui nous entoure. En d'autres termes, la tâche première de la philosophie est de voir l'*essentiel* du monde, ce qui en lui est le plus réel, le plus important, le plus significatif. Or pour la tradition qui culmine dans le stoïcisme, l'essence la plus intime du monde est l'*harmonie*, l'*ordre*, tout à la fois juste et beau, que les Grecs désignent sous le nom de *cosmos*.

Si tu veux te faire une idée exacte de ce que les Grecs nommaient le *cosmos*, le plus simple, c'est de te représenter le tout de l'univers comme s'il s'agissait d'un être **organisé et animé**. Pour les stoïciens, en effet, la structure du monde ou, si tu préfères, l'ordre cosmique n'est pas seulement une organisation magnifique, mais c'est aussi un ordre analogue à celui d'un être

---

1. Juste ou non, c'est du moins l'une de celles que les Anciens eux-mêmes avançaient volontiers et en ce sens, elle est de toute façon significative.

vivant. Le monde matériel, l'univers tout entier est au fond comme un gigantesque animal dont chaque élément – chaque organe – serait admirablement conçu et agencé en harmonie avec l'ensemble. Chaque partie du tout, chaque membre de ce corps immense est parfaitement à sa place et, sauf catastrophe (il y en a parfois, mais elles ne durent qu'un temps et tout rentre bientôt dans l'ordre), il fonctionne de manière, au sens propre, impeccable, sans défaut, en harmonie avec les autres : voilà ce que la *theoria* doit nous aider à dévoiler et à connaître.

En français, le terme *cosmos* a donné, entre autres, le mot « cosmétique ». A l'origine, c'est la science de la beauté des corps qui doit être attentive à la justesse des proportions, puis à l'art du maquillage qui doit mettre en relief ce qui est « bien fait » (et dissimuler, le cas échéant, ce qui l'est moins...). C'est cet ordre, ce *cosmos* comme tel, cette structure ordonnée de l'univers tout entier que les Grecs nomment le « divin » (*theion*), et non, comme chez les juifs ou les chrétiens, un Etre qui serait extérieur à l'univers, qui existerait avant lui et qui l'aurait créé.

C'est donc *ce divin-là*, qui n'a rien d'un Dieu personnel mais se confond avec l'ordre du monde, que les stoïciens nous invitent à contempler (*theorein*) par tous les moyens appropriés – par exemple en étudiant des sciences particulières, la physique, l'astronomie ou encore la biologie, mais aussi en multipliant les observations qui nous montrent combien l'univers *tout entier* (et non seulement telle ou telle partie) est « bien fait » : le mouvement régulier des planètes, mais tout autant la structure du moindre organisme vivant, du plus minuscule insecte, prouvent à l'observateur attentif, à celui qui pratique intelligemment la « théorie », combien l'idée de *cosmos*, d'ordre juste et beau, décrit de manière adéquate la réalité qui nous entoure pourvu qu'on sache la contempler comme il convient.

On peut donc dire que la structure de l'univers est non seulement « divine », parfaite, mais aussi « rationnelle », conforme à ce que les Grecs nomment le *logos* (terme qui donnera en français le mot « logique ») et qui désigne justement cet ordonnancement admirable des choses. C'est d'ailleurs pourquoi notre raison va s'avérer capable, justement dans l'exercice de la *theoria*, de le comprendre et de le déchiffrer, exactement comme un biologiste comprend la « signification » ou la fonction des organes d'un corps vivant qu'il dissèque.

Pour les stoïciens, ouvrir les yeux sur le monde, c'était ainsi comme pour un biologiste ouvrir les yeux sur le corps d'une souris ou d'un lapin pour y découvrir que tout y est parfaitement « bien fait » : l'œil admirablement constitué pour « bien voir », le cœur et les artères pour bien irriguer tout le corps du sang qui le fait vivre, l'estomac pour digérer les aliments, les poumons pour oxygéner les muscles, etc. Tout cela est, aux yeux des stoïciens, à la fois « logique », rationnel au sens du *logos*, et « divin », *theion*. Pourquoi ce terme ? Nullement pour signifier qu'un Dieu personnel aurait créé toutes ces merveilles, mais plutôt pour marquer le fait, tout d'abord qu'il s'agit bel et bien de merveilles, *mais aussi que nous, les êtres humains, n'en sommes en rien les auteurs ou les inventeurs*. Nous ne faisons, au contraire, que les découvrir déjà toutes faites, sans les avoir créées nous-mêmes. Le divin, c'est le non-humain lorsqu'il est merveilleux.

C'est là ce que Cicéron, l'une de nos principales sources pour connaître la pensée des premiers stoïciens dont je t'ai dit que les ouvrages ont presque tous été perdus, souligne dans son essai consacré à la *nature des dieux* (I, 425) où il se moque des penseurs, comme Epicure, selon lesquels le monde, à l'encontre de ce que prétendent les stoïciens, n'est pas un *cosmos*, un ordre, mais au contraire un chaos. Voici ce que Cicéron lui rétorque, au nom, justement, de la pensée stoïcienne :

« Qu'Epicure se moque tant qu'il voudra [...] il n'en reste pas moins que rien n'est plus parfait que le monde... Le monde est un être animé, doué de conscience, d'intelligence et de raison. »

Je t'ai cité ce petit texte pour que tu mesures combien cette pensée est éloignée de la nôtre, à nous Modernes. Si quelqu'un prétendait aujourd'hui que le monde est animé, c'est-à-dire qu'il possède une âme et que la nature est douée de raison, il passerait certainement pour un fou. Mais si l'on comprend bien les Anciens, ce qu'ils voulaient dire n'a rien d'absurde : en affirmant le caractère divin de l'univers tout entier, ils exprimaient leur conviction qu'un ordre « logique » était à l'œuvre derrière le chaos apparent des choses et que la raison humaine pouvait le mettre au jour.

J'en profite pour te dire que c'est exactement cette idée, celle selon laquelle le monde possède une sorte d'âme, qu'il est comme un être vivant, que l'on nommera plus tard l'« animisme » (du mot latin *anima*, qui veut dire « âme »). On parlera même, à propos de cette « cosmologie » (de cette conception du *cosmos*), d'« hylozoïsme », ce qui veut dire littéralement que la matière (*hylè*) est comme un animal (*zoon*), qu'elle est un être vivant. C'est encore cette doctrine que l'on désignera sous le nom de « panthéisme » (du mot grec *pan*, qui veut dire « tout », et *theos* = Dieu), puisque c'est la totalité du monde qui est divine, et non pas un être extérieur au monde qui l'aurait créé, pour ainsi dire, du dehors.

Si je t'indique ce vocabulaire, ce n'est pas, tu t'en doutes, par goût du jargon philosophique, mais tout à l'inverse, pour que tu puisses aller lire les œuvres des grands auteurs par toi-même sans être arrêté par la barrière, au fond toute bête, de ces termes qu'on dit « techniques » et qui le plus souvent impressionnent davantage qu'ils n'éclairent.

Du point de vue de la *theoria* stoïcienne, le *cosmos*

est donc, hors ces quelques épisodes accidentels et provisoires que sont les catastrophes, essentiellement **harmonieux** – ce qui aura, nous verrons pourquoi dans quelques instants, des conséquences considérables sur le plan « pratique » (c'est-à-dire sur le plan moral, juridique et politique). Car c'est justement parce que la nature tout entière est harmonieuse qu'elle va pouvoir, dans une certaine mesure, servir de modèle de conduite aux hommes. C'est en ce sens que le fameux impératif selon lequel il faut l'imiter en toute chose va pouvoir s'appliquer non seulement sur le plan de l'esthétique, de l'art, mais aussi de la morale et de la politique.

Car cet ordre harmonieux ne peut être, en raison même de cette caractéristique première, que **juste et bon**, ainsi qu'y insiste Marc Aurèle, dans ses *Pensées* :

> « Tout ce qui arrive, arrive justement ; c'est ce que tu découvriras si tu observes les choses avec exactitude [...] comme si quelqu'un vous attribuait votre part suivant votre dû. »

L'idée de Marc Aurèle, c'est bien que la nature, du moins dans son fonctionnement normal, hors les accidents ou les catastrophes qui parfois nous submergent, rend finalement justice à chacun en ce sens qu'elle nous dote tous, pour l'essentiel, de ce dont nous avons besoin : un corps qui nous permet de nous mouvoir dans le monde, une intelligence qui nous permet de nous y adapter, et des richesses naturelles qui nous suffisent pour y vivre. De sorte que dans ce grand partage cosmique, chacun reçoit ce qui lui est dû.

Cette théorie du juste annonce une formule qui servira de principe à tout le droit romain : « rendre à chacun le sien », mettre chacun à sa place – ce qui suppose naturellement qu'il y ait bien, pour chacun, quelque chose comme une « place », un « lieu naturel » comme disent les Grecs, au sein du *cosmos* et que ce *cosmos* lui-même soit juste et bon.

Tu comprends que dans cette optique, l'une des finalités ultimes de la vie humaine sera de trouver sa juste
place au sein de l'ordre cosmique. Pour la plupart des
penseurs grecs – à l'exception des épicuriens –, c'est en
poursuivant cette quête, ou mieux, en accomplissant
cette tâche que l'on peut parvenir au bonheur et à la vie
bonne. Dans une perspective analogue, la *theoria*
possède aussi de manière implicite une dimension esthétique, puisque l'harmonie du monde qu'elle dévoile
en fait pour les humains un modèle de beauté. Bien
entendu, de même qu'il existe des catastrophes naturelles qui semblent infirmer l'idée que le *cosmos* serait
juste et bon – mais on a dit qu'elles n'étaient jamais
que des accidents provisoires – il existe aussi au sein
de la nature des choses qui, au moins à première vue,
paraissent laides, et même affreuses. Il faut cependant,
selon les stoïciens, savoir dépasser les impressions
immédiates et ne pas en rester au point de vue ordinaire
des gens sans réflexion. C'est là ce que Marc Aurèle
exprime avec beaucoup de force dans son livre intitulé
Pensées :

> « La crinière du lion, l'écume qui coule de la gueule du
> sanglier, et bien d'autres choses, si on les observe en
> détail, sont sans doute loin d'être belles et pourtant,
> parce qu'elles dérivent du fait d'être engendrées par
> la nature, elles sont un ornement et possèdent leurs
> charmes ; et si l'on se passionnait pour les êtres de
> l'univers, si l'on avait une intelligence plus profonde,
> il n'est sans nul doute aucun d'entre eux... qui ne
> paraîtrait une agréable créature. Même chez les vieux
> et les vieilles, on pourra voir une certaine perfection,
> une beauté, comme on verra la grâce enfantine, si on
> a les yeux d'un sage. »

C'est la même idée que l'on trouve déjà exposée par
l'un des plus grands philosophes grecs dont le stoïcisme
s'inspire, Aristote, lorsqu'il dénonce l'illusion de ceux

qui jugent le monde mauvais, laid ou désordonné, parce qu'ils ne regardent qu'au détail sans accéder à une intelligence convenable de la totalité. Si les gens ordinaires pensent, en effet, que le monde est imparfait, c'est parce qu'ils commettent selon lui l'erreur « d'étendre à l'univers tout entier des observations qui ne portent que sur les objets sensibles, et même que sur un petit nombre d'entre eux. En effet, la région du monde sensible qui nous environne est la seule où règnent la génération et la corruption, mais elle n'est même pas, si l'on peut dire, une partie du tout ; de sorte qu'il eût été plus juste d'absoudre le monde sensible en faveur du monde céleste, que de condamner le monde céleste à cause du monde sensible ». Bien entendu, si l'on se borne à regarder notre petit coin du monde, on ne verra pas la beauté de l'ensemble, mais le philosophe qui contemple, par exemple, le mouvement admirablement régulier des planètes saura s'élever à un point de vue supérieur pour comprendre la perfection du Tout dont nous ne sommes qu'un infime fragment.

En quoi, comme tu vois, le caractère divin du monde est à la fois *immanent et transcendant.*

Là encore, j'utilise exprès ces mots du vocabulaire philosophique parce qu'ils te seront utiles par la suite. On dit d'une chose qu'elle est immanente au monde quand elle ne se situe pas ailleurs qu'en lui. On la dit transcendante dans le cas contraire. En ce sens, le Dieu des chrétiens est transcendant par rapport au monde, alors que le divin des stoïciens, qui n'est nullement situé dans je ne sais quel « au-delà » puisqu'il n'est rien d'autre que la structure harmonieuse, cosmique ou cosmétique, du monde lui-même, lui est parfaitement immanent.

Il n'empêche que, d'un autre point de vue, le divin des stoïciens peut être dit également « transcendant », non pas, bien sûr, par rapport au monde, mais par rapport aux hommes, en ce sens qu'il est *radicalement supérieur et extérieur à eux*. Ces derniers, en effet, le découvrent avec émerveillement, du moins s'ils sont un peu philosophes, mais ne l'inventent ni ne le produisent en rien.

Ecoutons sur ce point Chrysippe, qui fut l'élève de Zénon et le second directeur de l'école stoïcienne :

> « Les choses célestes et celles dont l'ordre est toujours le même ne peuvent être faites par l'homme. »

Ces propos sont rapportés par Cicéron qui ajoute, en commentant la pensée des premiers stoïciens :

> « Le monde doit être sage et la nature qui tient toutes choses embrassées doit exceller par la perfection de la raison [*logos*] ; *ainsi le monde est Dieu et l'ensemble du monde est embrassé par une nature divine*. »

On peut donc dire du divin selon les stoïciens qu'il est « transcendance dans l'immanence », pour mieux faire saisir en quoi la *theoria* est bien une contemplation de « choses divines » qui, pour n'être pas inscrites ailleurs que dans le réel, n'en sont pas moins tout à fait étrangères à l'activité humaine.

Je voudrais que tu notes encore au passage une idée difficile, sur laquelle nous reviendrons plus tard, pour la comprendre mieux, mais que tu peux déjà garder dans un coin de ta tête : la *theoria* dont nous parlent les stoïciens nous dévoile, comme on vient de le dire, ce qui est le plus parfait et le plus « réel » – le plus divin, au sens grec – dans le monde. En effet, tu vois bien que le plus réel, le plus essentiel dans la description du *cosmos*, c'est son ordonnancement, son harmonie – et non, par exemple, le fait que par moments il ait des défauts, comme le sont les monstres ou les catastrophes naturelles. C'est en quoi la *theoria*, qui nous découvre tout cela et nous donne les moyens de le comprendre, est à la fois ce que des philosophes nommeront plus tard une « ontologie » (une doctrine qui définit la structure ou l'« essence » la plus intime de l'Etre) et une théorie de la connaissance (une étude des moyens intellectuels par lesquels on parvient à cette connaissance du monde).

Ce qu'il est important de saisir, c'est que la *theoria* philosophique, entendue en ce double sens, n'est pas réductible à une science particulière comme la biologie, l'astronomie, la physique ou la chimie par exemple. Car, bien qu'elle recoure sans cesse à ces sciences positives, elle n'est pourtant elle-même ni expérimentale, ni limitée à un objet particulier. Par exemple, elle ne s'intéresse pas seulement à l'être vivant, comme la biologie, ou aux seules planètes, comme l'astronomie, ni même à la seule matière inanimée, comme la physique, mais elle essaie de saisir l'essence ou la structure intime de la totalité du monde. C'est bien ambitieux, sans doute, et cela peut même paraître tout à fait utopique au regard des exigences scientifiques qui sont les nôtres aujourd'hui. Mais la philosophie n'est pas une science parmi d'autres, et même si elle doit tenir compte des résultats scientifiques, sa visée fondamentale n'est pas d'ordre scientifique. Ce qu'elle cherche, c'est un sens à ce monde qui nous entoure, des éléments qui nous permettent d'y inscrire notre existence et pas seulement une connaissance objective.

Tout cela est encore bien difficile à saisir au stade où nous en sommes. Tu peux donc, pour l'instant, laisser cet aspect des choses de côté, mais sache qu'il nous faudra y revenir pour mieux préciser la nature de la différence entre la philosophie et les sciences exactes.

Quoi qu'il en soit, je suis certain que tu pressens déjà par toi-même que cette *theoria*-là, contrairement à nos sciences modernes qui sont par principe « neutres » en ce sens qu'elles décrivent ce qui est et nullement ce qui devrait être, va avoir des implications pratiques sur le plan moral, juridique et politique. Il est clair, en effet, que la description du *cosmos* qu'on vient d'évoquer ne pouvait pas laisser indifférents les hommes qui s'interrogeaient sur la meilleure façon de conduire leur vie.

II. ETHIQUE : UNE JUSTICE
QUI PREND L'ORDRE COSMIQUE POUR MODÈLE

Quelle éthique correspond à la *theoria* que nous venons brièvement de décrire ?

La réponse ne fait aucun doute : s'ajointer ou s'ajuster au *cosmos*, voilà aux yeux des stoïciens le mot d'ordre de toute action juste, le principe même de toute morale et de toute politique. Car la justice est d'abord *justesse* : comme un ébéniste ou un luthier ajuste une pièce de bois dans un ensemble plus vaste, un meuble ou un violon, nous n'avons rien de mieux à faire qu'à nous efforcer de nous *ajuster* à l'ordre harmonieux et bon que la *theoria* vient de nous dévoiler. Ce qui te précise encore, au passage, le sens de l'activité théorique pour les philosophes. La connaissance n'y est pas tout à fait désintéressée, comme tu vois, puisqu'elle ouvre immédiatement sur une éthique.

Voilà d'ailleurs pourquoi les écoles philosophiques de l'époque, contrairement à ce qui se fait aujourd'hui dans nos lycées ou nos universités, insistent moins sur les discours que sur les actes, moins sur les concepts que sur les *exercices de sagesse*.

Je vais te conter une petite anecdote pour que tu comprennes bien ce que cela veut dire. Avant que l'école stoïcienne soit fondée par Zénon, il existait à Athènes une autre école, dont les stoïciens se sont d'ailleurs beaucoup inspirés : celle des cyniques. Aujourd'hui, le mot cynique désigne, dans le langage courant, quelque chose de négatif. Dire de quelqu'un qu'il est « cynique », c'est dire qu'il ne croit à rien, qu'il agit sans principes, sans se soucier des valeurs, sans respect pour autrui, etc. A l'époque, au IIIe siècle avant J.-C., c'est une tout autre affaire, et les cyniques sont même, avant toute chose, des moralistes exigeants.

Le mot possède une origine amusante : il est dérivé directement du terme grec qui veut dire « chien ». Quel rapport, me diras-tu, avec une école de sagesse philosophique ? Le voici . les philosophes cyniques avaient un principe fondamental de conduite visant à s'efforcer de vivre selon la nature plutôt qu'en fonction des conventions sociales artificielles dont ils ne cessaient de se moquer. Une de leurs activités favorites consistait à asticoter les bonnes gens dans la rue, sur la place des marchés, à tourner en dérision leurs croyances, on dirait aujourd'hui à « choquer le bourgeois », et c'est en quoi on les comparait volontiers à ces roquets qui vous mordillent les mollets ou viennent aboyer dans vos jambes comme pour mieux vous déranger.

On raconte ainsi que les cyniques – et l'un des plus éminents d'entre eux, qui se nommait Cratès, fut justement le maître de Zénon – obligeaient leurs élèves à multiplier les exercices pratiques les contraignant à négliger le qu'en-dira-t-on pour se concentrer sur la mission essentielle qui consiste à vivre en accord avec l'ordre cosmique. On les invitait, par exemple, à tirer sur la place du marché un poisson mort accroché au bout d'une laisse. Tu imagines sans peine que le malheureux contraint de se livrer à ce genre de facéties se trouvait aussitôt victime de toutes les moqueries et de tous les quolibets. Mais, comme on dit, « cela lui apprenait ». A quoi ? Justement, à ne plus se soucier du regard des autres pour opérer ce que les croyants nomment fort bien une « conversion » : en l'occurrence, une conversion, non à Dieu, mais à la nature cosmique dont la folie humaine ne devrait jamais nous détourner.

Cratès lui-même, dans un autre style, mais tout aussi conforme à la nature, n'hésitait pas à faire l'amour en public avec sa femme, Hipparchia. A l'époque, comme aujourd'hui, les gens en étaient fort choqués. Mais, aussi étrange que cela puisse te paraître, c'était là un effet direct de ce que l'on pourrait nommer la « cosmologicoéthique » : l'idée que la morale et l'art de vivre doivent emprunter leurs principes à l'harmonie qui règle le *cosmos* tout entier. Tu comprends maintenant pourquoi la *theoria* était aux yeux des stoïciens la première discipline à pratiquer, car ses conséquences pratiques n'avaient rien de négligeable !

C'est là ce que Cicéron explique fort bien lorsqu'il se fait l'écho de la pensée stoïcienne dans un autre de ses livres, intitulé *Des fins des biens et des maux* (III, 73) :

> « Celui qui veut vivre en accord avec la nature doit partir de la vision d'ensemble du monde et de la providence. On ne peut porter des jugements vrais sur les biens et sur les maux sans connaître le système entier de la nature et de la vie des dieux ni savoir si la nature humaine est ou non en accord avec la nature universelle. Et l'on ne peut voir, sans la physique, quelle importance (et elle est immense) ont les anciennes maximes des sages : "Obéis aux circonstances !", "Suis Dieu !", "Connais-toi toi-même !", "Rien de trop !", etc. Seule la connaissance de cette science peut nous enseigner ce que peut la nature dans la pratique de la justice, dans la conservation de nos amitiés et de nos attachements... »

En quoi, toujours selon Cicéron, la nature est bien « le plus beau des gouvernements ».

Tu peux ici mesurer combien cette vision ancienne de la morale et de la politique est aux antipodes de ce que nous pensons aujourd'hui dans nos démocraties où c'est la volonté des hommes, et non l'ordre naturel, qui doit l'emporter sur toute autre considération. C'est ainsi que nous avons adopté le principe de la majorité pour élire nos représentants ou encore pour choisir et fabriquer nos lois. En outre, nous doutons souvent que la nature soit en soi « bonne » : dans le meilleur des cas, lorsqu'elle ne nous gratifie pas d'un ouragan ou d'un tsunami, elle est devenue pour nous un matériau neutre, qui n'est en lui-même ni bon ni mauvais moralement.

Pour les Anciens, non seulement la nature était avant tout bonne, mais ce n'est en rien la volonté d'une majorité d'humains qui était appelée à décider du bien et du mal, du juste et de l'injuste, car les critères qui permettaient de les distinguer relevaient tous d'un ordre naturel, extérieur et supérieur aux hommes. En gros, ce qui était bon, c'était ce qui était conforme à l'ordre cosmique, *qu'on le veuille ou non*, et ce qui était mauvais, c'est ce qui lui était contraire, *que cela plaise ou non*. L'essentiel était de parvenir concrètement, dans la pratique, à s'accorder à l'harmonie du monde afin d'y trouver la juste place qui revenait à chacun dans le Tout.

Si tu veux cependant comparer cette conception de la morale à quelque chose que tu connais et qui existe encore aujourd'hui dans nos sociétés, pense à l'écologie. Pour les écologistes, en effet, et en cela ils reprennent, bien que souvent sans le savoir, des thèmes de l'Antiquité grecque, la nature forme une totalité harmonieuse que les humains auraient tout intérêt à respecter et même, dans bien des cas, à imiter. C'est en ce sens qu'ils parlent, par exemple, non pas de *cosmos*, mais cela revient un peu au même, de « biosphère » ou encore d'« écosystèmes ». Comme le dit un philosophe allemand qui fut un grand théoricien de l'écologie contemporaine, Hans Jonas, « les fins de l'homme sont domiciliées dans la nature », ce qui veut dire : les objectifs que les êtres humains devraient se proposer sur le plan éthique sont inscrits, comme le pensaient les stoïciens, dans l'ordre même du monde, de sorte que le « devoir-être » – c'est-à-dire ce qu'il faut faire moralement – n'est pas coupé de l'être, de la nature telle qu'elle est.

Comme le disait déjà Chrysippe, plus de vingt siècles avant Jonas : « Il n'y a pas d'autre moyen ou de moyen plus approprié pour parvenir à la définition des choses bonnes ou mauvaises, à la vertu ou au bonheur, que de partir de la nature commune et du gouvernement du monde », propos que Cicéron commente à son tour en ces termes : « Quant à l'homme, il est né pour contempler [*theorein*] et pour imiter le divin monde... Le monde possède la vertu, il est sage, et par conséquent Dieu » (*De la nature des dieux*, 422) – où l'on voit que ce n'est pas notre jugement sur le réel, mais bien le réel lui-même qui s'avère être, en tant que divin, le fondement des valeurs éthiques et juridiques.

Est-ce là, pour autant, le dernier mot de la philosophie ? Peut-elle se borner à donner, dans la théorie, une « vision du monde » puis à en déduire les principes moraux selon lesquels les humains devraient agir ?

Nullement, comme tu vas voir, car nous ne sommes encore qu'au seuil de cette quête du salut, de cette tentative de s'élever jusqu'à la sagesse véritable qui consiste dans l'abolition de toute peur liée à la finitude, à la perspective du temps qui passe, et de la mort. C'est donc seulement maintenant, sur la base de la théorie et de la pratique qu'on vient de décrire, que la philosophie stoïcienne va pouvoir aborder sa véritable destination.

III. DE L'AMOUR DE LA SAGESSE À LA PRATIQUE DE LA SAGESSE : LA MORT N'EST PAS À CRAINDRE, ELLE N'EST QU'UN PASSAGE CAR NOUS SOMMES UN FRAGMENT ÉTERNEL DU *COSMOS*

La question va tellement de soi qu'on en oublierait presque de la poser. Pourtant, elle n'a rien d'évident : pourquoi la *theoria*, pourquoi même la morale ? A quoi bon, après tout, se donner tant de mal pour contempler l'ordre du monde, pour saisir l'essence la plus intime de l'être ? Et pourquoi s'efforcer avec tant d'opiniâtreté de s'y ajuster ? D'autant qu'il existe bien d'autres formes de vie que la vie philosophique, bien d'autres métiers possibles. Nul n'est obligé d'être philosophe... Nous touchons là, enfin, à la question la plus haute, à l'interrogation ultime de toute philosophie : celle du salut.

Car il y a bien, pour les stoïciens comme pour tous les philosophes, un « au-delà » de la morale. Dans le jargon des philosophes, c'est ce qu'on nomme la « sotériologie », terme qui vient du grec *soterios* qui veut dire, tout simplement, « salut ». Or je t'ai dit que ce dernier se conçoit par rapport à la question de la mort, par rapport à cette « finitude » qui nous amène toujours, à un moment ou à un autre, à nous interroger sur le caractère irréversible du cours du temps et, par conséquent, sur l'usage le meilleur que nous pouvons en faire. En quoi d'ailleurs, même si tous les êtres humains ne deviennent pas des philosophes, tous sont, un jour ou l'autre, touchés par les questions philosophiques. Comme je te l'ai indiqué aussi, la philosophie, à la différence des grandes religions, va nous faire la promesse de nous aider à nous « sauver », à vaincre nos peurs ou nos inquiétudes, non pas par un Autre, par un Dieu, mais par nous-mêmes, par nos propres forces, en faisant usage de notre simple raison.

Or, comme une philosophe contemporaine, Hannah Arendt, l'a expliqué – dans un passage de son livre intitulé *La Crise de la culture* –, les Anciens envisageaient traditionnellement, avant même la naissance de la philosophie, deux façons de relever les défis lancés aux humains par l'incontournable fait de leur mortalité, deux manières, si l'on veut, de tenter une victoire sur la mort ou, du moins, sur les craintes qu'elle nous inspire.

La première, toute naturelle, réside simplement dans la procréation : en ayant un jour des enfants, en assurant, comme on dit si bien, sa « descendance », on s'inscrit d'une certaine façon dans le cycle éternel de la nature, dans l'univers des choses qui ne sauraient mourir. La preuve, d'ailleurs, c'est que nos enfants, souvent, nous ressemblent au physique comme au moral. Ils emportent ainsi, à travers le temps, quelque chose de nous. L'ennui, bien sûr, c'est qu'une telle voie d'accès à la durée ne vaut guère que pour l'espèce : si cette dernière peut apparaître comme potentiellement immortelle, l'individu, en revanche, naît, se développe et meurt, de sorte qu'en visant la pérennité par la procréation, l'être humain non seulement échoue, mais il ne s'élève en rien au-dessus de la condition des autres espèces animales. En clair : j'aurais beau faire autant d'enfants qu'on voudra, cela ne m'empêchera pas de mourir ni, pis encore, de les voir le cas échéant mourir à leur tour ! Certes, j'assurerai pour une part la survie de l'espèce, mais nullement celle de l'individu, de la personne. Il n'est donc point vraiment de salut dans la procréation...

La seconde façon de s'en sortir est déjà plus élaborée : elle consiste à accomplir des actions héroïques et glorieuses pouvant faire l'objet d'un récit, la *trace écrite* ayant pour principale vertu de vaincre en quelque façon l'éphémère du temps. On pourrait dire que les livres d'histoire – et tu dois savoir qu'il existe déjà, dans la Grèce ancienne, d'immenses historiens comme Thucydide ou Hérodote, par exemple –, en rapportant les faits exceptionnels accomplis par certains hommes, les sauvent de l'oubli menaçant tout ce qui n'appartient pas au règne de la nature.

Les phénomènes naturels, en effet, sont cycliques. Ils se répètent indéfiniment, comme le jour vient après la nuit, l'hiver après l'automne ou le beau temps après l'orage. Et leur répétition garantit que nul ne saurait les oublier : le monde naturel, en ce sens un peu particulier, certes, mais néanmoins compréhensible, accède sans peine à une certaine forme d'« immortalité », au lieu que « toutes les choses qui doivent leur existence à l'homme, comme les œuvres, les actions et les mots sont périssables, contaminées pour ainsi dire, par la mortalité de leurs auteurs ». Or c'est précisément cet empire de l'éphémère que la gloire pourrait permettre, au moins pour une part, de combattre.

Telle est, selon Arendt, la finalité réelle des livres d'histoire dans l'Antiquité lorsque, rapportant les faits « héroïques », par exemple l'attitude d'Achille pendant la guerre de Troie, ils tentent de les arracher à la sphère du périssable pour les égaler à celle de la nature[1] :

> « Si les mortels réussissaient à doter de quelque permanence leurs œuvres, leurs actions et leurs paroles, et à leur enlever leur caractère périssable, alors ces choses étaient censées, du moins jusqu'à un certain point, pénétrer et trouver demeure dans le monde de ce qui dure toujours, et les mortels eux-mêmes trouver leur place dans le cosmos où tout est immortel, excepté les hommes. »

Et c'est vrai : à certains égards, les héros grecs ne sont pas tout à fait morts, puisque nous continuons aujourd'hui encore, grâce à l'écriture qui est plus stable et permanente que la parole, à lire le récit de leurs faits et gestes. La gloire peut ainsi apparaître comme une forme d'immortalité personnelle et c'est sans doute pour cette raison qu'elle fut et reste enviée par nombre d'êtres humains. Il faut bien dire, toutefois, que pour beaucoup d'autres, elle ne sera jamais plus qu'une piètre consolation, pour ne pas dire une forme de vanité...

Avec la naissance de la philosophie, c'est une *troisième façon* de relever les défis de la finitude qui fait son entrée en scène. Je t'ai déjà dit combien la crainte de la mort était, selon Epictète – qui sans nul doute exprime ici la conviction de tous les grands cosmologistes –, le mobile ultime de l'intérêt pour la sagesse

---

1. Cf. *La Crise de la culture*, « Le concept d'histoire », traduction française Gallimard, p. 60 *sqq*.

philosophique. Mais grâce à cette dernière, l'angoisse existentielle va enfin recevoir, par-delà les fausses consolations de la procréation et de la gloire, une réponse qui rapproche singulièrement la philosophie de l'attitude religieuse tout en maintenant la distinction que tu sais entre le « salut par un Autre » et le « salut par soi-même ».

Selon les stoïciens, en effet, le sage va pouvoir, grâce à un juste exercice de la pensée et de l'action, parvenir à une certaine forme humaine, sinon d'immortalité, du moins d'éternité. Certes, il va mourir. Mais la mort ne sera pas pour lui la fin absolue de toute chose, mais plutôt une transformation, un « passage », si l'on veut, d'un état à un autre au sein d'un univers dont la perfection *globale* possède une stabilité absolue, et par là même divine.

Nous allons mourir, c'est un fait, comme c'en est un aussi que les épis de blé, un jour, seront moissonnés. Faut-il pour autant, se demande Epictète, se voiler la face et s'abstenir, comme par superstition, de formuler de telles pensées parce qu'elles seraient de « mauvais augure » ? Non, car « les épis disparaissent, mais non le monde ». Le commentaire de la formule mérite que tu t'y arrêtes :

> « Les feuilles tombent, la figue sèche remplace la figue fraîche, le raisin sec la grappe mûre, voilà selon toi des paroles de mauvais augure ! En fait, il n'y a là que la transformation d'états antérieurs en d'autres ; il n'y a pas de destruction, mais un aménagement et une disposition *bien réglés*. L'émigration n'est qu'un petit changement. La mort en est un plus grand, mais il ne va pas de l'être actuel au non-être, mais au non-être de l'être actuel. – Alors je ne serai plus ? – Tu ne seras pas ce que tu es, mais autre chose dont le monde aura alors besoin[1]. »

Ou, comme le dit dans le même sens une pensée de

---

1. *Les Stoïciens, op. cit.*, p. 1030.

Marc Aurèle (IV, 14) : « Tu existes comme partie : tu disparaîtras dans le tout qui t'a produit, ou plutôt, par transformation, tu seras recueilli dans sa raison séminale. »

Que signifient ces textes ? Au fond, tout simplement ceci : parvenu à un certain niveau de sagesse théorique et pratique, l'être humain comprend que la mort n'existe pas vraiment, qu'elle n'est qu'un passage d'un état à un autre, non pas un anéantissement, mais un mode d'être différent. En tant que membres d'un *cosmos* divin et stable, nous pouvons participer, nous aussi, de cette stabilité et de cette divinité. *Pourvu que nous le comprenions, nous percevrons du même coup combien notre peur de la mort est injustifiée, non seulement subjectivement, mais bien aussi, en un sens panthéiste, objectivement* puisque l'univers étant éternel, et nous-mêmes étant appelés à en demeurer à jamais un fragment, nous ne cesserons jamais d'exister !

Bien comprendre le sens de ce passage est donc, selon Epictète, le but même de *toute activité philosophique*. C'est elle qui doit permettre à chacun de parvenir à une vie bonne et heureuse en enseignant, selon sa belle formule, « *à vivre et à mourir comme un dieu*[1] », entendons : comme un être qui, percevant son lien privilégié avec tous les autres au sein de l'harmonie cosmique, parvient à la sérénité, à la conscience du fait que, mortel en un sens, il n'en est pas moins éternel en un autre. Telle est la raison pour laquelle, selon Cicéron, la tradition s'est parfois employée à « diviniser » certains hommes illustres tels que Hercule ou Esculape : comme leurs âmes « subsistaient et jouissaient de l'éternité, on les a légitimement tenus pour des dieux car ils sont parfaits et éternels[2] ».

---

1. *Les Stoïciens, op. cit.*, p. 900.
2. *De la nature des dieux*, II, 24. On pourrait presque dire que, selon cette conception ancienne du salut, il y a des degrés dans la

Cela dit, la tâche n'a rien d'aisé, et si la philosophie, qui culmine bien, comme tu le constates maintenant, dans une doctrine du salut fondée sur l'exercice de la raison, veut ne pas en rester à une simple aspiration à la sagesse, mais vaincre les peurs et faire place à la sagesse elle-même, il lui faut s'incarner dans des exercices pratiques.

C'est là, en vérité, que la doctrine du salut prend son véritable sens et atteint une dimension nouvelle. Pour tout te dire, je ne suis pas vraiment convaincu par la réponse stoïcienne – et je pourrais, si j'en avais envie, faire bien des critiques à son endroit. Au reste, à l'époque des stoïciens, ces objections existaient déjà. Mais j'ai choisi, dans cette présentation des grands moments de la philosophie, de m'abstenir de tout regard négatif parce que je crois qu'il faut d'abord bien comprendre avant de critiquer, et surtout parce qu'il est indispensable, avant de « penser par soi-même », d'avoir

---

mort, comme si l'on mourait plus ou moins selon que l'on est plus ou moins sage et « éveillé ». Dans cette optique, la vie bonne, c'est celle qui, malgré l'aveu désillusionné de notre finitude, conserve le lien le plus étroit possible avec l'éternité, en l'occurrence, avec le divin ordonnancement cosmique auquel le sage accède par la *theoria*. En assignant cette mission suprême à la philosophie, Epictète ne fait d'ailleurs que s'inscrire dans une longue tradition, qui remonte au moins au *Timée* de Platon, qui passe par Aristote et qui étrangement se prolonge à certains égards, comme on verra tout à l'heure, jusque chez Spinoza, malgré sa célèbre « déconstruction » de la notion d'immortalité.

Ecoutons d'abord Platon, dans ce passage du *Timée* (90 b-c) qui évoque les pouvoirs sublimes de la partie supérieure de l'homme, l'intellect (le *nous*) : « Dieu nous l'a donnée comme un génie, et c'est le principe que nous avons dit logé au sommet de notre corps, et qui nous élève de la terre vers notre parenté céleste, car nous sommes une plante du ciel, non de la terre, nous pouvons l'affirmer en toute vérité. Car Dieu a suspendu notre tête et notre racine à l'endroit où l'âme fut primitivement engendrée et a ainsi dressé tout notre corps vers le ciel. Or quand un homme s'est livré tout entier à ses passions ou à ses ambitions et applique tous ses efforts

l'humilité de « penser par les autres », avec eux et grâce à eux.

Or de ce point de vue, même si je ne suis pas stoïcien moi-même et que je ne partage pas cette philosophie, je dois cependant reconnaître que l'effort qu'elle représente est grandiose, et les réponses qu'elle tente d'apporter impressionnantes. C'est là ce que je voudrais te montrer en évoquant maintenant quelques-uns des exercices de sagesse auxquels elle ouvre la voie. Car la philosophie, comme le terme l'indique déjà en lui-même, n'est pas encore la sagesse, mais seulement l'amour (*philo*) de la sagesse (*sophia*). Et, selon les stoïciens, c'est dans et par des exercices concrets que l'on va pouvoir passer de l'une à l'autre. Si la philosophie culmine dans une doctrine du salut, et si ce dont il faut avant tout nous sauver, ce sont des peurs liées à la finitude, ces exercices doivent tout entiers être orientés vers la suppression de l'angoisse – en quoi ils conservent, à

à les satisfaire, toutes ses pensées deviennent nécessairement mortelles, et rien ne lui fait défaut pour devenir entièrement mortel, autant que cela est possible, puisque c'est à cela qu'il s'est exercé. Mais lorsqu'un homme s'est donné tout entier à l'amour de la science et à la vraie sagesse et que, parmi ses facultés, il a surtout exercé celle de penser à des choses immortelles et divines, s'il parvient à atteindre la vérité il est certain que, dans la mesure où il est donné à la nature humaine de participer à l'immortalité, il ne lui manque rien pour y parvenir. » Ce qui, ajoute aussitôt Platon, doit lui permettre d'être « supérieurement heureux ». Il faut donc, pour réussir sa vie, pour la rendre tout à la fois bonne et bienheureuse, rester fidèle à la partie divine de nous-même, à l'intellect. C'est par elle que nous nous rattachons, comme par des « racines du ciel », à l'univers supérieur et divin de l'harmonie céleste : « Aussi faut-il tâcher de fuir au plus vite de ce monde dans l'autre. Or fuir ainsi, c'est se rendre, autant qu'il est possible, semblable à Dieu, et être semblable à Dieu, c'est être juste et sain avec l'aide de l'intelligence. »

On trouve encore un constat, non pas identique, bien sûr, mais analogue, chez Aristote, lorsque dans un des moments les plus commentés de son *Ethique à Nicomaque* il définit lui aussi la vie

ce qu'il me semble (mais tu vas pouvoir en juger par toi-même), une inestimable valeur encore aujourd'hui, même pour qui ne partage pas, par ailleurs, les vues des stoïciens.

Quelques exercices de sagesse pour mettre en œuvre concrètement la quête du salut

Ils concernent presque tous le rapport au temps, car c'est évidemment en lui que viennent se nicher les angoisses qui nourrissent les remords et les nostalgies touchant le passé, mais aussi les espérances et les projets qu'on entend inscrire dans le futur. Ils sont d'autant plus intéressants et significatifs qu'on va les retrouver, sous des formes différentes, tout au long de l'histoire de la philosophie, chez d'autres penseurs pourtant fort éloignés des stoïciens, chez Epicure et Lucrèce, déjà, mais aussi, curieusement, chez Spinoza et Nietzsche, voire dans des traditions tout autres que celle de la philosophie occidentale, comme le bouddhisme tibétain. Je me bornerai à t'en indiquer quatre, mais sache qu'il en existe beaucoup d'autres encore qui concernent

---

bonne, la « vie théorétique ou contemplative », la seule qui puisse nous conduire au « parfait bonheur », comme une vie par laquelle nous échapperions, au moins pour une part, à la condition de simples mortels. Certains prétendront peut-être qu'une « vie de ce genre sera trop élevée pour la condition humaine : car ce n'est pas en tant qu'homme qu'on vivra de cette façon, mais en tant que quelque élément divin est présent en nous.. Pourtant, si l'intellect est quelque chose de divin par comparaison avec l'homme, la vie selon l'intellect est également divine comparée à la vie humaine. Il ne faut donc pas écouter ceux qui conseillent à l'homme, parce qu'il est homme, de borner sa pensée aux choses humaines, et parce qu'il est mortel, aux choses mortelles, mais l'homme doit, dans la mesure du possible, s'immortaliser et tout faire pour vivre selon la partie la plus noble qui est en lui ».

notamment la façon dont on peut parvenir à se fondre dans le grand Tout cosmique.

Les deux grands maux : le poids du passé et les mirages du futur

Commençons par l'essentiel : selon un thème que j'ai à peine évoqué dans l'avant-propos de ce livre mais qui sera appelé à une postérité considérable, les deux maux qui pèsent, aux yeux des stoïciens, sur l'existence humaine, les deux freins qui la bloquent et l'empêchent d'accéder à l'épanouissement sont la nostalgie et l'espérance, l'attachement au passé et le souci de l'avenir. Sans cesse ils nous font manquer l'instant présent, nous interdisent de le vivre pleinement. On a pu dire que, de ce point de vue, le stoïcisme annonçait l'un des aspects peut-être les plus profonds de la psychanalyse : celui qui reste prisonnier de son passé sera toujours incapable de « jouir et d'agir », comme dit Freud. C'est dire, notamment, que la nostalgie des paradis perdus, des joies et des souffrances de l'enfance, pèse sur nos vies d'un poids d'autant plus grand qu'il est méconnu.

Telle est sans doute la première conviction, simple et profonde, qui s'exprime de manière toute pratique derrière l'édifice théorique de la sagesse stoïcienne. Marc Aurèle, mieux que quiconque peut-être, l'a formulée au début du livre XII de ses *Pensées* :

> « Tout ce que tu souhaites atteindre par un long détour, tu peux l'avoir dès maintenant, si tu ne te le refuses pas à toi-même. *Il suffit de laisser là tout le passé, de confier l'avenir à la providence et de diriger l'action présente vers la piété et la justice ;* vers la piété pour aimer la part que la nature t'attribue ; car elle l'a produite pour toi et toi pour elle ; vers la justice, pour dire la vérité librement et sans détour et pour agir selon la loi et selon la valeur. »

Pour être sauvés, pour accéder à la sagesse qui dépasse de loin la philosophie, il nous faut donc impérativement apprendre à vivre sans vaines peurs ni nostalgies superflues, ce qui suppose que l'on cesse d'habiter en permanence les dimensions du temps, passé et futur, qui n'ont en réalité aucune existence, pour s'en tenir autant qu'il est possible au présent :

> « Que l'image de ta vie entière ne te trouble jamais. Ne va pas songer à toutes les choses pénibles qui sont probablement survenues, mais à chaque moment présent demande-toi : qu'y a-t-il dans cet événement d'insupportable et d'irrésistible ? *Souviens-toi alors que ce n'est pas le passé ni l'avenir, mais le présent qui pèse sur toi* [1]. »

Voilà pourquoi il faut apprendre à se débarrasser de ces lourdeurs étrangement ancrées dans deux figures du néant. Marc Aurèle y insiste :

> « Souviens-toi que *chacun ne vit que dans le moment présent, dans l'instant. Le reste, c'est le passé, ou un obscur avenir.* Petite est donc l'étendue de la vie »

que nous avons, en réalité, à affronter. Ou, comme le dit encore Sénèque dans ses *Lettres à Lucilius* :

> « Il faut retrancher ces deux choses : *la crainte de l'avenir, le souvenir des maux anciens. Ceux-ci ne me concernent plus et l'avenir ne me concerne pas encore* [2] »,

à quoi l'on pourrait ajouter, pour faire bonne mesure, que ce ne sont pas seulement les « maux anciens » qui gâtent la vie présente de celui qui pêche par manque de sagesse, mais, paradoxalement aussi et peut-être même davantage, le souvenir des jours heureux que nous avons

---

1. *Pensées*, VIII, 36.
2. Cité et commenté avec beaucoup de profondeur et de finesse par Pierre Hadot dans *La Citadelle intérieure*, Fayard, p. 133 *sqq.*

irrémédiablement perdus et qui ne reviendront « plus jamais » : *never more*.

Si tu as bien compris ce point, tu comprendras aussi pourquoi, paradoxalement, c'est-à-dire à l'encontre de l'opinion la plus courante qui soit, le stoïcisme va enseigner à ses disciples à se défaire des idéologies qui valorisent l'espérance.

« Espérer un peu moins, aimer un peu plus »

Comme un philosophe contemporain, André Comte-Sponville, l'a souligné avec justesse, le stoïcisme rejoint ici l'un des thèmes les plus subtils des sagesses de l'Orient, du bouddhisme tibétain en particulier : l'espérance est, contrairement au lieu commun selon lequel on ne pourrait « vivre sans espoir », le plus grand malheur qui soit. Car elle est par nature de l'ordre du manque, de la tension inassouvie. Sans cesse, nous vivons dans la dimension du projet, courant après des objectifs localisés dans un futur plus ou moins lointain et nous pensons, illusion suprême, que notre bonheur dépend de la réalisation enfin accomplie des fins, médiocres ou grandioses, peu importe, que nous nous sommes à nous-mêmes assignées. Acheter le dernier MP3, un appareil photo plus performant, avoir une chambre plus belle, un scooter plus moderne, exercer une séduction, accomplir un projet, monter une entreprise de quelque ordre qu'elle soit : chaque fois nous cédons au mirage d'un bonheur ajourné, d'un paradis encore à construire, ici-bas ou dans l'au-delà.

Nous en oublions qu'il n'est d'autre réalité que celle vécue ici et maintenant et que cette étrange fuite en avant nous fait sûrement manquer. L'objectif une fois conquis, nous faisons presque toujours l'expérience douloureuse de l'indifférence, sinon de la déception. Comme des enfants qui délaissent leur jouet au lendemain de Noël, la possession des biens si ardemment convoités ne nous rend guère meilleurs ni plus heureux qu'avant. Les difficultés à vivre et le tragique de la condition humaine n'en sont pas modifiés et, selon la fameuse formule de Sénèque, « tandis qu'on attend de vivre, la vie passe ».

C'est là toute la leçon de Perrette, si tu te souviens de la fameuse fable de La Fontaine : le pot au lait ne se brise pas seulement pour des raisons anecdotiques, mais en vérité parce que le type de fantasme qui anime Perrette ne peut jamais aboutir. C'est comme quand on joue à s'imaginer milliardaire : « on dirait qu'on aurait gagné à la loterie »... et alors, on achèterait ceci et cela, on en donnerait une partie à tonton Jean ou tante Ninette, une autre aux bonnes œuvres, on ferait tel voyage... Et puis quoi ? Au final, c'est toujours le tombeau qui se profile à l'horizon et on comprend vite que l'accumulation de tous les biens matériels possibles et imaginables, pour non négligeable qu'elle soit (ne soyons pas hypocrites : comme dit la plaisanterie, l'argent aide quand même à supporter la pauvreté...), ne règle rien d'essentiel.

Voilà aussi pourquoi, selon un célèbre proverbe bouddhiste, il faut apprendre à vivre comme si l'instant le plus important de ta vie était celui que tu vis en ce moment même, et les personnes qui comptent le plus, celles qui sont en face de toi. Car le reste n'existe tout simplement pas, le passé n'étant plus et l'avenir pas encore. Ces dimensions du temps ne sont que des réalités imaginaires dont nous ne nous « chargeons », comme ces « bêtes de somme » dont se moquait Nietzsche, que pour mieux perdre « l'innocence du devenir » et justifier notre incapacité à ce que Nietzsche nomme, tout à fait dans le sens des stoïciens, « *l'amor fati* », l'amour du réel tel qu'il est. Bonheur perdu, félicité à venir, mais, du coup, présent fuyant, renvoyé au néant alors qu'il est la seule dimension de l'existence réelle.

C'est dans cette optique que les *Entretiens* d'Epictète

développent un des thèmes les plus fameux du stoïcisme – un thème dont je ne t'ai pourtant pas encore parlé parce que c'est seulement maintenant que tu disposes de tous les éléments pour bien le comprendre : la vie bonne, c'est la vie sans espérances ni craintes, c'est donc *la vie réconciliée avec ce qui est, l'existence qui accepte le monde comme il va.* Tu comprends bien que cette réconciliation ne pourrait pas avoir lieu hors la conviction que le monde est divin, harmonieux et bon.

Voici ce que conseille Epictète à son élève : il faut chasser de « ton esprit chagrin », lui dit-il, « la peur, l'envie, la joie des maux d'autrui, l'avarice, la mollesse, l'incontinence. Mais il n'est pas possible de les chasser sans avoir égard à Dieu seul, sans s'attacher à lui seul, sans se consacrer à suivre ses ordres. Si tu veux autre chose, tu te lamenteras, tu gémiras en suivant ceux qui sont plus forts que toi, en cherchant toujours hors de toi un bonheur que tu ne pourras jamais trouver ; c'est que tu le cherches là où il n'est pas et que tu négliges de le chercher là où il est[1] ». Injonction qu'il faut encore lire ici en un sens « cosmique » ou panthéiste, et nullement comme une espèce de retour à je ne sais quel monothéisme.

Ne t'y trompe surtout pas : le Dieu dont parle Epictète n'est pas un être personnel comme celui des chrétiens, il n'est qu'un équivalent du *cosmos*, un autre nom de cette raison universelle que les Grecs nommaient *logos*, un visage du destin qu'il nous faut accepter, et même vouloir de toute notre âme, alors que, victimes des illusions de la conscience commune, nous croyons toujours devoir nous opposer à lui pour tenter de l'infléchir. Comme le recommande toujours le maître au disciple :

> « Il faut accorder notre volonté avec les événements de telle manière que nul événement n'arrive contre notre

---

1. *Entretien II*, XVI, 45-47 (dans *Les Stoïciens, op. cit.*, p. 924).

gré et qu'il n'y ait non plus nul événement qui n'arrive lorsque nous le voulons. L'avantage, pour ceux qui sont ainsi pourvus, c'est de ne pas échouer dans leurs désirs, de ne pas tomber sur ce qu'ils détestent, *de vivre intérieurement une vie sans peine, sans crainte et sans trouble*[1]... »

Bien entendu, de telles recommandations semblent *a priori* absurdes au commun des mortels. Il ne peut guère y voir autre chose qu'une forme de « quiétisme », c'est-à-dire une espèce de fatalisme, particulièrement niaise. La sagesse passe aux yeux du plus grand nombre pour une folie, parce qu'elle repose sur une vision du monde, une cosmologie dont la compréhension intime suppose un effort théorique hors du commun. Mais n'est-ce pas cela, justement, qui distingue la philosophie des discours ordinaires, n'est-ce pas ainsi qu'elle acquiert un charme à nul autre pareil ?

Je dois t'avouer que je suis moi-même loin de partager la résignation stoïcienne – et j'aurai plus tard, quand nous évoquerons le matérialisme contemporain, l'occasion de te dire plus précisément pourquoi. Il n'en décrit pas moins de manière admirable une des dimensions possibles de la vie humaine qui, dans certains cas – en gros . quand tout va bien ! –, peut en effet prendre l'allure d'une forme de sagesse. Il est, en effet, des moments où nous ne sommes pas là pour transformer le monde, mais tout simplement pour l'aimer, et goûter de toutes nos forces les beautés et les joies qu'il nous offre.

Par exemple, lorsque tu vas te baigner dans la mer, lorsque tu mets ton masque pour regarder les poissons, tu ne plonges pas pour changer les choses, ni pour les améliorer, ou les corriger, mais au contraire pour les admirer et les aimer. C'est un peu sur ce modèle que le

---

1. *Entretien II*, XIV, 7-8 (dans *Les Stoïciens, op. cit.*, p. 914).

stoïcisme nous enjoint à la réconciliation avec ce qui est, avec le présent tel qu'il va, par-delà nos espoirs et nos regrets. C'est à ces moments de grâce qu'il nous invite, et pour les multiplier, les rendre aussi nombreux que possible, il nous suggère de changer plutôt nos désirs que l'ordre du monde.

De là aussi l'autre recommandation essentielle qu'il nous fait : puisque la seule dimension de la vie réelle est celle du présent et que, par définition même, ce présent est en perpétuelle fluctuation, il est sage de s'habituer à ne point s'attacher à ce qui passe. Faute de quoi, nous nous préparons nous-mêmes les pires souffrances qui soient.

Plaidoyer pour le « non-attachement »

C'est en ce sens que le stoïcisme, dans un esprit tout à fait proche de celui du bouddhisme, plaide pour une attitude de « non-attachement » à l'égard des possessions de ce monde, comme le suggère Epictète, dans un texte que des maîtres tibétains n'auraient sans doute pas renié :

> « Le premier et principal exercice, celui qui mène d'emblée aux portes du bien, c'est, lorsqu'une chose nous attache, de considérer qu'elle n'est pas de celles qu'on ne peut vous enlever, qu'elle est du même genre qu'une marmite ou une coupe de cristal, dont on ne se trouble pas lorsqu'elle se brise, parce qu'on se rappelle ce qu'elle est. Il en est de même ici : si tu embrasses ton enfant, ton frère ou ton ami, ne t'abandonne pas sans réserve à ton imagination... Rappelle-toi que tu aimes un mortel, un être qui n'est aucunement toi-même. Il t'a été accordé pour le moment, mais pas pour toujours, ni sans qu'il puisse t'être enlevé... Quel mal y a-t-il à murmurer entre ses dents, tout en embrassant son enfant : "Demain il mourra[1]" ? »

---

1. *Entretiens*, III, 84 *sqq.*

Comprends bien ce que veut dire Epictète : il ne s'agit nullement d'être indifférent, encore moins de manquer aux devoirs que la compassion nous impose à l'égard des autres, et notamment de ceux que nous aimons. Il n'en faut pas moins se défier comme de la peste des attachements qui nous font oublier ce que les bouddhistes nomment de leur côté l'« impermanence », le fait que rien n'est stable en ce monde, que tout change et passe, et que ne pas le comprendre, c'est se préparer soi-même aux tourments terribles de la nostalgie et de l'espérance. Il faut savoir se contenter du présent, l'aimer assez pour ne rien désirer d'autre ni regretter quoi que ce soit. La raison, qui nous guide et nous invite à vivre conformément à la nature cosmique, doit être ainsi purifiée des sédimentations qui viennent l'alourdir et la fausser, dès lors qu'elle s'égare dans les dimensions irréelles du temps que sont le passé et l'avenir.

Mais une fois saisie par l'esprit, cette vérité est encore loin d'être mise en pratique. Voici pourquoi Marc Aurèle invite son disciple à l'incarner concrètement :

> « Si, dis-je, tu sépares de cette faculté directrice tout ce qui s'y est joint en conséquence des passions, tout ce qui est au-delà du présent et tout le passé, tu feras de toi-même, comme dit Empédocle, "une sphère bien ronde, fière dans la joie de sa solitude". Tu t'exerceras à vivre dans le seul moment où tu vis, c'est-à-dire dans le présent ; et tu pourras passer tout le temps qui te reste jusqu'à ta mort, sans trouble, noblement et d'une manière agréable à ton propre démon [1]. »

C'est exactement, comme on verra plus loin, ce que Nietzsche appelle de manière imagée l'« innocence du devenir ». Mais pour s'élever jusqu'à cette forme de

---

1. *Pensées*, XII, 3.

sagesse, encore faut-il avoir eu le courage de penser sa vie sous les espèces du « futur antérieur ».

« Quand la catastrophe aura eu lieu, je m'y serai préparé » : une pensée du salut qui doit s'écrire au futur antérieur

Qu'est-ce que cela veut dire ? Comme tu l'as sans doute noté dans le propos d'Epictète au sujet de son propre enfant, c'est bien toujours de la mort qu'il s'agit, et des victoires que la philosophie peut nous permettre de remporter sur elle, ou tout au moins, sur la peur qu'elle inspire et qui empêche de bien vivre. C'est en cela que les exercices les plus concrets confinent à la spiritualité la plus haute : s'il s'agit de vivre au présent, de détacher de soi les remords, les regrets et les angoisses que cristallisent le passé et l'avenir, c'est bien pour goûter chaque instant de la vie comme il le mérite, c'est-à-dire avec la pleine et entière conscience que, pour les mortels que nous sommes, il peut toujours être le dernier. Il faut donc « accomplir chaque action de la vie comme si c'était la dernière » (Marc Aurèle, *Pensées* II, 5, 2).

L'enjeu spirituel de l'exercice par lequel le sujet se dépouille de ses attachements pesants au passé et à l'avenir est donc clair. Il s'agit de vaincre les peurs liées à la finitude grâce à la mise en œuvre d'une conviction non pas intellectuelle, mais intime et presque charnelle : celle selon laquelle il n'est pas, au fond, de différence entre l'éternité et le présent, une fois du moins que ce dernier n'est plus dévalorisé au regard des autres dimensions du temps.

Il existe des moments de grâce dans la vie, des instants où nous avons le sentiment rare d'être enfin réconciliés avec le monde. Je te donnais tout à l'heure l'exemple de la plongée sous-marine. Peut-être ne te dit-il rien, peut-être est-il, en ce qui te concerne, mal choisi, mais je suis sûr que tu peux toi-même en imaginer beaucoup d'autres et chacun, selon ses goûts et ses humeurs, aura les siens en tête : il peut s'agir d'une promenade en forêt, d'un coucher de soleil, d'un état amoureux, d'un sentiment calme et cependant joyeux d'une bonne chose accomplie, de la sérénité qui peut, parfois, suivre un grand moment de création, peu importe. C'est, en tout cas, lorsque la coïncidence entre nous et le monde qui nous entoure devient parfaite, lorsque l'accord se fait de lui-même, sans forcer, dans l'harmonie, que tout d'un coup le temps semble s'abolir pour faire place à un présent qui paraît durer, un présent pour ainsi dire doté d'épaisseur, dont rien de passé ni d'avenir ne vient gâcher la sérénité.

Faire en sorte que la vie tout entière ressemble à de tels instants, voilà, au fond, l'idéal de la sagesse. C'est en ce point que nous touchons à quelque chose de l'ordre du salut en ce sens que plus rien ne peut venir troubler la sérénité qui naît de l'abolition des peurs liées aux autres dimensions du temps. Lorsqu'il accède à ce degré d'éveil, le sage peut vivre « comme un dieu », dans l'éternité d'un instant que plus rien ne relativise, dans l'absoluité d'un bonheur qu'aucune angoisse ne peut venir gâter.

Où tu mesures peut-être en quoi aussi, dans le stoïcisme comme dans le bouddhisme, la dimension temporelle de la lutte contre l'angoisse de mort est bien celle du « futur antérieur ». Elle se formule, en effet, de la façon suivante : « Quand le destin aura frappé, alors je m'y serai préparé. » Lorsque la catastrophe, ou du moins ce que les hommes considèrent habituellement comme tel – la mort, la maladie, la misère, et tous les maux qui sont liés au caractère irréversible du temps qui passe – *aura eu lieu*, je pourrai y faire face grâce aux capacités qui me furent données de vivre au présent, c'est-à-dire d'aimer le monde tel qu'il est, quoi qu'il advienne :

« S'il arrive un de ces accidents qu'on appelle désa-
gréables, ce qui, dès l'abord, allégera ta peine, c'est
qu'il n'était pas inattendu... Tu te diras : "Je savais
que j'étais mortel. Je savais que je pouvais quitter mon
pays, je savais que l'on pouvait m'exiler, je savais
qu'on pouvait me conduire en prison." Ensuite, si tu
fais un retour sur toi-même, et si tu cherches de quel
domaine fait partie l'accident, tu te souviendras tout
de suite qu'il est du domaine des choses qui ne
dépendent pas de notre volonté, qui ne sont pas
nôtres »

Et qui nous sont envoyées par la nature de manière
juste et bonne pourvu que l'on considère les choses, non
avec le petit bout de la lorgnette, mais en adoptant le
point de vue de l'harmonie générale.

*

Cette sagesse nous parle encore aujourd'hui, par-delà
les siècles et les divergences fondamentales liées à
l'histoire et à la culture propres à ses grandes époques.
Elle aura d'ailleurs une longue postérité, jusque chez
Nietzsche, par exemple, comme nous le verrons tout à
l'heure.

Il n'en reste pas moins que nous ne vivons plus dans
le monde grec. Les grandes cosmologies et, avec elles,
les « sagesses du monde » ont, pour l'essentiel, disparu.

De là une grande question que tu dois commencer à
te poser : pourquoi et comment passe-t-on d'une vision
du monde à une autre. Pourquoi après tout – c'est la
même interrogation vue sous un autre angle – y a-t-il
plusieurs philosophies qui semblent s'enchaîner les unes
aux autres dans une histoire des idées, et non une seule
pensée qui suffirait à traverser les âges et combler une
fois pour toutes les êtres humains ?

Le mieux, pour commencer à cerner plus concrètement la question, est tout simplement de partir de l'exemple qui nous occupe maintenant, celui des doctrines du salut liées aux grandes cosmologies anciennes. Pourquoi la sagesse stoïcienne n'a-t-elle pas suffi à empêcher l'apparition de pensées concurrentes, et notamment la naissance du christianisme qui va sinon lui porter un coup fatal (je viens de te dire que le stoïcisme nous parle encore !), du moins le reléguer au second plan pendant des siècles.

En examinant ainsi comment s'opère, dans un cas précis, le passage d'une vision du monde à une autre – en l'occurrence du stoïcisme au christianisme – nous pourrons aussi en tirer des enseignements plus généraux sur le sens de l'histoire de la philosophie.

S'agissant du stoïcisme, il faut bien reconnaître, quel que soit le caractère grandiose des dispositifs élaborés, qu'une faiblesse majeure vient affecter sa réponse à la question du salut, faiblesse qui allait sans aucun doute ouvrir une brèche, laisser place pour d'autres réponses, et, par suite, permettre à la machine historique de repartir.

Comme tu l'as sans doute noté toi-même, la doctrine stoïcienne du salut reste *anonyme et impersonnelle*. Elle nous promet bien l'éternité, certes, mais sous une forme anonyme, celle d'un fragment inconscient du *cosmos* : la mort, pour elle, n'est qu'un passage, mais justement, la transition se fait entre un état personnel et conscient, celui de toi et de moi comme personnes bien vivantes et pensantes, à un état de fusion avec le *cosmos* au cours de laquelle nous perdons tout ce qui fait notre individualité consciente. Il n'est donc pas certain qu'elle réponde tout à fait à la question posée par l'angoisse de la finitude. Elle cherche bien à nous débarrasser des peurs liées à la représentation de la mort, mais au prix d'une éclipse du moi qui n'est pas forcément, c'est le moins qu'on puisse dire, notre souhait le plus cher. Ce que nous voudrions par-dessus tout, c'est retrouver ceux que nous aimons, avec, si possible, leurs voix et leurs visages, pas sous forme de fragments cosmiques indifférenciés, de cailloux ou de légumes...

Or sur ce point justement, le christianisme ne va pas, si j'ose dire, lésiner. Il va nous promettre tout, exactement tout ce que nous voulons, une immortalité enfin personnelle et le salut de nos proches. En partant de ce qu'il percevait lui-même comme une faiblesse de la sagesse grecque, il va élaborer, en pleine connaissance de cause, une nouvelle doctrine du salut si « performante » qu'elle va battre en brèche les philosophies de l'Antiquité pour dominer le monde occidental pendant près de quinze siècles.

Chapitre 3

La victoire du christianisme
sur la philosophie grecque

Lorsque j'étais étudiant – il faut te dire que j'ai commencé mes études en 1968 et qu'en ce temps-là, les questions religieuses n'étaient guère à la mode – on n'abordait pratiquement pas l'histoire des idées du Moyen Age. C'est dire qu'on zappait allègrement toutes les grandes religions monothéistes. Rien que ça ! On pouvait passer ses examens, et même devenir professeur de philosophie, en ne sachant rien du judaïsme, de l'islam ni du christianisme. On devait, bien sûr, choisir des cours sur l'Antiquité – surtout grecque –, puis on passait directement à Descartes. Sans transition. On sautait quinze siècles – en gros, de la fin du IIe siècle, c'est-à-dire des derniers stoïciens, jusqu'au début du XVIIe. De sorte que, pendant des années, je n'ai pratiquement rien su de l'histoire intellectuelle du christianisme – hors ce que la culture commune nous permet d'apprendre, c'est-à-dire surtout des banalités.

C'est absurde, et je ne voudrais pas que tu commettes cette erreur. Même si on n'est pas croyant, *a fortiori* si on est hostile, comme nous le verrons avec Nietzsche, aux religions, on n'a pas le droit de les ignorer. Ne fût-ce que pour les critiquer, il faut du moins les connaître et savoir un peu de quoi l'on parle. Sans compter qu'elles expliquent encore une infinité d'aspects du monde dans lequel nous vivons et qui est de part en part issu de l'univers religieux. Il n'est pas un musée d'œuvres d'art, même contemporain, qui ne requiert un minimum de connaissance théologique. Il n'est pas non plus un seul conflit dans le monde qui ne soit plus ou moins secrètement lié à l'histoire des communautés religieuses : catholiques et protestants en Irlande, musulmans, orthodoxes et catholiques dans les Balkans, animistes, chrétiens et islamistes en Afrique, etc.

Cela étant dit, normalement, selon la définition que j'ai donnée moi-même de la philosophie au début de ce livre, je ne devrais pas y faire figurer un chapitre consacré au christianisme. Non seulement la notion de « philosophie chrétienne » semble être « hors sujet », mais elle paraît même contradictoire avec ce que je t'ai longuement expliqué puisque la religion est l'exemple même d'une quête du salut non philosophique en ce qu'elle s'effectue par Dieu, par la foi – et non pas par soi et par sa raison.

Alors, pourquoi en parler ici ?

Pour quatre raisons toutes simples, qui méritent cependant une brève explication.

La première, comme je l'ai suggéré à la fin du chapitre précédent, c'est que la doctrine chrétienne du salut, bien qu'en effet fondamentalement non philosophique, voire antiphilosophique, va cependant entrer en concurrence avec la philosophie grecque. Elle va, pour ainsi dire, profiter des failles qui affaiblissent la réponse stoïcienne à la question du salut, pour la subvertir de l'intérieur. Elle va même, comme je vais te le montrer dans un instant, détourner le vocabulaire philosophique à son profit, lui donner des significations nouvelles, religieuses, et proposer à son tour une réponse inédite, toute neuve, à la question de notre rapport à la mort et au temps – ce qui lui permettra de supplanter presque sans partage celles de la philosophie pendant des siècles. Elle mérite donc assurément le détour.

La deuxième raison, c'est que même si la doctrine chrétienne du salut n'est pas une philosophie, il n'en restera pas moins, au sein du christianisme, une place pour l'exercice de la raison. A côté de la foi, l'intelligence rationnelle va trouver à s'exercer au moins dans deux directions : d'une part pour comprendre les grands textes évangéliques, c'est-à-dire pour méditer et interpréter le message du Christ ; mais d'autre part aussi pour connaître et expliquer la nature qui, en tant qu'œuvre de Dieu, doit bien porter en elle quelque chose comme la marque de son créateur. Nous allons y revenir, mais cela te suffit déjà pour comprendre que, paradoxalement, il va y avoir quand même, au sein du christianisme, une place, subalterne et modeste certes, mais néanmoins réelle, pour un moment de philosophie – si l'on désigne par là un usage de la raison humaine destiné à clarifier et renforcer une doctrine du salut qui, bien entendu, restera dans son principe religieuse, fondée sur la foi.

La troisième raison découle directement des deux premières : il n'y a rien de plus éclairant pour comprendre ce qu'est la philosophie que de la comparer à ce qu'elle n'est pas et à quoi elle s'oppose radicalement tout en étant pourtant le plus proche, à savoir la religion ! Le plus proche parce que toutes deux visent en dernière instance le salut, la sagesse entendue comme une victoire sur les inquiétudes liées à la finitude humaine ; le plus opposé puisque les voies empruntées par l'une et l'autre ne sont pas seulement différentes, mais en vérité contraires et incompatibles. Les Evangiles, le quatrième en particulier, qui fut rédigé par Jean, témoignent d'une connaissance certaine de la philosophie grecque, et notamment du stoïcisme. Il y a donc bel et bien eu confrontation, pour ne pas dire compétition entre les deux doctrines du salut, celle des chrétiens et celle des Grecs, de sorte que la compréhension des motifs pour lesquels la première l'a emporté sur la seconde est au plus haut point éclairante pour saisir non seulement la nature exacte de la philosophie, mais aussi pour percevoir comment, après la grande période de la domination des idées chrétiennes, elle va pouvoir repartir vers d'autres horizons – ceux de la philosophie moderne.

Enfin, il y a dans le contenu du christianisme, notamment sur le plan moral, des idées qui, même pour des non-croyants, ont encore aujourd'hui une importance majeure, des idées qui vont, une fois détachées de leurs sources purement religieuses, acquérir une autonomie telle qu'elles vont pouvoir être reprises dans la philosophie moderne, et même par des athées. Par exemple, l'idée que la valeur morale d'un être humain ne dépend pas de ses dons ou de ses talents naturels, mais de l'usage qu'il en fait, de sa liberté et non de sa nature, est une idée que le christianisme va donner à l'humanité et que bien des morales modernes, non chrétiennes voire antichrétiennes, vont malgré tout reprendre à leur compte. Voilà aussi pourquoi il serait vain de vouloir passer sans transition du moment grec à la philosophie moderne sans dire un mot de la pensée chrétienne.

Je voudrais, pour commencer, revenir au sujet que nous avons à peine évoqué à la fin du dernier chapitre, et t'expliquer pourquoi cette pensée chrétienne a pris le dessus sur la philosophie grecque au point de dominer l'Europe jusqu'à la Renaissance. Ce n'est tout de même pas rien : il doit bien y avoir quelques raisons à une telle hégémonie qui méritent qu'on s'y intéresse un peu – et qu'on cesse de passer sous silence une histoire de la pensée dont les effets en profondeur se prolongent jusqu'à nos jours. A vrai dire, comme tu vas voir dans un instant, les chrétiens ont inventé des réponses à nos interrogations sur la finitude qui sont sans équivalent chez les Grecs, des réponses, si j'ose dire, si « performantes », si « tentantes » qu'elles se sont imposées à une bonne partie de l'humanité comme littéralement incontournables.

Pour que la comparaison entre cette doctrine du salut religieuse et les pensées philosophiques du salut sans Dieu soit plus aisée, je vais reprendre nos trois grands axes – théorie, éthique, sagesse. Ainsi, nous ne perdrons pas le fil de ce que nous avons déjà vu. Et pour aller à l'essentiel, je t'indiquerai d'abord les cinq traits fondamentaux qui marquent une rupture radicale du christianisme avec le monde grec – cinq traits qui vont te permettre de comprendre comment, à partir d'une nouvelle *theoria*, le christianisme va élaborer aussi une morale totalement inédite, puis une doctrine du salut fondée sur l'amour qui lui permettront de gagner le cœur des hommes et de réduire pendant longtemps la philosophie au statut subalterne de simple « servante de la religion ».

I. *Theoria* : comment le divin cesse de s'identifier à l'ordre cosmique pour s'incarner dans une personne – le Christ ; comment la religion nous invite à limiter l'usage de la raison pour faire place à la foi

Premier trait, fondamental entre tous : le logos, *dont nous avons vu comment, pour les stoïciens, il se confondait avec la structure impersonnelle, harmonieuse et divine, du* cosmos *tout entier, va s'identifier chez les chrétiens à une personne singulière, le Christ.* Au grand scandale des Grecs, les nouveaux croyants vont affirmer que le *logos, c'est-à-dire le divin*, n'est nullement, comme l'affirment les stoïciens, identique à l'ordre harmonieux du monde en tant que tel, mais qu'il s'est incarné dans un être exceptionnel, le Christ !

A priori, tu me diras peut-être que l'événement te laisse de marbre. Après tout, qu'est-ce que cela change, surtout pour nous, aujourd'hui, que le *logos* qui désignait chez les stoïciens l'ordonnancement « logique » du monde soit identifié au Christ par des croyants ? Je pourrais te répondre qu'il existe encore plus d'un milliard de chrétiens de par le monde et qu'à ce seul motif, comprendre ce qui les anime, saisir les motifs, le contenu et la signification de leur foi, n'est pas nécessairement absurde pour qui s'intéresse un tant soit peu à ses semblables. Mais ce serait une réponse qui, pour être juste, n'en resterait pas moins très insuffisante. Car ce qui se joue dans le débat apparemment très abstrait, pour ne pas dire byzantin, sur la question de savoir où et en quoi s'incarne le divin – le *logos* – s'il est la structure du monde ou au contraire une personne exceptionnelle, *c'est tout simplement le passage d'une doctrine du salut anonyme et aveugle à la promesse que nous allons être sauvés non seulement par **une personne**, le Christ, mais aussi en tant que **personne**.*

Or cette « personnalisation » du salut, comme tu vas voir, permet d'abord de comprendre, par un exemple concret, comment on peut passer d'une vision du monde à une autre, comment une réponse nouvelle parvient à l'emporter sur une plus ancienne parce qu'elle apporte un « plus », une plus grande puissance de conviction mais aussi des avantages considérables par rapport à la précédente. Mais il y a plus : en s'appuyant sur une définition de la personne humaine et sur une pensée inédite de l'amour, le christianisme va laisser des traces incomparables dans l'histoire des idées. Ne pas les comprendre, c'est aussi s'interdire toute compréhension du monde intellectuel et moral dans lequel nous vivons encore aujourd'hui. Pour t'en donner un seul exemple, il est tout à fait clair que, sans cette valorisation typiquement chrétienne de la personne humaine, de l'individu comme tel, jamais la philosophie des droits de l'homme à laquelle nous sommes si attachés aujourd'hui n'aurait vu le jour.

Il est donc essentiel d'avoir une idée à peu près juste de l'argumentation par laquelle le christianisme va rompre radicalement avec la philosophie stoïcienne.

Pour cela, il faut d'abord que tu saches, sinon tu n'y comprendras rien, que dans la traduction française des Evangiles qui racontent la vie de Jésus, le terme *logos*, directement emprunté aux stoïciens, est traduit par le mot « Verbe ». Pour les penseurs grecs en général, et les stoïciens en particulier, l'idée que le *logos*, le « Verbe », puisse désigner autre chose que l'organisation rationnelle, belle et bonne, de l'ensemble de l'univers n'a rigoureusement aucun sens. A leurs yeux, prétendre d'un homme, quel qu'il soit, fût-il le Christ, qu'il est le *logos*, le « Verbe incarné » selon la formule de l'Evangile, relève du pur délire : c'est attribuer le caractère de la divinité à un simple humain, alors que le divin, tu t'en souviens, ne peut être que quelque chose de grandiose puisqu'il se confond avec l'ordre cosmique universel, en aucun cas avec une petite personne particulière, quels que soient ses mérites.

Les Romains ne manqueront pas, notamment sous Marc Aurèle, le dernier grand penseur stoïcien, mais aussi l'empereur de Rome à la fin du IIe siècle, une période où le christianisme est encore fort mal vu dans l'empire, de massacrer les chrétiens en raison de cette insupportable « déviation ». Car, à l'époque, on ne plaisante pas avec les idées...

Pourquoi au juste, et qu'est-ce qui est en cause derrière ce changement apparemment bien innocent du sens d'un simple mot ? Rien de moins, en vérité, qu'une véritable révolution dans la définition du divin. Or nous savons bien aujourd'hui que de telles révolutions ne vont pas sans douleur.

Revenons un instant au texte dans lequel Jean, l'auteur du quatrième Evangile, opère ce détournement par rapport aux stoïciens. Voici ce qu'il dit – et que je commente librement entre crochets :

« Au commencement était le Verbe [*logos*], et le Verbe était auprès de Dieu, et le Verbe était Dieu. Par lui tout a paru, et sans lui rien n'a paru de ce qui a paru... [*Jusque-là, tout va bien, et les stoïciens peuvent encore être d'accord avec Jean, notamment avec l'idée que le* logos *et le divin sont une seule et même réalité.*] « Et le Verbe est devenu chair [là ça se gâte !], et il a séjourné parmi nous *[rien ne va plus : le divin est devenu homme, incarné dans Jésus, ce qui n'a aucun sens aux yeux des stoïciens !].* Et nous avons contemplé sa gloire, gloire comme celle que tient de son Père un Fils unique, plein de grâce et de vérité [*Le délire est maintenant total du point de vue des sages grecs, puisque les disciples du Christ sont présentés comme des témoins de la transformation du* logos/Verbe = Dieu, *en homme = le Christ, comme si ce dernier était le fils du premier !*]. »

Qu'est-ce que cela signifie ? Tout simplement, si j'ose dire, mais à l'époque c'est une question de vie ou de mort, que le divin, comme je te l'annonçais à l'instant, a changé de sens, *qu'il n'est plus une structure impersonnelle, mais au contraire une personne singulière, celle de Jésus, l'« Homme-Dieu ».* Changement de sens abyssal, qui va engager l'humanité européenne dans une tout autre voie que celle préconisée par les Grecs. En quelques lignes, les toutes premières de son Evangile, Jean nous invite à croire que le Verbe incarné, le divin comme tel, ne désigne plus la structure rationnelle et harmonieuse du *cosmos*, l'ordre universel en tant que tel, mais un simple être humain. Comment un stoïcien un tant soit peu sensé pourrait-il admettre qu'on se moque de lui à ce point, que l'on tourne en dérision tout ce à quoi il croit ? Car à l'évidence, ce détournement de sens n'a rien d'innocent. Il aura, forcément, des conséquences considérables sur la doctrine du salut, sur la question de notre rapport à l'éternité, voire à l'immortalité.

Nous verrons ensemble dans un instant comment, dans ce contexte, Marc Aurèle ordonnera la mort de saint Justin, un ancien stoïcien devenu le premier Père de l'Eglise et le premier philosophe chrétien.

Mais continuons encore un instant à approfondir les aspects nouveaux de cette *theoria* inédite. Tu te souviens que la *theoria* comprend toujours deux aspects, d'un côté la structure essentielle du monde qu'elle dévoile (le divin), de l'autre les instruments de connaissance qu'elle mobilise pour y parvenir (la vision). Or ce n'est pas seulement le divin, le *theion*, qui change ici du tout au tout en devenant un être personnel, mais aussi le *orao*, le voir, ou si tu veux, la façon de le contempler, de le comprendre et de s'en approcher. Désormais, ce n'est plus la *raison* qui va être la faculté théorique par excellence, mais la *foi*. En quoi la religion va bientôt prétendre, et même de toutes ses forces, s'opposer au rationalisme qui était le cœur de la philosophie et, par là même, détrôner la philosophie elle-même.

Deuxième trait, donc : la foi va prendre la place de la raison, voire s'élever contre elle. Pour les chrétiens, en effet, l'accès à la vérité ne passe plus, en tout cas plus d'abord et avant tout comme pour les philosophes grecs, par l'exercice d'une raison humaine qui parviendrait à saisir l'ordre rationnel, « logique », du Tout cosmique parce qu'elle en serait elle-même une composante éminente. Ce qui va permettre d'approcher le divin, de le connaître et même de le contempler est désormais d'un tout autre ordre. Ce qui compte avant tout, ce n'est plus l'intelligence mais la *confiance* faite dans la parole d'un homme, l'Homme-Dieu, le Christ, qui prétend être le fils de Dieu, le *logos* incarné. On va le croire parce qu'il est digne de foi – et les miracles accomplis par Lui auront aussi leur part dans le crédit qu'on Lui accorde.

Souviens-toi, une fois encore, que confiance, à l'origine, veut dire aussi bien « foi ». Pour contempler Dieu, l'instrument *théorique* adéquat est la foi, pas la raison, et pour cela, il faut accorder tout son crédit à la parole du Christ qui annonce la « bonne nouvelle » : celle selon laquelle nous serons sauvés par la foi, justement, et non par nos propres « œuvres », c'est-à-dire par nos actions trop humaines, seraient-elles admirables. Il ne s'agit plus tant de *penser par soi-même* que de *faire confiance en un Autre.* Et c'est là, sans doute, la différence la plus profonde et la plus significative entre philosophie et religion.

De là, aussi, l'importance du témoignage, qui doit être le plus direct possible pour être *crédible* comme le souligne, dans le Nouveau Testament, la première épître de Jean :

> « Ce qui était dès le commencement, ce que nous avons entendu, ce que nous avons vu de nos yeux et que nos mains ont palpé du Verbe [*logos*] de la vie – et la vie s'est manifestée et nous avons vu et nous témoignons et nous annonçons la vie, la vie éternelle qui était auprès du Père et qui s'est manifestée à nous – ce que nous avons vu et entendu nous vous l'annonçons à vous aussi, pour que vous aussi vous soyez en communion avec nous. »

Bien sûr, c'est du Christ que parle ici Jean, et tu vois que le statut de son discours repose sur une tout autre logique que celle de la réflexion et de la raison : il ne s'agit pas d'*argumenter* pour ou contre l'existence d'un Dieu qui se serait fait homme – car, à l'évidence, une telle argumentation dépasse la raison et s'avère impossible – mais avant tout de *témoigner et de croire*, de dire qu'on a vu le « Verbe incarné », le Christ, qu'on l'a « palpé », touché, entendu, qu'on a parlé avec lui, et que ce témoignage est digne de foi. Tu peux croire ou ne pas croire, libre à toi, que le *logos* divin, la vie éternelle qui était auprès du Père, s'est incarné dans un Homme-Dieu descendu sur Terre. Mais ce n'est plus, en tout cas, une question d'intelligence et de raisonnement. A la limite, c'est même l'inverse : « heureux les simples d'esprit », dit le Christ dans les Evangiles, car ils croiront, et par là, verront Dieu. Tandis que les « intelligents », les « superbes » comme dit Augustin en parlant des philosophes, tout affairés par leurs raisonnements, passeront avec orgueil et arrogance à côté de l'essentiel...

D'où le troisième trait : ce qui est requis pour mettre en œuvre et pratiquer convenablement la nouvelle théorie, ce n'est plus l'entendement des philosophes, mais l'humilité des gens simples. Justement parce qu'il ne s'agit plus tant de penser par soi-même que de croire par un autre. Le thème de l'humilité est omniprésent chez ceux qui furent sans doute, avec saint Thomas, les deux plus grands philosophes chrétiens : saint Augustin, qui a vécu dans l'Empire romain, au IVe siècle après Jésus-Christ, et Pascal, en France, au XVIIe siècle. L'un comme l'autre fondent toute leur critique de la philosophie – et ils ne se privent jamais de la critiquer, au point qu'on sent qu'elle est pour eux l'ennemie par excellence – sur le fait qu'elle serait, par nature même, orgueilleuse.

On n'en finirait pas de citer les passages où Augustin, notamment, dénonce l'orgueil et la vanité des philosophes qui n'ont pas voulu accepter que le Christ puisse être l'incarnation du Verbe, du divin, qui n'ont pas admis la modestie d'une divinité réduite au statut d'humble mortel accessible à la souffrance et à la mort. Comme il le dit dans l'un de ses livres les plus importants, *La Cité de Dieu*, en visant les philosophes : « Les superbes ont dédaigné de prendre ce Dieu pour maître, parce que le "Verbe a été fait chair et a habité parmi nous" », et que, cela, ils ne pouvaient l'admettre. Pourquoi ? Parce qu'il aurait fallu qu'ils laissent leur intelligence et leur raison au vestiaire pour faire place à la confiance et à la foi.

Il y a donc, si tu y réfléchis bien, une *double humilité* de la religion, qui l'oppose d'entrée de jeu à la philosophie grecque et qui correspond, comme toujours, aux deux moments de la *theoria*, au divin (*theion*) et au voir (*orao*). D'une part il y a l'humilité, si j'ose dire « objective », d'un *logos divin* qui se trouve « réduit » avec Jésus au statut de modeste être humain (ce qui semble trop peu aux Grecs). D'autre part, celle, subjective, de notre propre pensée qui est sommée par les croyants de « lâcher prise », d'abandonner la raison pour faire confiance, pour faire place à la foi. Rien n'est plus significatif de ce point de vue que les termes utilisés par Augustin pour moquer les philosophes :

> « Enflés d'orgueil par la haute opinion qu'ils se font de leur science, ils n'écoutent pas le Christ quand il dit : apprenez de moi que je suis doux et humble de cœur et vous trouverez le repos de vos âmes. »

Le texte fondateur, ici, se trouve dans le Nouveau Testament, dans la première Epître aux Corinthiens rédigée par saint Paul. Il est un peu difficile, mais il aura une telle postérité, une importance si considérable dans toute la suite de l'histoire chrétienne, qu'il vaut la peine d'être lu avec un peu d'attention. Il montre comment l'idée d'incarnation du Verbe, l'idée, donc, que le *logos* divin s'est fait homme et que le Christ, en ce sens, est le fils de Dieu, est inacceptable, et pour les Juifs et pour les Grecs : pour les Juifs, parce qu'un Dieu faible, qui se laisse martyriser et mettre en croix sans réagir paraît méprisable et contraire à l'image de leur Dieu de toute-puissance et de colère ; pour les Grecs, parce qu'une aussi médiocre incarnation contredit la grandeur du *logos* telle que la conçoit « la sagesse du monde » des philosophes stoïciens. Voici ce texte :

« Dieu n'a-t-il pas frappé de folie la sagesse du monde ? Puisque, en effet, le monde, par le moyen de la sagesse, n'a pas reconnu Dieu dans la sagesse de Dieu, c'est par la folie de la proclamation qu'il a plu à Dieu de sauver ceux qui croient. Alors que les Juifs demandent des miracles et que les Grecs cherchent la sagesse, nous proclamons, nous, un Christ crucifié, scandale pour les Juifs et folie pour les Grecs, qui sont appelés puissance de Dieu et sagesse de Dieu. Car ce qui est folie de Dieu est plus sage que les hommes, et ce qui est faiblesse de Dieu est plus fort que les hommes. »

Paul trace ici l'image, inouïe à l'époque, d'un Dieu qui n'est plus grandiose : il n'est ni colérique, ni terrifiant, ni plein de puissance comme celui des Juifs, mais faible et miséricordieux au point de se laisser crucifier – ce qui, au regard du judaïsme de l'époque, suffirait à prouver qu'il n'a vraiment rien de divin ! Mais il n'est pas non plus cosmique et sublime comme celui des Grecs qui en font de manière panthéiste la structure parfaite du Tout de l'univers. Et c'est justement ce scandale et cette folie qui font sa force : c'est par son humilité, et en la demandant à ceux qui vont croire en lui, qu'il va devenir le porte-parole des faibles, des petits, des sans-grade. Des centaines de millions de gens se reconnaissent, aujourd'hui encore, dans l'étrange force de cette faiblesse même.

Or c'est là, justement, selon les croyants, ce que les philosophes ne sauraient accepter. J'y reviens encore un instant pour que tu mesures bien l'ampleur du thème de l'humilité religieuse opposée à l'arrogance philosophique. Il est omniprésent dans *La Cité de Dieu* (livre X, chapitre 29), où saint Augustin s'en prend aux philosophes les plus importants de son temps (en l'occurrence aux disciples lointains de Platon) qui refusent d'accepter que le divin ait pu se faire homme (le Verbe devenir chair) alors même que leur propre pensée devrait, selon saint Augustin, les conduire à être d'accord avec les chrétiens. Mais,

> « pour consentir à cette vérité, il vous fallait l'humilité, vertu qu'il est si difficile à persuader à vos têtes hautaines. Qu'y a-t-il donc d'incroyable, pour vous surtout, dont les doctrines vous invitent même à cette croyance, qu'y a-t-il d'incroyable quand nous disons que Dieu a pris l'âme et le corps de l'homme ?... Oui, pourquoi les opinions qui sont les vôtres et qu'ici vous combattez, vous détournent-elles d'être chrétiens sinon parce que le Christ est venu dans l'humilité et que vous êtes superbes ? ».

Où l'on retrouve la double humilité dont je te parlais à l'instant : celle d'un Dieu qui accepte de « s'abaisser » jusqu'à se faire homme parmi les hommes ; celle du croyant qui renonce à l'usage de sa raison pour mettre toute sa confiance dans la parole de Jésus, et faire ainsi place à la foi...

Comme tu vois maintenant clairement, les deux moments de la *theoria* chrétienne, définition du divin, définition de l'attitude intellectuelle qui permet d'entrer en contact avec lui, sont aux antipodes de ceux de la philosophie grecque que vise Augustin. C'est ce qui s'explique parfaitement par le quatrième trait que je voulais évoquer.

Quatrième trait : dans cette perspective qui accorde le primat à l'humilité et à la foi sur la raison, au « penser par un Autre » plutôt qu'au « penser par soi-même », la philosophie ne va pas tout à fait disparaître mais elle va devenir « servante de la religion ». La formule apparaît au XIe siècle, sous la plume de saint Pierre Damien, un théologien chrétien proche de la papauté. Elle connaîtra une immense fortune parce qu'elle signifie que, désormais, dans la doctrine chrétienne, la raison doit être tout entière assujettie à la foi qui la guide.

A la question « Y a-t-il une philosophie chrétienne ? », la réponse doit donc être nuancée. Il faut dire : non et oui.

Non, en ce sens que les vérités les plus hautes sont, dans le christianisme comme dans toutes les grandes religions monothéistes, ce qu'on appelle des « Vérités révélées », c'est-à-dire des vérités transmises par la parole d'un prophète, d'un messie, en l'occurrence, s'agissant du christianisme, par la révélation du fils de Dieu lui-même, le Christ. C'est en tant que telles, en raison de l'identité de Celui qui nous les annonce et nous les révèle que ces vérités font l'objet d'une adhésion, d'une croyance active. On pourrait donc être tenté de dire qu'il n'y a plus de place pour la philosophie au sein du christianisme, puisque tout ce qui est essentiel est décidé par la foi de sorte que la doctrine du salut – nous allons y revenir dans quelques instants – est tout entière une doctrine du salut par un Autre, par la grâce de Dieu et nullement par nos propres forces.

Mais en un autre sens, pourtant, on peut malgré tout affirmer qu'il reste une activité philosophique chrétienne, bien qu'à une place secondaire, qui n'est plus celle de la doctrine du salut proprement dite. A quoi sert-elle dans ce cadre où elle est subalterne – mais parfois, cependant, importante ?

Saint Paul le souligne à plusieurs reprises, dans ses épîtres : il reste une double place pour la raison et, par là même, pour l'activité purement philosophique. D'une part, comme tu le sais sûrement si tu as seulement ouvert un jour l'un des Evangiles, le Christ ne cesse de s'exprimer par des symboles et des paraboles. Or ces dernières, notamment, doivent être interprétées si l'on veut en dégager le sens le plus profond. Même si les paroles du Christ ont la particularité, un peu comme les grandes légendes orales ou comme les contes de fées, de parler à tout le monde, il n'en faut pas moins tout un effort de réflexion et d'intelligence pour parvenir à les déchiffrer en profondeur. Ce sera là une nouvelle tâche pour la philosophie devenue servante de la religion.

Mais il ne s'agit pas seulement de lire les Ecritures. Il faut aussi déchiffrer la nature, c'est-à-dire la « création », dont une approche rationnelle doit pouvoir faire ressortir le fait qu'elle « démontre », pour ainsi dire, l'existence de Dieu par la bonté et la beauté de ses œuvres. A partir de saint Thomas notamment, au XIIIᵉ siècle, cette activité de la philosophie chrétienne va devenir de plus en plus importante. C'est elle qui conduira à élaborer ce que les théologiens vont nommer les « preuves de l'existence de Dieu » et, tout particuliè-rement, celle qui consiste à tenter de montrer que le monde étant parfaitement bien fait – en quoi les Grecs n'avaient pas tout faux – il faut bien admettre qu'il existe un créateur intelligent de toutes ces merveilles.

Je n'entre pas davantage ici dans les détails, mais tu vois maintenant en quel sens on peut dire tout à la fois qu'il y a et qu'il n'y a pas de philosophie chrétienne. Bien entendu, il reste une place pour l'activité de la rai-son qui doit, pour l'essentiel, interpréter les Ecritures et comprendre la nature afin d'en tirer des enseignements divins. Mais, tout aussi évidemment, la doctrine du salut n'est plus l'apanage de la philosophie et, même s'il n'y a pas en principe de contradictions entre elles, les vérités révélées par la foi sont premières par rapport aux vérités de raison.

De là le cinquième et dernier trait : n'étant plus la doctrine du salut, mais seulement sa servante, la philo-sophie va devenir une « scolastique », c'est-à-dire, au sens propre, une discipline scolaire et non plus une sagesse ou une discipline de vie. Le point est abso-lument crucial car il explique en grande partie qu'au-jourd'hui encore, lors même que beaucoup pensent avoir

définitivement quitté l'ère chrétienne, la plupart des philosophes continuent de rejeter l'idée que la philosophie
puisse être une doctrine du salut ou même un apprentissage de la sagesse. Au lycée comme à l'université, elle
est devenue, pour l'essentiel, une histoire des idées dou-
blée d'un *discours* réflexif, critique ou argumentatif. En
quoi elle est bien restée un apprentissage purement
« discursif » (c'est-à-dire : de l'ordre du seul discours)
et, en ce sens, une scolastique, contrairement à ce
qu'elle était dans la Grèce ancienne.

Or c'est incontestablement avec le christianisme que
s'instaure cette rupture et que le philosophe cesse d'inviter son disciple à la pratique de ces exercices de sagesse
qui faisaient l'essentiel de l'enseignement dans les
écoles grecques. Et cela est tout à fait compréhensible,
puisque la doctrine du salut, fondée sur la foi et sur la
Révélation, n'appartient plus au domaine de la raison. Il
est dès lors normal qu'elle échappe à la philosophie.
Cette dernière va donc le plus souvent se réduire à une
simple clarification de concepts, à un commentaire
savant de réalités qui la dépassent et lui sont en tout cas
extérieures : on philosophe sur le sens des Ecritures ou
sur la nature comme œuvre de Dieu, mais plus sur les
finalités ultimes de la vie humaine. Aujourd'hui encore,
il semble aller de soi que la philosophie doit tout à la
fois partir et parler d'une réalité extérieure à elle : elle
est philosophie des sciences, du droit, du langage, de la
politique, de l'art, de la morale, etc., mais presque
jamais, sous peine de paraître ridicule ou dogmatique,
amour de la sagesse. A de rares exceptions près, la philosophie contemporaine, bien qu'elle ne soit plus chrétienne, assume sans même s'en douter le statut servile
et secondaire que lui fit subir la victoire du christianisme
sur la pensée grecque.

Personnellement, je trouve que c'est dommage – et je
tâcherai de te dire pourquoi dans le chapitre consacré à
la philosophie contemporaine.

Mais voyons, pour le moment, comment, sur la base de cette nouvelle *theoria* elle-même fondée sur une conception radicalement inédite du divin et de la foi, le christianisme va aussi développer une morale en rupture, sur plusieurs points décisifs, avec le monde grec.

II. ETHIQUE : LIBERTÉ, ÉGALITÉ, FRATERNITÉ
– LA NAISSANCE DE L'IDÉE MODERNE D'HUMANITÉ

On aurait pu s'attendre à ce que la mainmise de la religion sur la pensée, la relégation de la philosophie au second plan aient pour conséquence une régression sur le plan éthique. A bien des égards, on peut penser que c'est l'inverse qui a eu lieu. Le christianisme va apporter sur le plan moral au moins trois idées nouvelles, non grecques – ou non essentiellement grecques –, liées toutes trois directement à la révolution théorique que l'on vient de voir à l'œuvre. Or ces idées sont stupéfiantes de modernité. On ne peut sans doute plus se représenter, même en faisant d'immenses efforts d'imagination, combien elles ont dû paraître bouleversantes pour les hommes de l'époque. Le monde grec était fondamentalement un monde aristocratique, un univers hiérarchisé dans lequel les meilleurs par nature devaient en principe être « en haut », tandis que les moins bons se voyaient réserver les rangs inférieurs. N'oublie d'ailleurs pas que la cité grecque est fondée sur l'esclavage.

Par rapport à elle, le christianisme va apporter l'idée que l'humanité est foncièrement une et que les hommes sont égaux en dignité – idée inouïe à l'époque et dont notre univers démocratique sera de part en part l'héritier. Mais cette notion d'égalité n'est pas venue de nulle part et il importe de bien comprendre comment la théorie que nous venons de voir à l'œuvre portait en germe la naissance de ce nouveau monde de l'égale dignité des hommes.

Là encore, pour te présenter les choses le plus simplement, je me bornerai à t'indiquer les trois traits caractéristiques de l'éthique chrétienne qui sont décisifs pour bien le comprendre.

Premier trait : la liberté de choix, le « libre arbitre » devient fondement de la morale et la notion d'égale dignité de tous les êtres humains fait sa première apparition. Nous avons vu en quel sens les grandes cosmologies grecques prenaient la nature pour norme. Or la nature est foncièrement hiérarchisée, c'est-à-dire inégalitaire : pour chaque catégorie d'êtres, elle déploie tous les degrés qui vont de l'excellence la plus sublime jusqu'à la médiocrité la plus grande. Il est évident, en effet, que nous sommes, si l'on se place du seul point de vue naturel, très inégalement doués : plus ou moins forts, rapides, grands, beaux, intelligents, etc. Tous les dons naturels sont susceptibles d'un partage inégal. Dans le vocabulaire moral des Grecs, la notion de vertu est d'ailleurs directement liée à celles de talent ou de don naturels. La vertu, c'est d'abord l'excellence d'une nature bien douée. Voilà pourquoi, pour te donner un exemple tout à fait typique de la pensée grecque, Aristote peut tranquillement parler dans un de ses livres consacrés à l'éthique, d'un « œil vertueux ». Chez lui, cela signifie seulement un œil « excellent », un œil qui voit parfaitement, qui n'est ni presbyte ni myope.

Pour le dire autrement : le monde grec est un monde aristocratique, c'est-à-dire un univers qui repose tout entier sur la conviction qu'il existe une *hiérarchie naturelle des êtres*. Des yeux, des plantes ou des animaux, bien sûr, mais aussi des hommes : certains sont naturellement faits pour commander, d'autres pour obéir – et c'est pourquoi d'ailleurs, la vie politique grecque s'accommode sans difficulté de l'esclavage.

Pour les chrétiens, et en cela ils annoncent les morales modernes dont je te parlerai dans le prochain chapitre, cette conviction est illégitime et parler d'un « œil vertueux » n'a plus aucun sens. Car ce qui compte, ce ne sont pas les talents naturels comme tels, les dons reçus à la naissance. Il est clair, cela n'est pas douteux, qu'ils sont très inégalement répartis entre les hommes et que certains, sans doute, sont plus forts ou plus intelligents que d'autres, exactement comme il existe par nature des yeux plus ou moins bons.

Mais sur le plan moral, ces inégalités n'ont aucune importance. Car seul importe *l'usage qu'on fait des qualités qu'on a reçues au départ, pas les qualités elles-mêmes.* Ce qui est moral ou immoral, c'est la liberté de choix, ce que les philosophes vont nommer le « libre arbitre », et nullement les talents de nature en tant que tels. Le point peut te paraître secondaire ou évident : il est en vérité littéralement inouï à l'époque, car avec lui, c'est tout un monde qui bascule. Pour le dire simplement : avec le christianisme, nous sortons de l'univers aristocratique pour entrer dans celui de la « méritocratie », c'est-à-dire dans un monde qui va d'abord et avant tout valoriser, non les qualités naturelles de départ, mais le *mérite* que chacun déploie dans leur usage. C'est ainsi que nous allons sortir du monde naturel des inégalités – car la nature est inégalitaire – pour entrer dans celui, artificiel au sens où il est construit par nous, de l'égalité – car la dignité des êtres humains est la même pour tous, quelles que soient les inégalités de fait, puisqu'elle repose désormais sur leur liberté et non plus sur leurs talents naturels.

L'argumentation chrétienne – qui sera reprise par les morales modernes, y compris les plus laïques – est à la fois simple et forte.

En substance, elle nous dit ceci : il existe une preuve indiscutable du fait que les talents hérités de nature ne sont pas intrinsèquement vertueux, qu'ils n'ont rien en eux-mêmes de moral, c'est que tous, sans exception, *peuvent être utilisés tout autant pour le bien que pour le mal.* La force, la beauté, l'intelligence, la mémoire, etc., bref, tous les dons naturels, hérités à la naissance, sont certes des qualités, mais justement pas sur le plan moral, car tous peuvent être mis au service du pire comme du meilleur. Si tu utilises ta force, ton intelligence ou ta beauté pour accomplir le crime le plus abject, tu démontres par le fait même que ces talents naturels n'ont absolument rien de vertueux en soi !

C'est donc seulement l'usage qu'on en fait qui peut être dit vertueux, comme l'indique d'ailleurs l'une des paraboles les plus célèbres de l'Evangile, la parabole des talents. Tu peux choisir de faire de tes dons naturels l'usage que tu veux, bon ou mauvais. Mais c'est cet usage qui est moral ou immoral, pas les dons en tant que tels ! Parler d'un œil vertueux devient donc une absurdité. Seule une action libre peut être dite vertueuse, pas une chose de nature. En quoi c'est bien désormais le « libre arbitre » qui se trouve mis au principe de tout jugement sur la moralité d'un acte.

Sur le plan moral, le christianisme opère ainsi une véritable révolution dans l'histoire de la pensée, une révolution qui se fera encore sentir jusque dans la grande Déclaration des droits de l'homme de 1789 dont l'héritage chrétien, sur ce plan, n'est pas douteux. Car*, pour la première fois peut-être dans l'histoire de l'humanité, c'est la liberté et non plus la nature qui devient le fondement de la morale.*

Mais c'est en même temps, comme je te le disais tout à l'heure, l'idée d'égale dignité de tous les êtres humains qui fait sa première apparition : en quoi le christianisme sera, plus ou moins secrètement, à l'origine de la démocratie moderne. Paradoxalement, bien que la Révolution française soit parfois fort hostile à l'Eglise, elle n'en doit pas moins au christianisme une part essentielle du message égalitariste qu'elle va tourner contre l'Ancien

Régime. D'ailleurs, nous constatons encore aujourd'hui combien les civilisations qui n'ont pas connu le christianisme ont de grandes difficultés à accoucher de régimes démocratiques, parce que l'idée d'égalité, notamment, n'a rien d'évident pour elles.

Le deuxième bouleversement est directement lié au premier : il consiste à poser que, sur le plan moral, l'esprit est plus important que la lettre, le « forum intérieur » plus décisif que l'observance littérale de la loi de la cité qui ne reste jamais qu'une loi extérieure. J'évoquais tout à l'heure la parabole des talents. Mais, là encore, un épisode de l'Evangile peut servir de modèle : il s'agit du fameux passage où le Christ prend la défense de la femme adultère que la foule s'apprête, selon la coutume, à lapider. Bien sûr, l'adultère, le fait de tromper son mari ou sa femme, est considéré par tous à l'époque comme péché. Bien sûr, il existe une loi qui commande que la femme adultère soit lapidée. Ça, c'est la lettre du code juridique en vigueur. Mais qu'en est-il de l'esprit, de la « conscience intime » ? Le Christ se met en marge de la foule. Il sort du cercle des bien-pensants, de ceux qui ne songent qu'à l'application stricte, mécanique, de la norme. Et il fait appel à leur conscience, justement, et il leur dit au fond ceci : dans votre *for intérieur*, êtes-vous sûrs que ce que vous faites là est bien ? Et si vous vous examiniez vous-mêmes, seriez-vous certains de vous trouver meilleurs que cette femme que vous vous apprêtez à tuer et qui, peut-être, n'a péché que par amour ? Que celui qui n'a jamais péché lui jette donc la première pierre... Et tous ces hommes, au lieu de suivre la lettre de la loi, rentrent en eux-mêmes, pour en saisir l'esprit, pour réfléchir, aussi, à leurs propres défauts et commencer à douter, dès lors, qu'ils puissent être des juges impitoyables...

Là encore, tu ne mesures peut-être pas au premier abord tout ce que le christianisme possède de novateur, non seulement par rapport au monde grec, mais plus encore peut-être par rapport au monde juif. C'est parce que le christianisme accorde cette place énorme à la conscience, à l'esprit plus qu'à la lettre, qu'il n'imposera pratiquement aucune juridification de la vie quotidienne.

Les rituels dénués de sens, du type « poisson le vendredi », sont des inventions tardives, souvent du XIXe siècle, qui n'ont aucune racine dans les Evangiles. Tu peux les lire et les relire, tu n'y trouveras rien, ou pratiquement rien, sur ce qu'il faut manger ou non, sur la façon dont on doit se marier, sur les rituels qu'il faut accomplir pour prouver et se prouver sans cesse qu'on est un bon croyant, etc. Au lieu que la vie des juifs et des musulmans orthodoxes est remplie d'impératifs extérieurs, de devoirs touchant les actions à mener dans la cité des hommes, le christianisme se contente de les renvoyer à eux-mêmes pour savoir ce qui est bon ou non, à l'esprit du Christ et de son message, plutôt qu'à la lettre cérémoniale de rituels qu'on respecte sans y penser...

Là aussi, cette attitude favorisera considérablement le passage à la démocratie, l'avènement de sociétés laïques, non religieuses : dans la mesure où la morale devient une affaire, pour l'essentiel, intérieure, elle a d'autant moins de motif majeur d'entrer en conflit avec les conventions extérieures. Peu importe que l'on prie une fois ou cent fois dans la journée, peu importe qu'il soit interdit ou non de manger ceci ou cela : toutes les lois ou presque sont acceptables du moment qu'elles ne portent pas atteinte au fond, à l'esprit d'un message christique qui n'a rien à voir avec ce que l'on mange, ni avec les habits que l'on porte ou les rituels que l'on respecte.

Troisième innovation fondamentale : c'est, tout simplement, l'idée moderne d'humanité qui fait son entrée en scène. Non, bien entendu, qu'elle soit inconnue des

Grecs ni des autres civilisations d'ailleurs. Nul n'ignorait sans doute qu'il existât une « espèce humaine », différente des autres espèces animales. Les stoïciens, notamment, étaient très attachés à cette idée que tous les hommes appartenaient à une même communauté. Ils étaient, comme on dira plus tard, des « cosmopolites ».

Mais, avec le christianisme, cependant, l'idée d'humanité acquiert une dimension nouvelle. Fondée sur l'égale dignité de tous les êtres humains, elle va prendre une connotation éthique qu'elle ne possédait pas auparavant. Et ce pour une raison très profonde, que nous venons de voir ensemble : dès lors que le libre arbitre est placé au fondement de l'action morale, dès lors que la vertu réside, non dans les talents naturels qui sont inégalement répartis, mais dans l'usage qu'on choisit d'en faire, dans une liberté par rapport à laquelle nous sommes tous à égalité, alors il va de soi que tous les hommes se valent. Du moins, bien sûr, d'un point de vue moral – car, c'est l'évidence, les dons de nature restent toujours aussi inégalement répartis qu'auparavant. Mais sur le plan éthique, cela n'a, au fond, aucune importance.

Il est ainsi clair, désormais, que l'humanité ne saurait se partager, suivant une hiérarchie naturelle et aristocratique des êtres, entre meilleurs et moins bons, entre surdoués et sous-doués, entre maîtres et esclaves. Voilà pourquoi, selon les chrétiens, il faut dire que nous sommes tous « frères », tous placés sur le même rang en tant que créatures de Dieu dotées des mêmes capacités de choisir librement le sens de leurs actions.

Que les hommes soient riches ou pauvres, intelligents ou simples d'esprit, bien nés ou non, doués ou pas, n'a plus guère d'importance. L'idée d'une égale dignité des êtres humains va conduire à faire de l'humanité un concept éthique de premier plan. Avec elle, la notion grecque de « barbare » – synonyme d'étranger – tend à disparaître au profit de la conviction que l'humanité est

UNE ou qu'elle n'est pas. Dans le jargon philosophique, mais il prend tout son sens ici, on peut dire que le christianisme est la première morale **universaliste**.

Cela dit, la question du salut, comme toujours, n'est en rien réglée par celle de la morale avec laquelle elle ne se confond pas. Or c'est justement dans ce domaine, plus encore peut-être que dans celui de l'éthique, que la religion chrétienne va innover de façon inouïe, portant ainsi un coup fatal à la philosophie. Il faut dire que par rapport aux termes de la question initiale – en gros : comment vaincre les inquiétudes que suscite en l'homme la conscience de sa finitude – le christianisme fait très fort. Alors que les stoïciens nous représentaient la mort comme le passage d'un état personnel à un état impersonnel, comme une transition entre le statut d'individu conscient et celui de fragment cosmique inconscient, la pensée chrétienne du salut n'hésite pas à nous promettre enfin carrément l'immortalité personnelle.

Comment résister ? D'autant que cette promesse, comme tu vas voir, n'est pas faite à la légère, de manière superficielle. Elle est au contraire intégrée dans tout un dispositif intellectuel d'une immense profondeur, dans une pensée de l'amour et de la résurrection des corps qui mérite, comme on dit, le détour. Au reste, si tel n'était pas le cas, on voit mal pourquoi la religion chrétienne aurait connu le colossal succès qui fut le sien et qui ne se dément toujours pas de nos jours.

III. Sagesse : une doctrine du salut par l'amour qui nous promet enfin l'immortalité personnelle

Le cœur de la doctrine chrétienne du salut est directement lié à la révolution théorique que nous avons vue à l'œuvre dans le passage d'une conception cosmique à une conception personnelle du *logos*, c'est-à-dire du divin. Ses trois traits les plus caractéristiques en découlent très directement. Dès la présentation du premier, tu vas pouvoir pleinement mesurer à quel point la doctrine chrétienne du salut avait des arguments forts pour l'emporter sur celle des stoïciens.

Premier trait : si le logos, *le divin, est incarné dans une personne, celle du Christ, la providence change de sens. Elle cesse d'être, comme chez les stoïciens, un destin anonyme et aveugle pour devenir une attention personnelle et bienveillante comparable à celle d'un père pour ses enfants.* Par là même, le salut auquel nous pouvons prétendre si nous nous ajustons non plus à l'ordre cosmique, mais aux commandements de cette personne divine sera, lui aussi, personnel. C'est l'immortalité singulière qui va nous être promise par le christianisme, et non plus une sorte d'éternité anonyme et cosmique dans laquelle nous ne sommes qu'un petit fragment inconscient d'une totalité qui nous englobe et nous dépasse de toutes parts.

C'est ce tournant crucial qui est parfaitement décrit, dès la seconde moitié du IIe siècle après Jésus-Christ (en l'an 160, pour être précis), dans un ouvrage du premier Père de l'Eglise, saint Justin. Il s'agit d'un dialogue avec un rabbin – sans doute Tarphon – que Justin avait connu à Ephèse. Ce qui est assez bouleversant dans le livre de Justin, c'est qu'il est écrit de façon incroyablement personnelle pour l'époque : Justin est, certes, quelqu'un qui connaît parfaitement la philosophie grecque et qui s'attache à situer la doctrine chrétienne du salut par rapport aux grandes œuvres de Platon, d'Aristote et des stoïciens. Mais surtout, il raconte comment il a, si j'ose dire, « testé pour nous » les différentes doctrines du salut païennes (on dirait aujourd'hui « laïques », non religieuses), comment et pourquoi il a été successivement stoïcien, aristotélicien, pythagoricien, puis fervent platonicien avant de devenir chrétien.

Son témoignage est donc infiniment précieux pour comprendre comment, pour un homme de cette époque, la doctrine chrétienne du salut pouvait être perçue par rapport à celles que la philosophie avait pu jusqu'alors élaborer. Voilà d'ailleurs pourquoi il n'est pas inutile que je te dise, en quelques mots, qui était Justin et dans quel contexte il publie ce dialogue.

Il appartient au mouvement de ces premiers chrétiens qu'on nomme les « apologistes ». Il en est même le principal représentant au IIe siècle. De quoi s'agit-il et que veut dire le mot « apologie » ? Si tu te souviens de tes cours d'histoire ancienne, tu dois savoir que dans l'Empire romain, à cette époque, les persécutions de chrétiens étaient encore très fréquentes. En plus de celle des autorités romaines, le christianisme suscitait l'hostilité des Juifs, de sorte que les premiers théologiens chrétiens commencèrent à rédiger des « apologies » de leur religion, c'est-à-dire des espèces de plaidoiries adressées aux empereurs romains afin de défendre leur communauté contre les rumeurs qui pesaient sur leur culte. En effet, on les accusait, à tort évidemment, de toutes sortes d'horreurs qui rencontraient un écho dans l'opinion, entre autres : d'adorer un dieu à tête d'âne, de sacrifier à des rites anthropophages (de pratiquer le cannibalisme), de procéder à des meurtres rituels, de se livrer à toutes sortes de débauches, dont l'inceste, qui n'avaient évidemment aucun rapport avec le christianisme.

Le texte des apologies rédigées par Justin avait pour but de témoigner, contre ces ragots, de la réalité de la pratique chrétienne. La première, qui date de l'an 150, fut envoyée à l'empereur Antonin, et la seconde à Marc Aurèle, celui dont tu te souviens qu'il fut l'un des plus grands représentants de la pensée stoïcienne – comme quoi, cela dit au passage, il n'était pas interdit d'être politique et philosophe.

A l'époque, la loi romaine voulait que les chrétiens ne soient pas inquiétés, sauf s'ils étaient dénoncés par une personne « crédible ». C'est un philosophe appartenant à l'école des cyniques, Crescens, qui devait occuper ce rôle sinistre : adversaire irréductible de Justin, jaloux de l'écho remporté par son enseignement, il le fit condamner, ainsi que six de ses élèves qui furent décapités avec lui en 165... sous le règne, donc, et c'est tout un symbole, du plus éminent des philosophes stoïciens de l'époque impériale, Marc Aurèle. Le récit de son procès a été conservé. Il est même le seul document authentique rapportant le martyre d'un penseur chrétien dans la Rome du IIe siècle.

Il est donc particulièrement intéressant de lire ce que déclare Justin, face aux stoïciens qui vont le faire exécuter. La pomme de discorde porte, pour l'essentiel, sur la doctrine du salut et tient à ce que nous avons vu. Si le Verbe est incarné, la providence change totalement de sens : d'anonyme et impersonnelle qu'elle était chez les stoïciens, elle devient personnelle non seulement par Celui qui l'exerce, mais aussi pour celui à qui elle s'adresse. En quoi, selon Justin, la doctrine chrétienne du salut l'emporte de très loin sur celle des stoïciens, comme l'immortalité consciente d'une personne individuelle, singulière, sur celle d'un fragment inconscient de *cosmos* :

> « Bien sûr, écrit-il, en parlant des penseurs grecs, ils essaient de nous convaincre que Dieu s'occupe de l'univers dans son ensemble, des genres et des espèces. Mais de moi, de toi, de chacun en particulier, il n'en va pas de même, car autrement, nous ne le prierions pas jour et nuit ! »

Au destin implacable et aveugle des Anciens fait place la sagesse bienveillante d'une personne qui nous aime comme personne, aux deux sens de l'expression. C'est ainsi l'amour qui va devenir la clef du salut.

Mais, comme tu vas voir, il ne s'agit pas de n'importe quel amour, il s'agit de ce que les philosophes chrétiens vont nommer l'« amour en Dieu ». Là encore, il nous faut bien comprendre ce que désigne l'expression afin de saisir en quoi cette forme d'amour va non seulement se distinguer des autres, mais aussi nous permettre d'accéder au salut – c'est-à-dire de dépasser la peur de la mort voire, si possible, la mort elle-même.

Deuxième trait : *l'amour est plus fort que la mort.* Tu demanderas peut-être quel lien peut bien exister entre le sentiment de l'amour et la question de ce qui peut nous sauver de la finitude et de la mort. Tu as raison, ce n'est pas évident *a priori*. Pour le comprendre, le plus simple est de partir de l'idée qu'il y a, au fond, trois figures de l'amour, qui forment entre elles comme un « système » cohérent, comme une configuration qui épuiserait toutes les possibilités.

Il y a d'abord un amour qu'on pourrait nommer l'« amour-attachement » : c'est celui que nous ressentons lorsque nous sommes, comme on dit si bien, *liés* à quelqu'un au point de ne pas pouvoir imaginer la vie sans lui. On peut connaître cet amour aussi bien dans sa famille, que par rapport à quelqu'un dont on tombe amoureux. C'est un des visages de l'amour-passion. Or sur ce point, les chrétiens rejoignent les stoïciens et les bouddhistes pour penser que cet amour est le plus dangereux, le moins sage de tous. Ce n'est pas seulement qu'il risque de nous détourner de nos vrais devoirs envers Dieu, mais c'est surtout que, par définition, il ne supporte pas la mort, ne tolère pas les ruptures et les changements, pourtant inévitables un jour ou l'autre. Outre le fait qu'il est généralement possessif et jaloux, l'amour-attachement nous prépare ainsi les pires souffrances qui soient. Nous avions déjà évoqué ce raisonnement, ce pourquoi je ne le développe pas davantage encore.

A l'extrême opposé se trouve l'amour du prochain en général, ce qu'on nomme aussi la « compassion » : c'est celui qui nous pousse à nous occuper même de ceux que nous ne connaissons pas lorsqu'ils sont dans le malheur, celui qu'on rencontre aussi bien, aujourd'hui encore, dans les gestes de la charité chrétienne, que dans l'univers, parfois pourtant athée, de l'action caritative ou, comme on dit, « humanitaire ». Tu noteras à ce propos que, curieusement, alors que c'est presque le même mot, le « prochain » est le contraire exact du « proche » : le prochain c'est l'autre en général, l'anonyme, celui auquel, justement, on n'est pas attaché, que l'on connaît à peine, voire pas du tout, et que l'on aide, pour ainsi dire, par devoir – alors que le proche, le plus souvent, est le principal objet de l'amour-attachement.

Et puis, justement, à égale distance de ces deux premiers visages de l'amour, il y a l'« amour en Dieu ». Or c'est lui et lui seul qui va être la source ultime du salut, lui et lui seul qui va, aux yeux des chrétiens, s'avérer plus fort que la mort.

Voyons cela d'un peu plus près car ces définitions de l'amour sont d'autant plus intéressantes qu'elles ont traversé les siècles et restent aussi présentes aujourd'hui qu'à l'époque où elles furent inventées. Et commençons par revenir un instant sur les critiques de l'amour-attachement pour bien mesurer en quoi le christianisme va rejoindre sur ce point certains grands thèmes du stoïcisme et du bouddhisme avant de s'en séparer à nouveau.

Tu te souviens que le stoïcisme, en cela d'ailleurs proche du bouddhisme, tient la peur de la mort pour la pire entrave à la vie bienheureuse. Or cette angoisse, à l'évidence, n'est pas sans lien avec l'amour. Pour le dire de façon très simple, il existe une contradiction apparemment insurmontable entre l'amour, qui porte de manière presque inéluctable à l'attachement, et la mort qui est séparation. Si la loi de ce monde est celle de la finitude et du changement, si, comme le disent les bouddhistes, tout est « impermanent », c'est-à-dire périssable et changeant, c'est pécher par manque de sagesse que de s'attacher aux choses ou aux êtres qui sont mortels. Non qu'il faille sombrer dans l'indifférence bien sûr, ce que le sage stoïcien pas plus que le moine bouddhiste ne saurait recommander : la compassion, la bienveillance et la sollicitude à l'égard des autres, voire envers toutes les formes de vie, doivent demeurer la règle éthique la plus élevée de nos comportements. Mais la passion, à tout le moins, n'est pas de mise chez le sage, et les liens familiaux eux-mêmes, lorsqu'ils deviennent trop « attachants », doivent être, si besoin, distendus.

C'est aussi pourquoi, comme le sage grec, le moine bouddhiste a tout intérêt à vivre, autant qu'il est possible, dans une certaine solitude. D'ailleurs le mot « moine » vient du grec *monos*, qui veut dire « seul ». Et c'est bien dans la solitude que la sagesse peut s'épanouir sans être gâtée par les tourments liés à toutes les formes d'attachement, quelles qu'elles soient. Impossible, en effet, d'avoir une femme ou un mari, des enfants et des amis sans s'attacher en quelque façon à eux ! Il faut nous affranchir de ces liens si nous voulons parvenir à surmonter la crainte de la mort. Comme le déclare à satiété la sagesse bouddhiste,

> « la condition idéale pour mourir est d'avoir tout abandonné, intérieurement et extérieurement, afin qu'il y ait, à ce moment essentiel, le moins possible d'envie, de désir et d'attachement auquel l'esprit puisse se raccrocher. C'est pourquoi avant de mourir, nous devrions nous libérer de tous nos biens, amis et famille [1] »,

---

1. Sogyal Rinpoché, *Le Livre tibétain de la vie et de la mort*, Paris, La Table Ronde, 1993, p. 297

opération qui, bien entendu, ne peut se faire au dernier moment, mais exige toute une vie de sagesse préalable.

Nous avons déjà évoqué ces thèmes et je n'y reviens pas plus longuement. Je voudrais seulement que tu notes bien que, de ce point de vue, l'argumentation chrétienne rejoint, au moins dans un premier temps, celle des sagesses anciennes.

Comme le dit le Nouveau Testament (Epître aux Galates, VI, 8) :

> « Qui sème dans la chair, de la chair moissonnera la corruption ; qui sème dans l'esprit, de l'esprit moissonnera la vie éternelle. »

Saint Augustin, dans le même sens, condamne ceux qui s'attachent par amour à des créatures mortelles :

> « Vous cherchez une vie heureuse dans la région de la mort : vous ne l'y trouverez point. Car comment trouverait-on la vie heureuse là où il n'y a même pas la vie[1] ? »

Même chose pour Pascal qui expose de façon lumineuse, dans un fragment des *Pensées* (471), les raisons pour lesquelles il est indigne non seulement de s'attacher aux autres, mais même de laisser quelqu'un s'attacher à soi. Je te conseille de lire l'intégralité de ce passage tout à fait significatif de l'argumentation chrétienne développée contre les attachements portant sur des êtres finis et mortels, donc, à un moment ou à un autre, décevants :

> « Il est injuste qu'on s'attache à moi, quoiqu'on le fasse avec plaisir et volontairement. Je tromperais ceux à qui j'en ferais naître le désir, car je ne suis la fin de personne et n'ai pas de quoi les satisfaire. Ne suis-je pas prêt à mourir ? Et ainsi l'objet de leur attachement

---

1. *Confessions*, livre IV, chapitre 12.

mourra. Donc, comme je serais coupable de faire croire une fausseté, quoique je la persuadasse doucement et qu'on la crût avec plaisir, et qu'en cela on me fît plaisir, de même, je suis coupable de me faire aimer. Et si j'attire les gens à s'attacher à moi, je dois avertir ceux qui seraient prêts à consentir au mensonge, qu'ils ne le doivent pas croire, quelque avantage qu'il m'en revînt ; et, de même, qu'ils ne doivent pas s'attacher à moi, car il faut qu'ils passent leur vie et leurs soins à plaire à Dieu ou à le chercher. »

Tout à fait dans le même sens, Augustin raconte dans ses *Confessions*, comment, alors qu'il était tout jeune homme et pas encore chrétien, il s'était laissé littéralement dévaster le cœur en s'attachant à un ami que la mort emporta brusquement. Son malheur tout entier était lié au manque de sagesse tenant aux attachements à des êtres périssables :

« Car d'où venait que cette affliction m'avait si aisément pénétré le cœur, sinon de ce que j'avais répandu mon âme sur l'instabilité d'un sable mouvant, en aimant une personne mortelle comme si elle eût été immortelle ? »

Voilà le malheur auquel sont vouées toutes les amours humaines lorsqu'elles sont trop humaines et qu'elles ne cherchent dans l'autre que des « témoignages d'affection » qui nous valorisent, nous rassurent et satisfont notre seul ego :

« C'est ce qui change en amertume les douceurs dont nous jouissions auparavant. C'est ce qui noie notre cœur dans nos larmes, et fait que la perte de la vie de ceux qui meurent devient la mort de ceux qui restent en vie. »

Il faut donc savoir résister aux attachements lorsqu'ils sont exclusifs, puisque « tout dépérit en ce monde, tout est sujet à la défaillance et à la mort ». Dès qu'il s'agit de créatures mortelles, il faut que

> « mon âme ne s'y attache point par cet amour qui la tient captive lorsqu'elle s'abandonne aux plaisirs des sens. Car comme ces créatures périssables passent et courent à leur fin, elle est déchirée par ces différentes passions qu'elle a pour elles et qui la tourmentent sans cesse ; parce que l'âme, désirant naturellement se reposer dans ce qu'elle aime, il est impossible qu'elle se repose dans ces choses passagères puisqu'elles n'ont point de subsistance et qu'elles sont dans un flux et un mouvement perpétuel [1] ».

On ne saurait mieux dire et le sage stoïcien, comme le bouddhiste, pourrait, il me semble, signer des deux mains ces propos d'Augustin.

Mais qui a dit que l'homme était mortel ? Là réside au fond toute l'innovation de l'interrogation chrétienne. Qu'on ne doive pas s'attacher à ce qui passe, fort bien. Mais pourquoi le faudrait-il pour ce qui ne passe point ? La réciproque se profile comme en creux dans le raisonnement lui-même : si l'objet de mon attachement n'était pas mortel, en quoi serait-il alors fautif ou déraisonnable ? Si mon amour portait sur l'éternité en l'autre, pourquoi devrait-il ne pas m'attacher ?

Je suis sûr que tu vois déjà où je veux en venir : toute l'originalité du message chrétien réside justement dans la « bonne nouvelle » de l'immortalité réelle, c'est-à-dire de la résurrection, non seulement des âmes, mais bel et bien des corps singuliers, des personnes en tant que telles. Si on affirme que les humains sont immortels dès lors qu'ils respectent les commandements de Dieu, dès lors qu'ils vivent et aiment « en Dieu », si on pose que cette immortalité, non seulement n'est pas incompatible avec l'amour, mais qu'elle en est même un des

---

1 *Confessions*, livre IV, chapitre 10.

effets possibles, alors pourquoi se priver ? Pourquoi ne pas s'attacher à nos proches, si le Christ nous promet que nous pourrons les retrouver après la mort biologique et communier avec eux dans une vie éternelle, pourvu que nous ayons relié tous nos actes à Dieu en celle-ci ?

Ainsi, entre l'amour-attachement et la simple compassion universelle qui ne saurait jamais s'attacher à un être singulier, une place se fait jour pour une troisième forme d'amour : l'amour « en » Dieu des créatures elles-mêmes éternelles. Et c'est là, bien sûr, où Augustin veut en venir :

> « Seigneur, bienheureux celui qui vous aime et qui aime son ami en vous, et son ennemi pour l'amour de vous. Car celui-là seul ne perd aucun de ses amis qui n'en aime aucun que dans Celui qui ne se peut jamais perdre. Et qui est Celui-là, sinon notre Dieu... Nul ne vous perd, Seigneur, que celui qui vous abandonne. »

Et, pouvons-nous ajouter dans le droit-fil de ce propos, nul ne perd non plus les êtres singuliers qu'il aime, sinon celui qui cesse de les aimer en Dieu, c'est-à-dire dans ce qu'ils ont d'éternel, parce que relié au divin et protégé par lui.

Avoue que la promesse, à tout le moins, est tentante. Elle va trouver sa forme achevée dans la pointe ultime de la doctrine chrétienne du salut, c'est-à-dire dans la doctrine, unique parmi toutes les grandes religions, de la résurrection, non seulement des âmes, mais bel et bien des corps.

Troisième trait : une immortalité enfin singulière. La résurrection des corps comme point culminant de la doctrine chrétienne du salut. Là où, pour le sage bouddhiste, l'individu n'est qu'une illusion, un agrégat provisoire voué à la dissolution et à l'impermanence, là où, pour le stoïcien, le moi est voué à se fondre dans la totalité du *cosmos*, le christianisme promet au contraire l'immortalité de la personne singulière. Avec son âme, bien sûr, mais surtout, avec son corps, son visage, sa voix aimée dès lors que cette personne sera sauvée par la grâce de Dieu. Voilà une promesse d'autant plus originale, d'autant plus alléchante oserais-je dire, que c'est par l'amour, non seulement de Dieu, non seulement du prochain, mais tout autant des proches que le salut se gagne ! En quoi l'amour – et tout le miracle chrétien est là, tout son pouvoir de séduction aussi –, de problème qu'il était pour les bouddhistes et les stoïciens (aimer, c'est se préparer les pires souffrances qui soient), devient pour ainsi dire solution pour les chrétiens, pourvu du moins qu'il ne soit pas exclusif de Dieu mais que, au contraire, bien que portant sur des créatures singulières, sur des personnes, il n'en reste pas moins amour « en » Dieu, c'est-à-dire amour relié à lui et portant sur ce qui, en la personne aimée, ne passe pas.

Voilà pourquoi Augustin, après avoir pratiqué une critique radicale de l'amour-attachement en général, ne l'exclut pourtant pas lorsque son objet est le divin, de Dieu lui-même, bien sûr, mais aussi des créatures en Dieu en tant qu'elles échappent elles aussi à la finitude pour entrer dans la sphère de l'éternité :

> « Que si les âmes te plaisent, aime-les en Dieu, parce qu'elles sont errantes et muables en elles-mêmes, et qu'elles sont fixes et immobiles en Lui de qui elles tiennent toute la solidité de leur être et sans qui elles s'écrouleraient et périraient... Attachez-vous fortement à Lui, et vous serez inébranlables[1]. »

Rien n'est plus frappant, à cet égard, que la sérénité avec laquelle Augustin évoque les deuils qui l'ont touché, non plus cette fois avant sa conversion au christianisme, mais après elle, à commencer par la mort de sa mère, dont il était pourtant si proche :

---

1. *Confessions*, livre IV, chapitre 12.

« Il se passa quelque chose de semblable dans mon cœur, où ce qu'il y avait de faible et qui tenait de l'enfance se laissant aller aux pleurs était réprimé par la force de la raison et se taisait. Car nous ne croyions pas qu'il fût juste d'accompagner ses funérailles de larmes, de plaintes et de soupirs, parce que l'on s'en sert d'ordinaire pour déplorer le malheur des morts, et comme leur entier anéantissement : au lieu que la mort de ma mère n'avait rien de malheureux et qu'elle était encore vivante dans la principale partie d'elle-même[1]. »

Dans le même sens, Augustin n'hésite pas à évoquer « l'heureuse mort de deux de ses amis », pourtant très chers, mais qu'il avait eu le bonheur de voir eux aussi se convertir à temps, et qui, par conséquent, pourraient bénéficier à leur tour de « la résurrection des justes[2] ». Comme toujours, Augustin trouve le mot qui convient, car c'est bien la résurrection qui fonde en dernière instance cette troisième forme d'amour qu'est l'amour en Dieu. Ni attachement aux choses mortelles, car il est funeste et voué aux pires souffrances – sur ce point, bouddhistes et stoïciens ont raison ; ni compassion vague et générale envers ce fameux « prochain » qui désigne tout le monde et son voisin, mais amour attaché, charnel et personnel, à des êtres singuliers, proches et non seulement prochains, *pourvu que cet amour se fasse* « en Dieu », *c'est-à-dire dans une perspective de foi qui fonde la possibilité d'une résurrection*.

De là, le lien indissoluble entre amour et doctrine du salut. C'est par et dans l'amour en Dieu que le Christ s'avère être celui qui, faisant « mourir notre mort » et « rendant immortelle cette chair mortelle »[3], est le seul à nous promettre que notre vie d'amour ne s'achèvera pas avec la mort terrestre.

1. *Confessions*, livre IX, chapitre 12.
2. *Ibid.*, livre IX, chapitre 3.
3. *Ibid.*

Bien entendu, ne t'y trompe pas, l'idée d'une immortalité des êtres était déjà présente sous de multiples formes dans nombre de philosophies et de religions antérieures au christianisme.

Cependant, la résurrection chrétienne offre la particularité unique d'associer étroitement trois thèmes fondamentaux pour sa doctrine de la vie bienheureuse : celui de l'immortalité personnelle de l'âme, celui d'une résurrection des corps – de la singularité des visages aimés –, celui d'un salut par l'amour, même le plus singulier qui soit, pourvu du moins qu'il soit amour « en » Dieu. Et c'est en tant que telle qu'elle constitue le point nodal de toute la doctrine chrétienne du salut. Sans elle – que de manière significative les Actes des Apôtres nomment la « bonne nouvelle » –, c'est tout le message du Christ qui s'effondre, comme le souligne, sans ambiguïté, dans le Nouveau Testament, la première Épître aux Corinthiens (XV, 13-15) :

> « Or, si l'on proclame que Christ a été relevé d'entre les morts, comment certains parmi vous peuvent-ils dire qu'il n'y a pas de résurrection des morts ? S'il n'y a pas de résurrection des morts, alors Christ non plus n'a pas été relevé, vide alors est notre proclamation, vide est notre foi. »

La résurrection est, pour ainsi dire, l'alpha et l'oméga de la sotériologie chrétienne : on la trouve non seulement au terme de la vie terrestre, mais tout autant à son commencement, comme en témoigne la liturgie du baptême, considéré comme une première mort (symbolisée par l'immersion) et une première résurrection à la vie authentique, celle de la communauté des êtres voués à l'éternité et, comme tels, aimables d'un amour qui pourra, sans se perdre, être singulier.

On ne saurait trop y insister : ce n'est pas seulement l'âme qui est ressuscitée, mais bien le « composé âme-corps » tout entier, donc la personne singulière en tant que telle. Lorsque Jésus reparaît après sa mort devant ses disciples, il leur propose, pour lever tous leurs doutes, de le toucher et, comme preuve de sa « matérialité », il demande un peu de nourriture qu'il mange devant eux :

> « Et si l'Esprit de Celui qui a relevé Jésus d'entre les morts habite en vous, Celui qui a relevé d'entre les morts Christ Jésus fera vivre aussi vos corps mortels par son Esprit qui habite en vous » (Epître aux Romains 8, 11).

Que la chose soit difficile, voire impossible à imaginer (avec quel corps allons-nous renaître ? A quel âge ? Que veut-on dire lorsqu'on parle d'un corps « spirituel », « glorieux » ? etc.), qu'elle fasse assurément partie des mystères insondables d'une Révélation qui, sur ce point dépasse de beaucoup, aux yeux des chrétiens, les pouvoirs de notre raison, ne change rien à l'affaire. L'enseignement de la doctrine chrétienne ne fait aucun doute.

Contrairement à une idée que tu entendras mille fois répétée de la part des athées hostiles à la religion chrétienne, cette dernière n'est pas tout entière vouée au combat contre le corps, la chair, la sensualité. Sinon, comment aurait-elle accepté d'ailleurs que le divin devienne lui-même chair en la personne du Christ, que le *logos* prenne le corps tout à fait matériel d'un simple être humain ? Même le catéchisme officiel de l'Eglise, qui n'est pourtant pas un texte suspect d'originalité, y insiste :

> « La chair est le pivot du salut. Nous croyons en Dieu qui est le créateur de la chair ; nous croyons au Verbe fait chair pour racheter la chair ; nous croyons en la résurrection de la chair, achèvement de la création et rédemption de la chair... Nous croyons en la vraie résurrection de cette chair que nous possédons maintenant[1]. »

---

1. *Catéchisme de l'Eglise catholique*, § 1015-1017.

Ne te laisse donc pas impressionner par ceux qui dénigrent aujourd'hui la doctrine chrétienne et la déforment. On peut ne pas être croyant – et, pour tout te dire, je ne suis pas croyant –, on ne peut pas dire pour autant que le christianisme soit une religion tout entière vouée au mépris de la chair. Parce que, tout simplement, c'est inexact.

C'est aussi en ce point ultime de la doctrine chrétienne du salut que tu peux aisément comprendre ce qui lui a permis de l'emporter presque sans partage sur la philosophie pendant près de quinze siècles.

La réponse chrétienne, si l'on y croit du moins, est assurément la plus « performante » entre toutes : si l'amour et même l'attachement ne sont pas exclus dès lors qu'ils portent sur le divin dans l'humain – et c'est là, nous l'avons vu, ce qu'admettent explicitement Pascal et Augustin –, si les êtres singuliers, non le prochain mais les proches eux-mêmes, sont partie intégrante du divin en tant qu'ils sont sauvés par Dieu et appelés à une résurrection elle-même singulière, la sotériologie chrétienne apparaît comme la seule qui nous permette de dépasser non seulement la peur de la mort, mais bien la mort elle-même. Le faisant de façon singulière, et non point anonyme ou abstraite, elle seule apparaît comme proposant aux hommes la bonne nouvelle d'une victoire enfin réellement accomplie de l'immortalité personnelle sur notre condition de mortels.

Chez les Grecs, et tout particulièrement chez les stoïciens, la crainte de la mort se trouvait finalement surmontée au moment où le sage comprenait qu'il était lui-même une partie, sans doute infime mais néanmoins réelle, de l'ordre cosmique éternel. C'est en tant que tel, par son adhésion au *logos* universel, qu'il parvenait à la pensée de la mort comme simple passage d'un état à un autre – et non comme disparition radicale et définitive. Il n'en demeure pas moins que le salut éternel, comme la providence et pour les mêmes raisons qu'elle, restait impersonnel. C'est en tant que fragments inconscients d'une perfection elle-même inconsciente que nous pouvions nous penser comme éternels, non en tant qu'individus.

La personnalisation du *logos* change toutes les données du problème : si les promesses qui me sont faites par le Christ, ce Verbe incarné que des témoins fiables ont pu voir de leurs yeux, sont véridiques, si la providence divine me prend en charge en tant que personne, si humble soit-elle, alors mon immortalité sera, elle aussi, personnelle. C'est alors *la mort elle-même, et non seulement les peurs qu'elle suscite en nous*, qui se trouve enfin vaincue. L'immortalité n'est plus celle, anonyme et cosmique, du stoïcisme, mais celle, individuelle et consciente, de la résurrection des âmes accompagnées de leurs corps « glorieux ». C'est ainsi la dimension de l'« amour en Dieu » qui vient conférer son sens ultime à cette révolution opérée par le christianisme dans les termes de la pensée grecque. C'est cet amour, qui se trouve au cœur de la nouvelle doctrine du salut, qui s'avère, au final, « plus fort que la mort ».

Comment et pourquoi cette doctrine chrétienne allait-elle commencer de décliner avec la Renaissance ? Comment et pourquoi la philosophie allait-elle réussir à reprendre le dessus sur la religion à partir du XVIIe siècle ? Et qu'allait-elle à nouveau proposer à sa place ? C'est toute la question de la naissance de la philosophie moderne, la plus passionnante qui soit sans doute, qu'il nous faut maintenant aborder.

Chapitre 4

L'humanisme ou la naissance
de la philosophie moderne

Résumons-nous un instant.

Nous avons vu comment la philosophie ancienne, pour l'essentiel, fondait la doctrine du salut sur la considération du *cosmos*. Aux yeux d'un élève des écoles stoïciennes, il devait aller de soi que pour être sauvé, pour vaincre la peur de la mort, il fallait, premièrement, s'efforcer de comprendre l'ordre cosmique, deuxièmement, tout faire pour l'imiter, troisièmement, se fondre en lui, y trouver sa place et parvenir ainsi à une forme d'éternité.

Nous avons également analysé ensemble la façon dont la doctrine chrétienne avait pris le dessus sur la philosophie grecque et comment, pour gagner son salut, un chrétien devait, d'abord, entrer en contact avec le Verbe incarné dans l'humilité de la foi, ensuite observer ses commandements sur le plan éthique et enfin pratiquer l'amour en Dieu en même temps que l'amour de Dieu afin que lui et ses proches puissent entrer dans le royaume de la vie éternelle.

Le monde moderne va naître avec l'effondrement de la cosmologie antique et la naissance d'une remise en question inouïe des autorités religieuses. Ces deux mouvements possèdent, si l'on remonte à la racine, une origine intellectuelle commune (même si d'autres causes, plus matérielles, économiques et politiques notamment, ont contribué aussi à cette double crise) : en moins d'un siècle et demi, une révolution scientifique sans précédent dans l'histoire de l'humanité va s'accomplir en Europe. A ma connaissance, aucune civilisation n'a connu de rupture aussi profonde et aussi radicale dans sa culture.

Pour te donner quelques repères historiques, ce bouleversement moderne s'étend, en gros, de la période qui va de la publication de l'ouvrage de Copernic sur *Les Révolutions des orbites célestes* (1543) jusqu'à celle des *Principia mathematica* de Newton (1687), en passant par les *Principes de la philosophie* de Descartes (1644) et la publication des thèses de Galilée sur *Les Rapports de la Terre et du Soleil* (1632).

Je sais bien que tu ne connais pas encore tous ces noms et que tu ne vas pas lire, ou en tout cas sûrement pas tout de suite, tous ces ouvrages. Mais je te les indique quand même pour que tu aies conscience que ces quatre dates et ces quatre auteurs vont marquer l'histoire de la pensée comme nuls autres avant eux. Avec leurs travaux, une ère nouvelle est née, dans laquelle, à bien des égards, nous vivons encore. Ce n'est pas seulement l'homme, comme on l'a dit parfois, qui a « perdu sa place dans le monde », mais bien le monde lui-même, du moins ce *cosmos* qui formait le cadre clos et harmonieux de l'existence humaine depuis l'Antiquité, qui s'est purement et simplement volatilisé, laissant les esprits de cette époque dans un état de désarroi qu'on a peine à imaginer aujourd'hui.

Mais en même temps qu'elle anéantissait les principes des cosmologies anciennes – en affirmant, par exemple, que le monde n'est pas rond, clos, hiérarchisé et ordonné, mais qu'il est un chaos infini et dénué de sens, un champ de forces et d'objets qui s'entrechoquent hors de toute harmonie –, la physique moderne a considérablement fragilisé aussi les principes de la religion chrétienne.

Non seulement, en effet, la science remet en question les positions que l'Eglise avait imprudemment arrêtées sur des sujets auxquels elle aurait mieux fait de ne pas toucher – l'âge de la Terre, sa situation par rapport au Soleil, la date de naissance de l'homme et des espèces animales, etc. –, mais quant au principe même, elle invite les êtres humains à adopter une attitude permanente de doute et d'esprit critique bien peu compatible, surtout à l'époque, avec le respect des autorités religieuses. La croyance, alors enfermée dans les carcans rigides que lui imposait l'Eglise, va commencer, elle aussi, à vaciller, de sorte que les esprits les plus éclairés se retrouvent dans une situation proprement dramatique au regard d'anciennes doctrines du salut devenues de moins en moins crédibles.

Il est rituel de parler aujourd'hui de la « crise des repères », d'insinuer au passage que, chez les jeunes en particulier, « tout fout le camp », la politesse et le savoir-vivre, le sens de l'histoire et l'intérêt pour la politique, les connaissances minimales en littérature, en religion ou en art... Mais je peux te dire que cette prétendue éclipse des « fondamentaux », ce déclin supposé par rapport au « bon vieux temps » sont une bluette, pour ne pas dire une plaisanterie au regard de ce qu'ont dû ressentir les hommes du XVIe et du XVIIe siècle face à la remise en question, voire tout simplement la ruine de stratégies de salut qui avaient fait leurs preuves pendant des siècles. Au sens propre *désorientés*, les humains ont dû se préparer à trouver par eux-mêmes, et peut-être en eux-mêmes – voilà d'ailleurs pourquoi on parle d'« humanisme » pour désigner cette période où l'homme se retrouve seul, privé des secours du *cosmos* et de Dieu – les nouveaux repères sans lesquels il est impossible d'apprendre à vivre libre et sans crainte.

Pour être tout à fait conscient de l'abîme qui s'ouvre

alors, il faudrait que tu te mettes dans la peau d'un être qui prend conscience du fait que les découvertes scientifiques les plus récentes et les plus fiables invalident l'idée que le *cosmos* est harmonieux, juste et bon et que, par conséquent, il va lui être désormais impossible de prendre modèle sur lui sur le plan éthique ; mais en plus, pour faire bonne mesure, la croyance en Dieu qui aurait pu lui servir de planche de salut prend l'eau de toute part !

Si nous considérons les trois grands axes qui structurent le questionnement philosophique, il va lui falloir reprendre entièrement à nouveaux frais la question de la théorie, celle de l'éthique comme celle du salut. Et voici, en gros, comment le problème se pose après l'effondrement du *cosmos* et la mise en doute du religieux.

Sur le plan théorique, d'abord : comment penser le monde, comment même tout simplement le comprendre pour pouvoir se situer en lui, s'il n'est plus fini, ordonné et harmonieux, mais infini et chaotique, comme nous l'enseignent les nouveaux physiciens ? Un de nos plus grands historiens des sciences, Alexandre Koyré, a si bien décrit cette révolution scientifique des XVIe et XVIIe siècles, que je te propose, tout simplement, de le lire ici toi-même. Selon lui, elle est tout simplement à l'origine de

« la destruction de l'idée de *cosmos* [...], de la destruction du monde conçu comme un tout fini et bien ordonné, dans lequel la structure spatiale incarnait une hiérarchie des valeurs et de perfection... et de la substitution à celui-ci d'un Univers indéfini, et même infini, ne comportant plus aucune hiérarchie naturelle et uni seulement par l'identité des lois qui le régissent dans toutes ses parties ainsi que par celle de ses composants ultimes placés, tous, au même niveau ontologique... La chose, maintenant, est oubliée, mais les esprits de l'époque furent littéralement bouleversés par l'émergence de cette nouvelle vision du monde comme l'expriment ces vers célèbres que John Donne écrivit en 1611, après avoir eu connaissance des principes de la "révolution copernicienne" :

La philosophie nouvelle rend tout incertain
L'élément du feu est tout à fait éteint
Le soleil est perdu et la terre ; et personne aujourd'hui
Ne peut plus nous dire où chercher celle-ci [...]
Tout est en morceaux, toute cohérence disparue.
Plus de rapport juste, rien ne s'accorde plus[1]. »

« Rien ne s'accorde plus » : ni le monde avec lui-même dans l'harmonie d'un *cosmos*, ni les humains avec le monde dans une vision morale naturelle. C'est vrai, nous n'avons plus même idée de l'angoisse qui a pu s'emparer des hommes de la Renaissance lorsqu'ils ont commencé à pressentir que le monde n'était plus un cocon ni une maison, qu'il n'était plus habitable.

Sur le plan éthique, la révolution théorique possède un effet aussi évident que dévastateur : l'univers n'ayant plus rien d'un *cosmos*, il est désormais impossible d'en faire en quoi que ce soit un modèle à imiter sur le plan moral. Mais si, en plus, le christianisme lui-même vacille sur ses bases, si l'obéissance à Dieu commence à ne plus aller de soi, où chercher les principes d'une nouvelle conception des rapports entre les hommes, d'une nouvelle fondation de la vie commune ? En clair : il va falloir entreprendre de refonder de A jusqu'à Z la morale qui avait servi de modèle pendant des siècles. Rien que ça !

Quant à la *doctrine du salut*, inutile d'y insister : tu vois bien que, pour les mêmes raisons, celle des Anciens comme celle des chrétiens ne sont plus crédibles pour des esprits éclairés, au moins telles quelles, sans réaménagement.

---

1. *Du monde clos à l'univers infini,* Gallimard, collection « Tel », 1973, p. 11 et 47.

Tu mesures maintenant peut-être mieux ce que la philosophie moderne a dû relever comme défis sur ces trois plans. Ils étaient d'une difficulté et d'une ampleur à nulles autres pareilles – et, cependant, d'autant plus pressants que, comme l'indique le poème de Donne, jamais sans doute l'humanité n'avait été à la fois aussi bouleversée et démunie sur le plan intellectuel, moral et spirituel.

Comme tu vas voir, la grandeur de la philosophie moderne est à la hauteur de ces défis. Commençons, pour tâcher de le comprendre, par la première sphère, celle de la théorie.

I. UNE NOUVELLE THÉORIE DE LA CONNAISSANCE : UN ORDRE DU MONDE QUI N'EST PLUS DONNÉ, MAIS CONSTRUIT

Les causes du passage du monde clos à l'univers infini sont d'une complexité et d'une diversité extrêmes. Comme tu t'en doutes, de très nombreux facteurs ont joué et nous n'allons pas maintenant entreprendre de les énumérer, encore moins de les analyser en détail. Disons seulement que, parmi plusieurs autres, il faut évoquer les progrès techniques, notamment l'apparition d'instruments astronomiques nouveaux, comme le télescope, qui ont permis des observations dont il était impossible de rendre raison au sein des cosmologies anciennes.

Pour te donner un seul exemple, mais qui a frappé les esprits à l'époque : la découverte des *novae*, c'est-à-dire d'étoiles nouvelles, ou au contraire la disparition de certaines étoiles déjà existantes, ne cadraient ni l'une ni l'autre avec le dogme de l'« immutabilité céleste » cher aux Anciens, c'est-à-dire avec l'idée que la perfection absolue du *cosmos* résidait dans le fait qu'il était éternel et immuable, que rien en lui ne pouvait changer. C'était là, pour les Grecs, quelque chose d'absolument essentiel – puisqu'en dernière instance, le salut en dépendait – et pourtant, les astronomes modernes découvraient que cette croyance était fausse, tout simplement contredite par les faits.

Il y eut, bien entendu, beaucoup d'autres causes au déclin des cosmologies antiques, notamment sur le plan économique et sociologique, mais celles qui tiennent aux évolutions techniques ne sont pas négligeables. Car avant même d'envisager les bouleversements que cette disparition du *cosmos* provoque sur le plan éthique, il faut bien voir que c'est au premier chef la *theoria* qui va totalement changer de sens.

Le livre capital sur ce sujet, le livre qui va marquer toute la philosophie moderne et qui restera comme un véritable monument dans l'histoire de la pensée, c'est la *Critique de la raison pure* de Kant (1781). Bien entendu, je ne vais pas te le résumer ici en quelques lignes. Mais, même s'il s'agit d'un livre terriblement difficile à lire, je voudrais quand même essayer de te donner une idée de la façon dont il va reposer en termes totalement inédits la question de la *theoria*. Nous reviendrons aussitôt après à des thèmes plus aisés.

Reprenons un instant le fil du raisonnement que tu commences à bien connaître maintenant : si le monde, désormais, n'est plus un *cosmos* mais un chaos, un tissu de forces qui entrent sans cesse en conflit les unes avec les autres, il est clair que la connaissance ne peut plus prendre la forme, au sens propre, d'une *theoria*. Tu te souviens de l'étymologie du mot : *theion orao*, « je vois le divin ». De ce point de vue, on peut dire qu'il n'y a, après l'effondrement du bel ordre cosmique et son remplacement par une nature tout à la fois dénuée de sens et conflictuelle, plus rien de *divin* dans l'univers que l'esprit humain pourrait se donner pour tâche de *voir*, de contempler. L'ordre, l'harmonie, la beauté et la bonté ne sont plus donnés d'emblée, ils ne sont plus inscrits *a priori* au cœur du réel lui-même.

Par conséquent, pour retrouver quelque chose de cohérent, pour que le monde dans lequel les hommes vivent continue d'avoir quand même un sens, *il va falloir que ce soit l'être humain lui-même, en l'occurrence le savant, qui, pour ainsi dire de l'extérieur, introduise de l'ordre dans cet univers qui n'en offre plus guère à première vue.*

De là, la tâche nouvelle de la science moderne : elle ne résidera plus désormais dans une contemplation passive d'une beauté donnée, déjà inscrite dans le monde, mais dans un *travail*, dans l'élaboration active, voire dans la *construction* de lois qui permettent de donner du sens à un univers désenchanté qui n'en a plus aucun *a priori*. Elle n'est donc plus un spectacle passif, mais une activité de l'esprit.

Pour ne pas en rester à des formules générales et abstraites, je voudrais t'indiquer au moins un exemple de ce passage du passif à l'actif, du donné au construit, de la *theoria* ancienne à la science moderne.

Considère le principe de causalité, c'est-à-dire le principe selon lequel tout effet possède une cause ou, si tu préfères, tout phénomène doit pouvoir s'expliquer rationnellement, au sens propre : trouver sa raison d'être, son explication.

Au lieu de se contenter de découvrir l'ordre du monde par la contemplation, le savant « moderne » va tenter d'introduire, à l'aide d'un tel principe, de la cohérence et du sens dans le chaos des phénomènes naturels. C'est *activement* qu'il va établir des liens « logiques » entre certains d'entre eux, qu'il va considérer comme des effets, et certains autres dans lesquels il parvient à déceler des causes. En d'autres termes, la pensée n'est plus un « voir », un *orao*, comme le laisse penser le mot même de « théorie », mais un *agir, un travail qui consiste à relier les phénomènes naturels entre eux de sorte qu'ils s'enchaînent et s'expliquent les uns par les autres.* C'est ce que l'on va appeler la « méthode expérimentale », pratiquement inconnue des Anciens, et qui va devenir la méthode fondamentale de la science moderne.

Pour t'indiquer un cas concret de fonctionnement de cette méthode, je te dirai un mot de Claude Bernard, l'un de nos plus grands médecins et biologistes, qui publie au xixᵉ siècle un livre devenu célèbre : l'*Introduction à la médecine expérimentale*. Il illustre parfaitement la théorie de la connaissance que Kant a élaborée et qui va prendre la place de l'ancienne *theoria* telle que je viens de te la décrire rapidement.

Claude Bernard y raconte par le menu une de ses découvertes, celle de la « fonction glycogénique du foie » – c'est-à-dire, pour parler simplement, de la capacité du foie à fabriquer du sucre. Bernard avait, en effet, observé en faisant des analyses, qu'il y avait du sucre dans le sang des lapins qu'il disséquait. Il se posa donc la question de l'origine de ce sucre : venait-il des aliments ingérés ou était-il fabriqué par l'organisme et, si oui, par quel organe ? Il sépara alors ses lapins en plusieurs groupes : certains mangeaient des aliments sucrés, d'autres des aliments non sucrés, d'autres encore étaient mis à la diète (les pauvres !). Puis, au bout de quelques jours, il analysa le sang de ses lapins pour découvrir qu'il contenait, dans tous les cas de figure, quel que soit donc le groupe considéré, autant de sucre. Cela signifiait, par conséquent, que le glucose ne venait pas des aliments, mais qu'il était fabriqué par l'organisme.

Je te passe les détails de la façon dont Bernard parvint à découvrir que le sucre est généré par le foie. Peu importe ici. Ce qui compte, en revanche, c'est que le travail de la *theoria* a changé du tout au tout depuis les Grecs : il ne s'agit plus de contempler, la science n'est plus un spectacle mais, comme tu le vois dans cet exemple, un travail, une activité qui consiste bien à *relier* des phénomènes entre eux, à *associer* un effet (le sucre) à une cause (le foie). Et voilà exactement ce que Kant, avant Claude Bernard, a déjà formulé et analysé dans la *Critique de la raison pure*, à savoir l'idée que la science va se définir désormais comme un travail d'association ou, comme il dit dans son vocabulaire à lui, de « synthèse » – le mot signifie en grec « poser ensemble », « mettre ensemble », donc, si l'on veut : relier, comme l'explication en termes de cause et d'effet relie entre eux deux phénomènes, en l'occurrence, dans l'exemple de Claude Bernard, le sucre et le foie.

Il faut que je te dise encore un mot de ce livre de Kant, avant que nous en venions à l'essentiel, c'est-à-dire à ce que l'humanisme va signifier sur le plan éthique et non seulement théorique.

Lorsque j'avais ton âge et que j'ai ouvert la *Critique de la raison pure* pour la première fois, j'ai été terriblement déçu. On m'avait dit que c'était peut-être le plus grand philosophe de tous les temps. Or non seulement je n'y comprenais rien, rigoureusement rien, mais en plus je ne voyais pas pourquoi, dès les premières pages de cet ouvrage mythique, il posait une question qui me semblait totalement byzantine et, pour tout dire, sans le moindre intérêt : « Comment des jugements synthétiques *a priori* sont-ils possibles ? » Comme tu vois, on ne peut pas dire qu'il s'agisse d'un sujet de réflexion particulièrement croustillant à première vue – ni même, à vrai dire, à la seconde...

Pendant des années, je n'ai à peu près rien compris à Kant. J'arrivais, bien entendu, à lire les mots et les phrases, je parvenais à donner une signification à peu près plausible à chaque concept, mais le tout continuait à ne pas faire sens, encore moins à recouper quelque enjeu existentiel que ce soit.

C'est seulement quand j'ai pris conscience du problème radicalement inédit que Kant essayait de résoudre après l'effondrement des cosmologies anciennes que j'ai perçu l'enjeu de cette interrogation qui me semblait jusque-là purement « technique ». En s'interrogeant sur notre capacité à fabriquer des « synthèses », des « jugements synthétiques », Kant posait tout simplement le problème de la science moderne, le problème de la méthode expérimentale, c'est-à-dire la question de savoir comment on élabore des lois qui établissent des associations, des *liaisons* cohérentes et éclairantes *entre des phénomènes dont l'ordonnancement n'est plus donné mais doit être introduit par nous de l'extérieur.*

II. Une révolution éthique, parallèle à celle de la théorie : si le modèle à imiter n'est plus donné, comme l'était la nature des Anciens, il faut désormais l'inventer...

Comme tu t'en doutes, la révolution théorique que Kant met en œuvre va avoir des conséquences considérables sur le plan moral. La nouvelle vision du monde que forge la science moderne n'a à peu près plus rien à voir avec celle des Anciens. L'univers que nous décrit Newton, notamment, n'est plus du tout un univers de paix et d'harmonie. Ce n'est plus une belle sphère close sur elle-même comme une maison douillette où il ferait bon vivre dès lors qu'on y aurait trouvé sa juste place, mais c'est un monde de forces et de chocs où les êtres ne peuvent plus vraiment se situer pour la simple et bonne raison qu'il est désormais infini, sans limites dans l'espace et dans le temps. *Du coup, tu comprends bien qu'il ne peut plus servir en quoi que ce soit de modèle pour penser la morale.*

Toutes les questions philosophiques sont donc à reprendre de fond en comble.

Pour aller à l'essentiel, on peut dire que la pensée

moderne va mettre l'homme en lieu et place du *cosmos* et de la divinité. C'est sur l'idée d'humanité que les philosophes vont entreprendre de refonder la théorie, la morale et même les doctrines du salut. Je viens d'ailleurs, en évoquant la pensée de Kant, de te donner un aperçu de ce que cela signifie sur le plan de la connaissance : c'est désormais à l'homme qu'il revient d'introduire du sens et de la cohérence, par son travail de pensée, dans un monde qui semble, contrairement au *cosmos* des Anciens, ne plus en avoir *a priori*.

Si tu veux avoir une idée de ce que cette fondation des valeurs sur l'homme signifie sur le plan moral, tu n'as qu'à songer à notre fameuse Déclaration des droits de l'homme de 1789, qui est sans aucun doute l'aspect extérieur le plus visible et le plus connu de cette révolution sans précédent dans l'histoire des idées. Elle installe l'homme au centre du monde, alors que chez les Grecs, c'est le monde lui-même qui était, et de loin, l'essentiel. Elle en fait non seulement le seul être sur cette Terre qui soit vraiment digne de respect, mais elle pose l'égalité de tous les êtres humains, qu'ils soient riches ou pauvres, hommes ou femmes, blancs ou noirs... En quoi la philosophie moderne, par-delà la diversité des courants qui la composent, est bien, d'abord et avant tout, un *humanisme*.

A vrai dire, cette mutation pose une question de fond : en admettant que les principes anciens, cosmiques et religieux, aient fait leur temps, en supposant que l'on comprenne pourquoi ils se sont éclipsés, que peut-il bien y avoir de si extraordinaire dans l'être humain qui permette de fonder sur lui une *theoria*, une morale et une doctrine du salut comparables à celles que permettaient de concevoir le *cosmos* et la divinité ?

C'est pour répondre à cette interrogation que la philosophie moderne a commencé par placer au centre de ses réflexions une question en apparence bien étrange : celle de la différence entre l'homme et l'animal. Tu penseras peut-être qu'il s'agit d'un sujet mineur, voire marginal. En vérité, il est au cœur de l'humanisme naissant, et ce pour une excellente et très profonde raison : si les philosophes du xviiᵉ et du xviiiᵉ siècle se passionnent pour la définition de l'animal, pour la question de savoir ce qui distingue essentiellement l'humanité de l'animalité, ce n'est pas par hasard ni pour des motifs superficiels, *mais parce que c'est toujours en comparant un être à ce qui est le plus proche de lui qu'on peut le mieux cerner sa « différence spécifique », ce qui le caractérise en propre.*

Or les animaux sont, pour reprendre la formule d'un grand historien du xixᵉ siècle, Michelet, comme nos « frères inférieurs ». Ils sont, dans l'ordre du vivant, les êtres les plus proches de nous et tu comprends bien qu'à partir du moment où l'idée de *cosmos* s'effondre, à partir du moment où la religion vacille et qu'on propose de mettre l'être humain au centre du monde et de la réflexion philosophique, la question du « propre de l'homme » devient intellectuellement cruciale.

Si les philosophes modernes communient dans l'idée que non seulement l'homme a des droits, mais qu'il est désormais le seul être à en posséder – comme l'affirme la grande Déclaration de 1789 –, dès lors qu'ils le situent au-dessus de tous les autres êtres, qu'ils le tiennent pour beaucoup plus important, non seulement que les animaux, mais aussi que le défunt *cosmos* et même qu'une divinité devenue douteuse, c'est bien qu'il doit y avoir quelque chose en lui qui le distingue de tout le reste de la création. Or *c'est justement cette distinction, cette spécificité radicale, qu'il s'agit d'abord de mettre au jour si l'on veut dégager ensuite les principes d'une refondation de la* theoria, *de la morale et des doctrines du salut.*

C'est donc en partant du débat sur l'animal et, par contrecoup, sur l'humanité de l'homme, qu'on peut le plus directement entrer dans l'espace de la philosophie moderne. Or sur ce thème, c'est certainement Rousseau qui, au xviiie siècle, reprenant les discussions ouvertes notamment par Descartes et ses disciples, va apporter la contribution la plus décisive.

Voilà pourquoi je te propose de commencer par lui. Et tu vas voir qu'en suivant ce fil conducteur de l'animalité nous allons entrer au plus profond des nouveaux enjeux de la philosophie moderne.

La différence entre animalité et humanité selon Rousseau : la naissance de l'éthique humaniste

Si j'avais, dans la philosophie moderne, un texte à garder, à emporter sur l'île déserte, comme on dit, c'est sans doute lui que je choisirais : il s'agit d'un passage du *Discours sur l'origine de l'inégalité parmi les hommes* que Rousseau publie en 1755. Je vais te le citer dans un instant, afin que tu puisses le lire et le méditer par toi-même. Mais pour bien le comprendre, il faut d'abord que tu saches qu'à l'époque de Rousseau, il existe deux critères classiques pour distinguer l'animal de l'homme : d'une part, l'intelligence, d'autre part, la sensibilité/affectivité/sociabilité (ce qui comprend aussi le langage).

Chez Aristote, par exemple, l'homme se définit comme « l'animal rationnel », c'est-à-dire comme un être vivant (c'est le point commun avec les « autres » animaux), certes, mais qui aurait en plus (c'est sa « différence spécifique ») une caractéristique propre : la capacité de raisonner.

Chez Descartes et les cartésiens, ce n'est pas seulement le critère de la raison ou de l'intelligence qui est retenu, mais en plus celui de l'affectivité : pour Descartes, en effet, les animaux sont comparables à des machines, à des automates, et c'est une erreur de croire qu'ils éprouvent des sentiments – ce qui explique, du reste, pourquoi ils ne parlent pas, faute d'états d'âme à exprimer, lors même qu'ils disposent des organes qui leur permettraient de le faire.

Rousseau va dépasser ces distinctions classiques pour en proposer une autre, jusqu'alors inédite sous cette forme (même si on en trouve ici ou là, par exemple chez Pic de La Mirandole, au xvᵉ siècle, les prémices). Or c'est cette nouvelle définition de l'humain qui va s'avérer proprement géniale en ce sens qu'elle va permettre d'identifier ce qui, en l'homme, permet de fonder une nouvelle morale, une éthique non plus « cosmique » ou religieuse, mais humaniste – voire, aussi étrange que cela puisse paraître, une pensée inédite du salut « a-cosmique » et « a-thée ».

Pour Rousseau, tout d'abord, il va de soi que l'animal, même s'il ressemble à une « machine ingénieuse », comme le dit Descartes, possède quand même une intelligence, une sensibilité, voire une faculté de communiquer. Ce ne sont donc pas la raison, l'affectivité ni même le langage qui distinguent en dernier lieu les êtres humains, même si, à première vue, ces divers éléments peuvent paraître discriminants. Et, de fait, tous ceux qui ont un chien savent parfaitement que le chien est plus sociable et même plus intelligent... que certains êtres humains ! Sous ces deux rapports, nous ne différons guère des animaux que par le degré, du plus au moins, mais non de façon radicale, qualitative. L'éthologie contemporaine – c'est-à-dire la science qui étudie le comportement animal – confirme d'ailleurs très largement ce diagnostic. Nous savons aujourd'hui de façon certaine qu'il existe une intelligence et une affectivité animales très développées, pouvant même aller, chez les grands singes, jusqu'à l'acquisition d'éléments de langage assez sophistiqués.

C'est donc à juste titre que Rousseau rejette aussi bien les thèses cartésiennes – qui réduisent l'animal à une machine, à un automate dénué de sensibilité – que les thèses anciennes, qui situent le propre de l'homme dans le fait qu'il posséderait seul la raison.

Le critère de différenciation entre l'humain et l'animal est ailleurs.

Rousseau va le situer dans la liberté ou, comme il le dit d'un mot que nous allons analyser, dans la « perfectibilité ». Je vais t'expliquer davantage ces deux termes un peu plus tard, quand tu auras lu le texte de Rousseau. Disons seulement, pour l'instant, que cette « perfectibilité » désigne en première approximation *la faculté de se perfectionner tout au long de sa vie* là où l'animal, guidé dès l'origine et de façon sûre par la nature ou, comme on dit à l'époque, par l'« instinct », *est pour ainsi dire parfait « d'un seul coup », dès sa naissance.* Si on l'observe objectivement, on constate que la bête est conduite par un instinct infaillible, commun à son espèce, comme par une norme intangible, une sorte de logiciel dont elle ne peut jamais vraiment s'écarter. C'est en cela qu'elle est d'un même mouvement et pour une même raison *tout à la fois privée de liberté et de capacité de se perfectionner* : privée de liberté, parce qu'elle est, pour ainsi dire, *enfermée* dans son programme, « programmée » par la nature de sorte que cette dernière lui tient lieu tout entière de culture ; et privée de capacité de se perfectionner, parce que étant guidée par une norme naturelle intangible, elle ne peut pas évoluer indéfiniment, mais reste en quelque façon bornée par cette naturalité même.

Au contraire, l'homme va se définir à la fois par sa liberté, par sa capacité de s'arracher au programme de l'instinct naturel et, du coup aussi, par sa faculté d'avoir une histoire dont l'évolution est *a priori* indéfinie.

Rousseau exprime ces idées dans un texte réellement magnifique. Il faut que tu prennes maintenant le temps de le lire avant que nous allions plus loin. Il y donne plusieurs exemples qui, pour avoir une valeur un peu rhétorique au départ, n'en sont pas moins d'une extra-ordinaire profondeur.

Voici ce passage : *Rousseau*

« Je ne vois dans tout animal qu'une machine ingé-nieuse, à qui la nature a donné des sens pour se remon-ter elle-même, et pour se garantir jusqu'à un certain point de tout ce qui tend à la détruire ou à la déranger. J'aperçois précisément les mêmes choses dans la machine humaine ; avec cette différence que la nature seule fait tout dans les opérations de la bête, au lieu que l'homme concoure aux siennes en qualité d'agent libre. L'une choisit ou rejette par instinct, et l'autre par un acte de liberté : ce qui fait que la bête ne peut s'écarter de la règle qui lui est prescrite, même quand il lui serait avantageux de le faire, et que l'homme s'en écarte souvent à son préjudice. C'est ainsi qu'un pigeon mourrait de faim près d'un bassin rempli des meilleures viandes, et un chat sur des tas de fruits ou de grains, quoique l'un et l'autre pût très bien se nour-rir de l'aliment qu'il dédaigne, s'il s'était avisé d'en essayer. C'est ainsi que les hommes dissolus se livrent à des excès qui leur causent la fièvre et la mort parce que l'esprit déprave les sens, et que la volonté parle encore quand la nature se tait... Mais, quand les diffi-cultés qui environnent toutes ces questions laisseraient quelque lieu de disputer sur cette différence de l'homme et de l'animal, il y a une autre qualité très spécifique qui les distingue, et sur laquelle il ne peut y avoir de contestation : c'est la faculté de se perfec-tionner, faculté qui, à l'aide des circonstances, déve-loppe successivement toutes les autres et réside parmi nous tant dans l'espèce que dans l'individu ; au lieu qu'un animal est au bout de quelques mois ce qu'il sera toute sa vie, et son espèce au bout de mille ans ce qu'elle était la première année de ces mille ans. Pourquoi l'homme est-il sujet à devenir imbécile ? N'est-ce point qu'il retourne ainsi dans son état primitif et que, tandis que la bête, qui n'a rien acquis et qui n'a rien non plus à perdre, reste toujours avec son instinct, l'homme reperdant par la vieillesse ou d'autres accidents tout ce que sa perfectibilité lui avait fait acquérir, retombe ainsi plus bas que la bête même ? »

Ces quelques phrases méritent réflexion.

Commençons par examiner l'exemple du chat et du pigeon. Que veut dire au juste Rousseau ?

D'abord, que la nature constitue pour ces animaux des codes intangibles, des espèces de « logiciels », comme je te disais tout à l'heure, dont ils sont incapables de s'évader : là est leur manque de liberté. Tout se passe comme si le pigeon était enfermé, prisonnier de son « programme » de granivore, et le chat de carnivore, et que, pour eux, il n'était pratiquement pas d'écart possible (ou si peu !) par rapport à eux. Sans doute un pigeon peut-il absorber quelques petites parcelles de viande ou le chat mordiller, comme on le voit parfois dans les jardins, quelques brins d'herbe, mais au total, leurs programmes naturels ne leur laissent pratiquement aucune marge de manœuvre.

Or la situation de l'être humain est inverse – et c'est par là qu'il peut être dit *libre* et par conséquent *perfectible* (puisqu'il va, à la différence de l'animal borné par une nature quasi éternelle, *pouvoir évoluer*). Il est même si peu programmé par la nature qu'il peut s'écarter de toutes les règles qu'elle prescrit aux animaux. Par exemple, il peut commettre des *excès*, boire ou fumer, ce que les animaux ne peuvent, jusqu'à en mourir. Ou, comme le dit encore Rousseau d'une formule qui annonce toute la politique moderne, en l'homme « la volonté parle encore quand la nature se tait ».

On pourrait commenter en ce sens : en l'animal, la nature parle tout le temps et très fort, si fort à vrai dire, qu'il n'a pas la liberté de faire autrement que de lui obéir. En l'homme au contraire, c'est une certaine indétermination qui domine : la nature, certes, est là et même bien là comme tous les biologistes nous l'apprennent. Nous aussi nous avons un corps, un programme génétique, celui de notre ADN, du génome transmis par nos parents. Et pourtant, l'homme peut s'écarter des règles naturelles, et même créer une culture qui s'oppose presque termes à termes à elles – par exemple la culture démocratique qui va tenter de contrecarrer la logique de la sélection naturelle pour garantir la protection des plus faibles.

Mais un autre exemple du caractère antinaturel de la liberté humaine – de l'écart ou de l'excès, c'est-à-dire de la transcendance de la volonté par rapport aux « programmes naturels » – est beaucoup plus frappant. Malheureusement, c'est un exemple paradoxal, qui ne plaide pas vraiment en faveur de l'humanité de l'homme puisqu'il s'agit du phénomène du mal dans ce qu'il a de plus effrayant. Il faut que tu prennes le temps d'y réfléchir par toi-même pour te faire une opinion. Mais, comme tu vas voir, il conforte très puissamment l'argumentation de Rousseau en faveur du caractère anti naturel, et par là même, non animal, de la volonté humaine. Il semble bien, en effet, que seul l'être humain soit réellement capable de se montrer, à proprement parler, *diabolique*.

J'entends bien l'objection qui vient aussitôt à l'esprit : les animaux ne sont-ils pas, tout compte fait, aussi agressifs et cruels que les hommes ?

A première vue, sans doute, et l'on pourrait en donner une infinité d'exemples que les défenseurs de la cause animale passent souvent sous silence. Moi qui ai eu dans ma maison, lorsque j'étais enfant, à la campagne, une vingtaine de chats, je les ai vus déchiqueter leurs proies avec une cruauté apparente inqualifiable, manger des souris vivantes, jouer des heures durant avec des oiseaux auxquels ils avaient brisé les ailes ou crevé les yeux...

Mais le mal *radical*, dont on peut penser dans la perspective de Rousseau, qu'il est inconnu des animaux et qu'il est bel et bien le fait des seuls humains, est ailleurs : il réside dans le fait, non pas simplement de « faire du mal », *mais de prendre le mal en tant que tel comme projet*, ce qui n'a rien à voir. Le chat fait du mal à la souris, mais, autant qu'on puisse en juger, ce n'est pas le motif de sa tendance naturelle à chasser. Au contraire, tout indique que l'être humain est capable de s'organiser consciemment pour faire le plus de mal possible à son prochain. C'est là d'ailleurs ce que la théologie traditionnelle désigne sous le nom de *méchanceté, comme le propre du démoniaque* en nous.

Or ce démoniaque, hélas, semble bien être spécifique à l'homme. A preuve le fait qu'il n'existe rien, dans le monde animal, dans l'univers naturel, donc, qui s'apparente réellement à la torture.

Comme le rappelle l'un de nos meilleurs historiens de la philosophie, Alexis Philonenko, au début de son livre intitulé *L'Archipel de la conscience européenne*, on peut visiter encore aujourd'hui à Gand, en Belgique, un musée qui laisse songeur : le musée de la torture, justement. On voit, exposés dans des vitrines, les étonnants produits de l'imagination humaine en la matière : ciseaux, poinçons, couteaux, tenailles, serre-tête, arrache-ongles, écrase-doigts, et mille autres douceurs encore. Rien n'y manque.

Les animaux, je te l'ai dit, dévorent parfois un des leurs encore vivant. Ils nous semblent alors cruels. Mais il suffit d'y réfléchir pour comprendre que ce n'est pas le mal comme tel qu'ils visent et que leur cruauté ne tient, bien sûr, qu'à l'indifférence qui est la leur à l'égard de la souffrance d'un autre. Et lors même qu'ils semblent tuer « pour le plaisir », ils ne font, en vérité, qu'exercer au mieux un instinct qui les guide et les tient, pour ainsi dire, en laisse. Tous ceux qui ont eu des chats savent, par exemple, que si les jeunes « s'amusent » à

« torturer » leurs proies, c'est parce que, ce faisant, ils s'exercent et parachèvent un apprentissage de la chasse, tandis que l'animal adulte se contente le plus souvent de tuer au plus vite les souris ou les oiseaux qu'il capture. Encore une fois, ce qui nous semble ici cruel est lié au règne de l'indifférence totale dont ces êtres de nature que sont les animaux font preuve dans les rapports du prédateur à sa proie, pas à une volonté consciente de faire le mal.

Mais l'être humain, lui, n'est pas indifférent. Il fait le mal et sait qu'il le fait et, parfois, il s'y complaît. Il est clair qu'il lui arrive, contrairement à l'animal, de faire du mal un objectif conscient.

Or tout semble indiquer que cette *torture gratuite est en excès par rapport à toute logique naturelle.* On objectera que le sadisme est, après tout, un plaisir comme un autre, et qu'il est à ce titre inscrit quelque part dans la nature de l'être humain. Mais cette explication n'en est pas une. C'est un sophisme, une tautologie digne des savants de Molière qui « expliquent » les effets d'un soporifique par la « vertu dormitive » qui est en lui : on croit rendre compte du sadisme en invoquant la jouissance prise à la souffrance de l'autre... c'est-à-dire en invoquant le sadisme même ! La vraie question est bien celle-ci : pourquoi tant de plaisir *gratuit* à transgresser l'interdit, pourquoi cet excès dans le mal, lors même qu'il est *inutile* ?

On pourrait en donner des exemples en nombre infini. L'homme torture ses semblables sans but aucun, autre que la torture elle-même : pourquoi des miliciens serbes obligent-ils – comme on le lit dans un rapport sur les crimes de guerre commis dans les Balkans – un malheureux grand-père croate à manger le foie de son petit-fils encore vivant ? Pourquoi des Hutu coupent-ils les membres de nourrissons tutsi pour s'amuser, juste pour mieux caler leurs caisses de bière ? Pourquoi, même, la plupart des cuisiniers dépècent et découpent si volontiers les grenouilles vivantes, tronçonnent une anguille en commençant par la queue, alors qu'il serait plus simple et plus logique de les tuer au préalable ? Le fait est qu'on s'en prend aisément à l'animal quand la matière humaine fait défaut, mais point, comme le notaient déjà les critiques de la théorie cartésienne des animaux machines, aux automates qui ne souffrent pas. A-t-on jamais vu un homme prendre plaisir à torturer une montre ou une pendule ? A cela, je crains qu'il ne soit pas de réponse « naturelle » convaincante : le choix du mal, le démoniaque, semble bien appartenir à un autre ordre que celui de la nature. Il ne sert à rien, il est même le plus souvent contre-productif.

C'est cette vocation antinaturelle, cette constante possibilité de l'excès que nous lisons dans l'œil humain : parce qu'il ne reflète pas seulement la nature, nous pouvons y déchiffrer le pire, mais aussi, pour la même raison, le meilleur, le mal absolu et la générosité la plus étonnante. C'est cet excès que Rousseau appelle la liberté : il est le signe que nous ne sommes pas, ou en tout cas pas entièrement, enfermés dans notre programme naturel d'animal par ailleurs semblable aux autres animaux.

Trois conséquences majeures de la nouvelle définition des différences entre animalité et humanité : les hommes seuls êtres porteurs d'histoire, d'égale dignité et d'inquiétude morale

Les conséquences de ce constat sont abyssales. Je t'en indiquerai simplement trois, qui vont avoir une portée considérable sur le plan moral et politique.

Première conséquence : les humains seront, à la différence des bêtes, doués de ce que l'on pourrait nommer

une *double historicité*. D'une part, il y aura l'histoire
de l'individu, de la personne, et c'est ce qu'on nomme
habituellement *l'éducation*. D'autre part, il y aura aussi
l'histoire de l'espèce humaine, ou si tu préfères l'histoire
des sociétés humaines, ce qu'on nomme d'ordinaire *la
culture et la politique*[1]. Considère au contraire le cas
des animaux et tu verras qu'il est tout différent. Dès
l'Antiquité, nous avons des descriptions des « sociétés
animales », par exemple des termites, des abeilles ou des
fourmis. Or tout laisse penser que le comportement de
ces animaux est le même, exactement le même, depuis
des milliers d'années : leur habitat n'a pas changé d'une
virgule, pas plus que la façon de butiner, de nourrir la
reine, de se répartir les rôles, etc. Au contraire, les
sociétés humaines ne cessent de changer : si nous reve-
nions deux mille ans en arrière, il serait impossible de
reconnaître Paris, Londres ou New York. En revanche
nous n'aurions aucune peine à reconnaître une fourmi-
lière et nous ne serions certainement pas davantage surpris par la façon dont les chats chassaient déjà les souris
ou ronronnaient sur les genoux de leurs maîtres...

Tu me diras peut-être que, si l'on considère non plus
les espèces en général, mais les individus particuliers,
les animaux bénéficient de certains apprentissages. Par
exemple, ils apprennent souvent à chasser avec leurs
parents. N'est-ce pas là une forme d'éducation qui
contredit ce que je viens de dire ? Sans doute, mais
d'une part, il ne faut pas confondre apprentissage et éducation : l'apprentissage ne dure qu'un temps, il s'arrête
aussitôt le but précis qu'on visait accompli, alors que
l'éducation humaine est sans fin et ne s'arrête qu'avec
la mort. Et, d'autre part, ce prétendu constat n'est pas
exact, loin de là, pour tous les animaux. Certains d'entre

---

1. Là encore, c'est une idée qu'Alexis Philonenko a explorée
avec beaucoup de profondeur et d'intelligence dans ses ouvrages
sur Rousseau et Kant.

eux, en effet, et l'on ne voit aucun équivalent chez les humains, n'ont besoin d'aucune période d'adaptation pour se comporter aussitôt leur naissance comme des adultes en miniature.

Considère, par exemple, le cas des jeunes tortues marines. Tu as sûrement vu, comme moi, ces images dans les documentaires animaliers : aussitôt sorties de l'œuf, elles savent spontanément, sans aide d'aucune sorte, trouver la direction de l'océan. Immédiatement, elles parviennent à accomplir les mouvements qui leur permettent de marcher, de nager, de manger, bref, de survivre... là où le petit d'homme reste volontiers dans son foyer familial jusqu'à l'âge de vingt-cinq ans ! J'en suis ravi, bien sûr, mais j'espère que tu mesures quand même la différence...

Or ces quelques exemples – on pourrait en donner beaucoup d'autres et en discuter longtemps encore – suffisent déjà à te montrer combien Rousseau a touché un point crucial en parlant de liberté et de perfectibilité – c'est-à-dire, au fond, d'historicité. En effet, comment rendre compte de cette différence entre les petites tortues et les petits d'homme, si l'on ne postule pas une forme de liberté, un écart possible par rapport à la norme naturelle qui guide en tout point les bêtes et leur interdit pour ainsi dire de varier ? *Ce qui fait que la petite tortue ne possède ni histoire personnelle (éducation) ni histoire politique et culturelle, c'est qu'elle est dès le début et depuis toujours guidée par les règles de la nature, par l'instinct, et qu'il lui est impossible de s'en écarter. Ce qui, à l'inverse, permet à l'être humain d'avoir cette double historicité, c'est justement le fait qu'étant en excès par rapport aux « programmes » de la nature, il peut évoluer indéfiniment, s'éduquer « tout au long de la vie », et entrer dans une histoire dont nul ne peut dire aujourd'hui quand et où elle finira.* En d'autres termes, la perfectibilité, l'historicité si tu veux, est la conséquence directe d'une liberté elle-même définie comme possibilité d'un écart par rapport à la nature.

Deuxième conséquence : comme le dira Sartre – qui reprenait Rousseau sans le savoir – si l'homme est libre, alors il n'y a pas de « nature humaine », pas d'« essence de l'homme », de définition de l'humanité, qui précéderait et déterminerait son existence. Dans un petit livre que je te conseille de lire, *L'existentialisme est un humanisme*, Sartre développe cette idée en affirmant (il aimait beaucoup parler le « jargon » philosophique ») que, chez l'homme, « l'existence précède l'essence ». En fait, sous des dehors sophistiqués, c'est exactement l'idée de Rousseau, à la virgule près. Les animaux ont une « essence » commune à l'espèce, qui précède leur existence individuelle : il y a une « essence » du chat ou du pigeon, un programme naturel, celui de l'instinct, de granivore ou de carnivore, et ce programme, cette « essence » si tu veux, est si parfaitement commun à toute l'espèce que l'existence particulière de chaque individu qui lui appartient en est de part en part déterminée : aucun chat, aucun pigeon, ne peut s'évader de cette essence qui le détermine de part en part et supprime ainsi en lui toute espèce de liberté.

Il en va à l'inverse pour l'humain : aucune essence ne le prédétermine, aucun programme ne parvient jamais à l'enserrer tout à fait, aucune catégorie ne l'emprisonne si absolument qu'il ne puisse, au moins pour une part – celle de la liberté –, s'en émanciper un tant soit peu. Bien entendu, je nais homme ou femme, français ou étranger à la France, dans un milieu riche ou pauvre, élitiste ou populaire, etc. Mais rien ne prouve que ces catégories de départ m'enferment en elles pour toute la vie. Je puis, par exemple, être une femme, comme Simone de Beauvoir, et renoncer cependant à faire des enfants, être un pauvre, d'un milieu défavorisé, et devenir riche, être français, mais apprendre une langue étrangère et changer de nationalité, etc. Le chat, lui, ne peut pas cesser d'être carnivore, ni le pigeon granivore...

De là, à partir de cette idée qu'il n'y a pas de nature humaine, que l'existence de l'homme précède son essence, comme dit encore Sartre, une magnifique critique du racisme et du sexisme.

Qu'est-ce que le racisme, et le sexisme, qui n'en est qu'un clone parmi d'autres ? C'est l'idée qu'il existe une essence propre à chaque race, à chaque sexe, et que les individus en sont de part en part prisonniers. Le raciste dit que « l'Africain est joueur », « le Juif intelligent », « l'Arabe paresseux », etc., et dès le seul emploi de l'article « le », on sait qu'on a affaire à un raciste, à un être convaincu que tous les individus d'un même groupe partagent la même « essence ». Pareil pour le sexiste, qui pense volontiers qu'il est dans l'essence de la femme, dans sa « nature », d'être sensible plus qu'intelligente, tendre plus que courageuse, pour ne pas dire « faite pour » avoir des enfants et rester à la maison rivée à ses fourneaux...

C'est très exactement ce type de pensée que Rousseau disqualifie en le ruinant à la racine : puisqu'il n'y a pas de nature humaine, puisque aucun programme naturel ou social ne peut l'enfermer absolument, l'être humain, homme et femme, est libre, indéfiniment perfectible, et nullement programmé par de prétendues déterminations liées à la race ou au sexe. Bien entendu, il est, comme dira encore Sartre dans le droit-fil de Rousseau, « en situation ». C'est vrai, et même indéniable, j'appartiens à un milieu social et je suis homme ou femme. Mais, comme tu l'as maintenant compris, du point de vue philosophique qu'ouvre Rousseau, ces qualités ne sont pas comparables à des logiciels : elles laissent, par-delà les contraintes qu'elles imposent sans doute, une marge de manœuvre, un espace de liberté. Et c'est cette marge, cet écart qui est le propre de l'homme et que le racisme, en cela « inhumain », veut à tout prix anéantir.

Troisième implication : c'est parce qu'il est libre, qu'il n'est prisonnier d'aucun *code* naturel ou historique déterminant, que l'être humain est un être moral. Comment pourrait-on d'ailleurs lui imputer de bonnes ou de mauvaises actions s'il n'était en quelque façon libre de ses choix ? Qui songerait, en revanche, à condamner le requin qui vient de dévorer un surfeur ? Et quand un camion provoque un accident, c'est le conducteur que l'on juge, pas le camion. Ni l'animal ni la chose ne sont moralement responsables des effets, même nuisibles, qu'ils peuvent provoquer sur l'être humain.

Tout cela te paraîtra peut-être évident, pour ne pas dire un peu bêbête. Mais réfléchis, et demande-toi pourquoi il en va ainsi.

Tu verras que la réponse s'impose, et nous ramène encore à Rousseau : il faut, en effet, pouvoir s'écarter du réel pour le juger bon ou mauvais, de même qu'il faut se distancier de ses appartenances naturelles ou historiques pour acquérir ce que l'on nomme d'ordinaire l'« esprit critique » hors duquel il n'est aucun jugement de valeur possible.

Kant a dit un jour de Rousseau qu'il était le « Newton du monde moral ». Il voulait notamment[1] signifier par là qu'avec sa pensée de la liberté de l'homme, Rousseau était à l'éthique moderne ce que Newton avait été à la physique nouvelle : un pionnier, un père fondateur sans lequel jamais nous n'aurions pu nous affranchir des principes anciens, ceux du *cosmos* et de la divinité. En identifiant à sa racine, avec une acuité incomparable, le principe de la différenciation entre l'humain et l'animal, Rousseau rendait enfin possible de déceler en l'homme la pierre angulaire sur laquelle une nouvelle vision

1. Il voulait dire aussi que l'homme est sans cesse tiraillé entre l'égoïsme et l'altruisme, comme le monde de Newton l'est entre les forces centripètes et centrifuges.

morale du monde allait pouvoir se reconstruire. Nous allons voir dans un instant comment.

Mais il n'est pas inutile, pour que tu mesures mieux encore toute l'importance de cette analyse rousseauiste, que tu aies une petite idée de la postérité qu'elle devait connaître...

L'héritage de Rousseau : une définition de l'homme comme « animal dénaturé »

Tu trouveras au XXe siècle un avatar amusant de ces idées de Rousseau dans un livre de Vercors intitulé *Les Animaux dénaturés*. Je t'en dis un mot, d'abord parce qu'il est très facile et intéressant à lire, ensuite parce que son intrigue principale offre l'intérêt de présenter de façon imagée la problématique philosophique que nous venons d'évoquer en termes conceptuels.

Voici, grossièrement résumée, la trame du roman : dans les années cinquante, une équipe de savants britanniques part pour la Nouvelle-Guinée, à la recherche du fameux « chaînon manquant », c'est-à-dire de l'être intermédiaire entre l'homme et l'animal. Ils espèrent découvrir quelque fossile de grand singe encore inconnu – ils en seraient déjà fous de joie – mais ils tombent, par le plus grand des hasards et à leur immense surprise, sur une colonie bien vivante d'êtres « intermédiaires », qu'ils désignent aussitôt du nom de « Tropis ». Ce sont des quadrumanes, donc des singes. Mais ils vivent, comme les troglodytes, dans des cavernes de pierre... et, surtout, ils enterrent leurs morts. Ce qui laisse nos explorateurs très perplexes, tu comprends pourquoi : cela ne ressemble à aucune coutume animale. En plus, ils semblent disposer d'un embryon de langage.

Comment donc les situer, entre l'humain et la bête ? La question est d'autant plus pressante qu'un homme d'affaires peu scrupuleux envisage de les domestiquer pour en faire ses esclaves ! Si ce sont des animaux, cela peut passer, mais si on les classe du côté des hommes, cela devient inacceptable, et d'ailleurs illégal. Mais comment savoir, comment trancher ?

Le héros du livre se dévoue : il fait un enfant à une femelle (ou femme ?) tropi, ce qui prouve déjà qu'il s'agit d'une espèce plus que proche de la nôtre (puisque, comme tu le sais peut-être, les biologistes considèrent que, sauf exception, seuls les êtres d'une même espèce peuvent se reproduire entre eux).

Comment, dès lors, classer l'enfant : homme ou animal ? Il faut à tout prix décider, car cet étrange père a pris la décision de tuer son propre enfant, justement pour obliger la justice à se prononcer.

Un procès s'ouvre donc, qui passionne toute l'Angleterre, et occupe bientôt la une de la presse mondiale. Les meilleurs spécialistes sont convoqués à la barre : anthropologues, biologistes, paléontologues, philosophes, théologiens... Leurs désaccords sont absolus, et leurs arguments pourtant si excellents dans leur genre qu'aucun d'entre eux ne parvient à l'emporter.

C'est l'épouse du juge qui trouvera le critère décisif : s'ils enterrent leurs morts, dit-elle, c'est que les Tropis sont bien des humains. Car cette cérémonie témoigne d'une interrogation, au sens propre, méta-physique (en grec, *méta* veut dire « au-dessus », et *physis* signifie « nature »), d'une distance, donc, à l'égard de la nature. Comme elle le dit à son mari : « Pour s'interroger, il faut être deux, celui qui interroge et ce qu'on interroge. Confondu avec la nature, l'animal ne peut l'interroger. Voilà, il me semble, le point que nous cherchons. *L'animal fait un avec la nature. L'homme fait deux.* » On ne saurait mieux traduire la pensée de Rousseau : l'animal est un être de nature, tout entier fondu en elle ; l'homme est au contraire en excès, il est, par excellence, l'être d'antinature.

Ce critère appelle encore un commentaire. Car tu

pourrais bien sûr, en imaginer mille autres : après tout, les animaux ne portent pas de montre ni n'utilisent de parapluie, ils ne conduisent pas de voiture, n'écoutent pas leur MP3 ni ne fument la pipe ou le cigare... Pourquoi, dans ces conditions, le critère de la distance avec la nature serait-il plus important que n'importe quel autre ?

La question est tout à fait pertinente. La réponse ne fait pourtant aucun doute : s'il en va ainsi, c'est parce qu'il s'agit du seul critère qui soit tout à la fois discriminant sur le *plan éthique et culturel* : c'est par cette distance, en effet, qu'il nous est possible d'entrer dans l'histoire de la culture, de ne pas rester rivés à la nature, comme je te l'ai expliqué tout à l'heure ; mais c'est aussi par elle qu'il nous devient possible de questionner le monde, de le juger et de le transformer, d'inventer, comme on dit si bien, des « idéaux », *une distinction entre le bien et le mal*. Sans elle, aucune morale ne serait possible. Si la nature était notre code, si nous étions de part en part programmés par elle, aucun jugement éthique n'aurait jamais vu le jour. On voit, certes, des humains se préoccuper du sort des animaux, se mobiliser, par exemple, pour sauver des baleines, mais, à part dans les contes de fées, as-tu jamais vu une baleine se soucier du sort d'un être humain ?

Avec cette nouvelle « anthropologie », cette nouvelle définition du propre de l'homme, Rousseau va véritablement ouvrir la voie à l'essentiel de la philosophie moderne. C'est à partir d'elle, notamment, que la morale laïque la plus importante des deux derniers siècles va voir le jour : il s'agit de la morale du plus grand philosophe allemand du XVIIIe siècle, Emmanuel Kant – morale dont les prolongements seront d'une portée considérable dans la tradition républicaine française.

Si tu as bien compris ce que nous avons vu avec Rousseau, tu n'auras aucun mal à comprendre aussi les grands principes de cette morale totalement inédite à l'époque, ni à mesurer la rupture capitale qu'elle introduit par rapport aux cosmologies antiques.

La morale kantienne et les fondements de l'idée républicaine : la « bonne volonté », l'action désintéressée et l'universalité des valeurs

C'est, en effet, à Kant, et aux républicains français qui en sont si proches, qu'il appartiendra d'exposer de façon systématique les deux conséquences morales les plus marquantes de cette nouvelle définition rousseauiste de l'homme par la liberté : l'idée que la vertu éthique réside dans l'action tout à la fois désintéressée et orientée, non vers l'intérêt particulier et égoïste, mais vers le bien commun et l'« universel » – c'est-à-dire, pour parler simplement, vers ce qui ne vaut pas seulement pour moi, mais aussi pour tous les autres.

Ce sont là les deux principaux piliers – le désintéressement et l'universalité – de la morale que Kant va exposer dans sa fameuse *Critique de la raison pratique* (1788). Ils vont être jusqu'à nos jours si universellement reçus – notamment à travers l'idéologie des droits de l'homme qu'ils ont puissamment contribué à fonder – qu'ils en sont presque venus à définir ce qu'on pourrait nommer, sans autre forme de procès, LA morale moderne.

Commençons par l'idée de désintéressement et voyons comment elle se déduit directement de la nouvelle conception de l'homme élaborée par Rousseau.

L'action vraiment morale, l'action vraiment « humaine » (et il est significatif que les deux termes commencent à se recouper) sera d'abord et avant tout l'action désintéressée, c'est-à-dire celle qui témoigne de ce propre de l'homme qu'est la liberté entendue comme faculté de s'affranchir de la logique des penchants naturels. Car il faut bien avouer que ces derniers nous portent toujours vers l'égoïsme. La capacité de résister aux tentations auxquelles il nous expose est très exactement ce que Kant nomme la « bonne volonté », en quoi il voit le nouveau principe de toute moralité véritable : alors que ma nature – puisque je suis *aussi* un animal – tend à la satisfaction de mes seuls intérêts personnels, j'ai également, telle est du moins la première hypothèse de la morale moderne, la possibilité de m'en écarter pour agir de façon désintéressée, altruiste (c'est-à-dire tournée vers les autres et non seulement vers moi). Or tu vois bien que, sans l'hypothèse de la liberté, une telle idée n'aurait évidemment aucun sens : il faut bien supposer que nous sommes capables d'échapper au programme de la nature pour admettre que nous puissions parfois mettre notre « cher moi », comme dit Freud, de côté.

Ce qui est peut-être le plus frappant dans cette nouvelle perspective morale, antinaturaliste et antiaristocratique (puisque, contrairement aux talents naturels, cette capacité de liberté est supposée égale en chacun d'entre nous), c'est que la valeur éthique du désintéressement s'impose à nous avec une telle évidence que nous ne prenons même plus la peine d'y réfléchir. Si je découvre, par exemple, qu'une personne qui se montre bienveillante et généreuse avec moi le fait dans l'espoir d'obtenir un avantage quelconque qu'elle me dissimule (par exemple mon héritage), il va de soi que la valeur morale attribuée par hypothèse à ses gestes s'évanouit d'un seul coup. Dans le même sens, je n'attribue aucune valeur morale particulière au chauffeur de taxi qui accepte de me prendre en charge parce que je sais qu'il le fait, et c'est normal, par intérêt. En revanche, je ne puis m'empêcher de remercier comme s'il avait agi humainement celui qui, sans intérêt particulier, au moins apparent, a l'amabilité de me prendre en stop un jour de grève.

Ces exemples et tous ceux que tu peux imaginer dans

une perspective analogue font signe vers la même idée : du point de vue de l'humanisme naissant, vertu et action désintéressée sont inséparables. Or c'est seulement sur la base d'une définition rousseauiste de l'homme que cette liaison prend sens. Il faut, en effet, pouvoir agir librement, sans être programmé par un code naturel ou historique, pour accéder à la sphère du désintéressement et de la générosité volontaire.

La seconde déduction éthique fondamentale à partir de la pensée rousseauiste est liée directement à la première : il s'agit de l'accent mis sur l'idéal du bien commun, sur l'universalité des actions morales entendues comme le dépassement des seuls intérêts particuliers. Le bien n'est plus lié à mon intérêt privé, à celui de ma famille ou de ma tribu. Bien entendu, il ne les exclut pas, mais il doit aussi, au moins en principe, prendre en compte les intérêts d'autrui, voire de l'humanité tout entière – comme l'exigera d'ailleurs la grande Déclaration des droits de l'homme.

Là encore, le lien avec l'idée de liberté est clair : la nature, par définition, est particulière ; je suis homme ou femme (ce qui est déjà une particularité), j'ai tel corps, avec ses goûts, ses passions, ses désirs qui ne sont pas forcément (c'est une litote) altruistes. Si je suivais toujours ma nature animale, il est probable que le bien commun et l'intérêt général pourraient attendre longtemps avant que je daigne seulement considérer leur éventuelle existence (à moins, bien sûr, qu'ils ne recoupent mes intérêts particuliers, par exemple mon confort moral personnel). Mais si je suis libre, si j'ai la faculté de m'écarter des exigences de ma nature, de lui résister si peu que ce soit, alors, dans cet écart même et parce que je me distancie pour ainsi dire de moi, je puis me rapprocher des autres pour entrer en communication avec eux et, pourquoi pas, prendre en compte leurs propres exigences – ce qui est, tu me l'accorderas, la condition minimale d'une vie commune respectueuse et pacifiée.

Liberté, vertu de l'action désintéressée (« bonne volonté »), souci de l'intérêt général : voici les trois maîtres mots qui définissent les modernes morales du devoir – du « devoir », justement, parce qu'elles nous commandent une résistance, voire un combat contre la naturalité ou l'animalité en nous.

Voilà pourquoi la définition moderne de la moralité va, selon Kant, s'exprimer désormais sous la forme de commandements indiscutables ou, pour employer son vocabulaire, d'*impératifs catégoriques.* Etant donné qu'il ne s'agit plus d'imiter la nature, de la prendre pour modèle, mais presque toujours de la combattre, et notamment de lutter contre l'égoïsme naturel en nous, il est clair que la réalisation du bien, de l'intérêt général ne va pas de soi, qu'elle se heurte au contraire à des résistances. De là son caractère impératif.

Si nous étions spontanément bons, naturellement orientés vers le bien, il n'y aurait pas besoin de recourir à des commandements impérieux. Mais, comme tu l'as sans doute remarqué, c'est loin d'être le cas... Pourtant, la plupart du temps, nous n'avons aucune difficulté à savoir ce qu'il faudrait faire pour bien agir, mais nous nous permettons sans cesse des exceptions, tout simplement parce que nous nous préférons aux autres. Voilà pourquoi l'impératif catégorique nous invite à faire, comme on dit aux enfants, des « efforts sur soi-même » et, par là même, à essayer sans cesse de progresser et de nous améliorer.

Les deux moments de l'éthique moderne – l'intention désintéressée et l'universalité de la fin choisie – se rejoignent ainsi dans la définition de l'homme comme « perfectibilité ». C'est en elle qu'ils trouvent leur source ultime : car la liberté signifie avant tout la capacité à agir hors la détermination des intérêts « naturels », c'est-à-dire particuliers ; et en prenant ses distances à l'égard du particulier, c'est vers l'universel, donc vers la prise en compte d'autrui, qu'on s'élève.

De là aussi le fait que cette éthique repose tout entière sur l'idée de mérite : nous avons tous du mal à accomplir notre devoir, à suivre les commandements de la moralité, lors même que nous en reconnaissons le bien-fondé. Il y a donc du mérite à bien agir, à préférer l'intérêt général à l'intérêt particulier, le bien commun à l'égoïsme. En quoi l'éthique moderne est fondamentalement une éthique méritocratique d'inspiration démocratique. Elle s'oppose en tout point aux conceptions aristocratiques de la vertu.

La raison en est simple et nous l'avons déjà vue à l'œuvre avec la naissance de la morale chrétienne – dont le républicanisme reprend à cet égard l'inspiration profonde : alors que l'inégalité règne sans partage s'agissant des talents innés – la force, l'intelligence, la beauté et bien d'autres dons naturels sont inégalement répartis entre les hommes – s'agissant du mérite, nous sommes tous à égalité. Car il ne s'agit, comme dit Kant, que de « bonne volonté ». Or cette dernière est le propre de tout homme, qu'il soit fort ou non, beau ou non, etc.

Pour que tu saisisses bien toute la nouveauté de l'éthique moderne, il est donc nécessaire de prendre la mesure exacte de la révolution que représente l'idée méritocratique par rapport aux définitions anciennes, aristocratiques, de la vertu.

Morale aristocratique et morale méritocratique : les deux définitions de la vertu et la valorisation moderne du travail

Nous avons vu clairement pourquoi, à l'interrogation classique, « Que dois-je faire ? », plus aucun modèle naturel ne saurait désormais répondre. Non seulement la nature ne paraît nullement bonne en soi, mais la plupart du temps, il nous faut nous opposer à elle et la combattre pour parvenir à quelque bien que ce soit. Et cela est vrai tout autant en nous qu'hors de nous.

Hors de nous ? Pense par exemple au fameux tremblement de terre de Lisbonne qui, en 1755, fit en quelques heures plusieurs milliers de morts. A l'époque, il a frappé tous les esprits et la plupart des philosophes se sont interrogés sur le sens des catastrophes naturelles : est-ce cette nature-là, hostile et dangereuse, pour ne pas dire méchante, que nous devrions prendre pour modèle comme le recommandaient les Anciens ? Certainement pas.

Et en nous, les choses, si possible, sont pires encore : si j'écoute ma nature, c'est sans cesse et avec force, l'égoïsme le plus insistant qui parle en moi, qui me commande de suivre mes intérêts particuliers au détriment de ceux des autres. Comment pourrais-je un instant imaginer parvenir au bien commun, à l'intérêt général, si c'est seulement ma nature que je me contente d'écouter ? La vérité c'est qu'avec elle, les autres peuvent toujours attendre...

D'où la question cruciale de l'éthique dans un univers moderne qui a fait son deuil des cosmologies anciennes : dans quelle réalité enraciner un nouvel ordre, comment refaire un monde cohérent entre les humains sans pour autant faire appel à la nature – qui n'est plus un *cosmos* –, ni à la divinité, qui ne vaut que pour les croyants ?

Réponse, qui fonde l'humanisme moderne tant sur le plan moral que politique et juridique : sur la seule volonté des hommes, pourvu qu'ils acceptent de se restreindre eux-mêmes, de s'autolimiter en comprenant que *leur liberté doit parfois s'arrêter là où commence celle d'autrui*. C'est seulement de cette limitation volontaire de nos désirs infinis d'expansion et de conquête que peut naître une relation pacifiée et respectueuse entre les hommes – on pourrait dire « un nouveau *cosmos* », mais cette fois-ci idéal et non plus naturel, à construire et non plus donné comme un fait déjà là.

Cette « seconde nature », cette cohérence inventée et produite par la volonté libre des êtres humains au nom de valeurs communes, Kant la désignera sous l'expression de « règne des fins ». Pourquoi cette formulation ? Tout simplement parce que, dans ce « nouveau monde », ce monde de la volonté et non plus de la nature, les êtres humains seront enfin traités comme des « fins » et non plus comme des moyens, comme des êtres d'une dignité absolue que l'on ne saurait utiliser pour réaliser des objectifs prétendument supérieurs. Dans le monde ancien, dans le Tout cosmique, l'humain n'était qu'un atome parmi d'autres, un fragment d'une réalité bien supérieure à lui. Ici, il devient le centre de l'univers, l'être par excellence digne d'un absolu respect.

Cela peut te sembler évident, mais n'oublie pas qu'à l'époque, c'est une révolution inouïe.

Si tu veux mesurer ce que la morale de Kant a de révolutionnaire par rapport à celle des Anciens, et notamment des stoïciens, rien n'est plus éclairant que de percevoir à quel point la définition de la notion de « vertu » s'est inversée en passant des uns à l'autre.

Pour aller à l'essentiel : les sagesses cosmologiques définissaient volontiers la vertu ou l'excellence comme un prolongement de la nature, comme la réalisation aussi parfaite que possible, pour chaque être, de ce qui constitue sa nature et indique par là sa « fonction » ou sa finalité. C'était dans la nature innée de chacun que devait se lire sa destinée ultime. Telle est la raison pour laquelle Aristote, par exemple, dans *Ethique à Nicomaque* que beaucoup considèrent comme le livre de morale le plus représentatif de l'Antiquité grecque, commence par une réflexion sur la finalité spécifique qui est celle de l'homme parmi les autres êtres : « De même, en effet, que dans le cas d'un joueur de flûte, d'un sculpteur ou d'un artiste quelconque, et en général, pour tous ceux qui ont une fonction ou une activité déterminée, c'est dans la fonction que réside, selon l'opinion courante, le bien, le "réussi", on peut penser qu'il en est ainsi pour l'homme, s'il est vrai qu'il y a une certaine fonction spéciale à l'homme » – ce qui ne fait, à l'évidence, aucun doute, tant il serait absurde de penser « qu'un charpentier ou un cordonnier aient une fonction et une activité à exercer mais que l'homme n'en ait aucune et que la nature l'ait dispensé de toute œuvre à accomplir » (1197 b 25).

C'est donc ici la nature qui fixe les fins de l'homme et assigne ainsi sa direction à l'éthique. En quoi Hans Jonas a raison de dire que, dans l'idée ancienne de la cosmologie, les fins sont « domiciliées dans la nature », inscrites en elle. Ce qui ne signifie pas que dans l'accomplissement de sa tâche propre, l'individu ne rencontre pas de difficultés, qu'il n'ait pas besoin d'exercer sa volonté et ses facultés de discernement. Mais il en va de l'éthique comme de toute autre activité, par exemple l'apprentissage d'un instrument de musique : il faut sans doute de l'exercice pour devenir le meilleur, l'excellent, mais par-dessus tout du *talent*.

Même si le monde aristocratique n'exclut pas un certain usage de la volonté, seul un don naturel peut indiquer la voie à suivre et permettre de lever les difficultés dont elle est jonchée. Telle est aussi la raison pour laquelle la vertu ou l'excellence (ces mots sont ici synonymes) se définit, ainsi que je te l'indiquais tout à l'heure avec l'exemple de l'œil, comme une « juste mesure », un intermédiaire entre des extrêmes. S'il s'agit de réaliser avec perfection notre destination naturelle, il est clair, en effet, qu'elle ne peut se situer que dans une position moyenne : ainsi, par exemple, du courage qui se tient à égale distance de la lâcheté et de la témérité, ou la vue bonne, entre la myopie et la presbytie, de sorte qu'ici, la juste mesure n'a rien à voir avec une position « centriste » ou modérée, mais au contraire avec une perfection.

On peut dire en ce sens qu'un être réalisant parfaitement sa nature ou son essence est également éloigné des pôles opposés qui, parce qu'ils sont à la limite de leur définition, confinent à la monstruosité : l'être monstrueux, en effet, c'est celui qui, à force d'« extrémisme », finit par échapper à sa propre nature. Ainsi, par exemple, d'un œil aveugle ou d'un cheval à trois pattes.

Comme je te l'avais aussi laissé entendre tout à l'heure, j'ai eu, en commençant mes études de philosophie, les plus grandes difficultés à comprendre en quel sens Aristote pouvait parler sérieusement d'un cheval ou d'un œil « vertueux ». Ce texte, entre autres, extrait toujours de l'*Ethique à Nicomaque*, me plongeait dans un abîme de perplexité : « Nous devons remarquer que toute vertu, pour la chose dont elle est vertu, a pour effet à la fois de mettre cette chose en bon état et de lui permettre de bien accomplir son œuvre propre : par exemple, la vertu de l'œil rend l'œil et sa fonction également parfaits, car c'est par la vertu de l'œil que la vision s'effectue en nous comme il faut. De même, la vertu du cheval rend un cheval à la fois parfait en lui-même et bon pour la course pour porter son cavalier et faire face à l'ennemi » (1106 a 15). Trop marqué spontanément par la perspective moderne, méritocratique, je ne voyais pas ce que l'idée même de « vertu » venait faire en l'occurrence.

Mais dans une perspective aristocratique, de tels propos n'ont rien de mystérieux : l'être « vertueux » n'est pas celui qui atteint un certain niveau grâce à des efforts librement consentis, mais celui qui fonctionne bien, et même excellemment, selon la nature et la finalité qui sont les siennes. Et cela vaut tout autant pour les choses ou les animaux que pour les êtres humains dont le bonheur est lié à cet accomplissement de soi.

Au sein d'une telle vision de l'éthique, la question des limites à ne pas franchir reçoit ainsi une solution « objective » : c'est dans l'ordre des choses, dans la réalité du *cosmos* qu'il convient d'en rechercher la trace, comme le physiologiste, en comprenant la finalité des organes et des membres, aperçoit également dans quelles limites ils doivent exercer leur activité. De même qu'on ne saurait sans dommage échanger un foie contre un rein, chacun, dans l'espace social doit trouver sa place et s'y tenir, faute de quoi c'est le juge qui devra intervenir pour rétablir un ordre harmonieux et rendre, selon la fameuse formule du droit romain, « à chacun le sien ».

Toute la difficulté, pour nous Modernes, vient de ce qu'une telle lecture cosmique est devenue impossible, faute, tout simplement, de *cosmos* à scruter et de nature à déchiffrer. On pourrait caractériser ainsi l'opposition cardinale qui sépare l'éthique cosmologique des Anciens de l'éthique méritocratique et individualiste des républicains modernes à partir de l'anthropologie annoncée par Rousseau : chez les Anciens, je viens de te dire ici pourquoi, la *vertu*, entendue comme excellence dans son genre, n'est pas à l'opposé de la nature, mais tout au contraire elle n'est rien d'autre qu'une *actualisation réussie des dispositions naturelles d'un être*, un passage, comme dit Aristote, de la « puissance à l'acte ». Pour les philosophies de la liberté au contraire, et notamment pour Kant, la vertu apparaît à l'exact inverse comme une *lutte de la liberté contre la naturalité en nous*.

Notre nature, j'y reviens une fois encore, est naturellement encline à l'égoïsme, et si je veux faire place aux autres, si je veux limiter ma liberté aux conditions de son accord avec celle d'autrui, alors il faut que je fasse un effort, il faut même que je me fasse violence et c'est à cette condition seulement qu'un nouvel ordre de la coexistence pacifique des êtres humains est possible. Là est la vertu, et plus aucunement, comme tu vois, dans l'accomplissement d'une nature bien douée. C'est par elle, et par elle seulement, qu'un nouveau *cosmos*, un nouvel ordre du monde, fondé sur l'homme et non plus sur le *cosmos* ou sur Dieu, devient possible.

Sur le plan politique, ce nouvel espace de vie commune possédera trois traits caractéristiques, directement opposés au monde aristocratique des Anciens : l'égalité formelle, l'individualisme et la valorisation de l'idée de travail.

Sur l'égalité, je serai bref, car je t'ai déjà dit l'essentiel. Si on identifie la vertu aux talents naturels, alors, en effet, tous les êtres ne se valent pas. Dans cette perspective, il est normal que l'on construise un monde aristocratique, c'est-à-dire un univers fondamentalement inégalitaire, qui postule non seulement une hiérarchie naturelle des êtres, mais qui s'attache à faire en sorte que les meilleurs soient « en haut » et les moins bons « en bas ». Si, au contraire, on situe la vertu, non plus dans la nature, mais dans la liberté, alors tous les êtres se valent, et la démocratie s'impose.

L'individualisme est une conséquence de ce raisonnement. Pour les Anciens, le Tout, le *cosmos*, est infiniment plus important que ses parties, que les individus qui le composent. C'est ce qu'on appelle le « holisme » – qui vient du mot grec *holos*, lequel veut dire le « tout ». Pour les Modernes, la relation s'inverse : le tout n'a plus rien de sacré puisqu'il n'y a plus à leurs yeux de *cosmos* divin et harmonieux au sein duquel il faudrait à tout prix trouver sa place et s'insérer. Seul l'individu compte, au point qu'à la limite, un désordre vaut mieux qu'une injustice : on n'a plus le droit de sacrifier les individus pour protéger le Tout car le Tout n'est plus rien d'autre que la somme des individus, une construction idéale dans laquelle chaque être humain étant une « fin en soi », il est désormais interdit de le traiter comme un simple moyen.

Où tu vois qu'ici, le terme d'individualisme ne

désigne pas, comme on le croit d'ordinaire, l'égoïsme, mais, presque au contraire, la naissance d'un monde moral au sein duquel les individus, les personnes, sont valorisés à mesure de leurs capacités à s'arracher à la logique de l'égoïsme naturel pour construire un univers éthique artificiel.

Enfin, dans la même perspective, le travail devient le propre de l'homme, au point qu'un être humain qui ne travaille pas n'est pas seulement un homme pauvre, parce qu'il n'a pas de salaire, mais un pauvre homme, en ce sens qu'il ne peut pas se réaliser et réaliser sa mission sur Terre : se construire en construisant le monde, en le transformant pour le rendre meilleur par la seule force de sa bonne volonté. Dans l'univers aristo-cratique, le travail était considéré comme une tare, comme une activité, au sens propre du terme, servile, réservée aux esclaves. Dans le monde moderne, au contraire, il devient un vecteur essentiel de la réalisation de soi, un moyen, non seulement de s'éduquer – il n'est pas d'éducation moderne sans travail – mais aussi de s'épanouir et de se cultiver.

Comme tu vois, nous sommes maintenant aux anti-podes du monde ancien que j'ai commencé par te décrire.

Résumons-nous un instant pour que tu ne perdes pas le fil : nous avons vu, jusqu'à présent, comment les morales modernes avaient cessé de se fonder sur l'imita-tion du *cosmos* – la science moderne l'a fait voler en éclats – ou sur l'obéissance aux commandements divins – eux aussi fragilisés par les conquêtes, sans cesse plus crédibles, des sciences positives. Tu as pu comprendre aussi que les morales anciennes étaient en grande diffi-culté. Nous avons vu également comment, à partir de la nouvelle définition de l'homme proposée par l'huma-nisme moderne – et notamment par Rousseau – de nou-velles morales allaient pouvoir s'édifier – à commencer par celle de Kant et des républicains français.

C'est donc bien l'être humain ou, comme on dit dans le jargon philosophique, le « sujet », qui a désormais pris la place des entités anciennes, *cosmos* ou divinité, pour devenir progressivement le fondement ultime de toutes les valeurs morales. C'est lui, en effet, qui apparaît comme l'objet de toutes les attentions, comme le seul être, au final, qui soit véritablement digne de respect au sens moral du terme.

Mais tout cela reste encore mal situé historiquement. En effet, j'ai commencé cette présentation de la philosophie moderne par Rousseau et Kant, donc par des philosophes du XVIIIe siècle, alors que la rupture avec le monde ancien se fait dès le XVIIe siècle, notamment, dans la philosophie, avec Descartes.

Il faut que je t'en dise un mot, car il est le véritable fondateur de la philosophie moderne et il est utile que tu aies au moins une idée des raisons pour lesquelles il marque tout à la fois une rupture et un point de départ.

Le « cogito » de Descartes ou la première origine de la philosophie moderne

Cogito ergo sum, « je pense donc je suis » : peut-être as-tu déjà entendu cette formule. Si ce n'est pas le cas, sache simplement que c'est, parmi toutes les sentences philosophiques, l'une des plus célèbres dans le monde entier. A juste titre, parce qu'elle marque une date dans l'histoire de la pensée, parce qu'elle inaugure une époque nouvelle : celle de l'humanisme moderne au sein duquel ce qu'on va appeler la « subjectivité » va devenir reine. Qu'est-ce que cela signifie au juste ?

Au début de ce chapitre, je t'ai expliqué pour quelles raisons, après l'effondrement du *cosmos* des Anciens et la crise naissante des autorités religieuses sous l'effet de la science moderne, l'homme était livré au doute, soumis à des interrogations intellectuelles et existentielles d'une ampleur inconnue jusqu'alors. Nous avons vu comment le poème de John Donne, notamment, tentait de traduire l'état d'esprit des savants de cette époque. Tout est alors à rebâtir, la théorie de la connaissance, bien sûr, mais aussi l'éthique et, plus encore peut-être, et cela nous allons y venir un peu plus loin, la doctrine du salut. Et pour cela, il faut un principe nouveau, qui ne peut plus être le *cosmos*, ni la divinité. Ce sera l'homme ou, comme disent les philosophes, le « sujet ».

Eh bien, c'est Descartes qui « invente » ce principe nouveau, avant que Rousseau et Kant ne l'explicitent, notamment à partir du débat sur l'animal, comme nous l'avons vu dans ce qui précède. C'est lui qui va faire de cette faiblesse que semble être *a priori* le terrible doute lié au sentiment de la disparition des mondes anciens une force, un formidable moyen de reconstruire à nouveaux frais tout l'édifice de la pensée philosophique.

Dans ses deux ouvrages fondamentaux, le *Discours de la méthode* (1637) et les *Méditations métaphysiques* (1641), Descartes imagine, sous diverses formes, une espèce de fiction philosophique : il s'oblige, par principe ou comme il le dit lui-même, par « méthode », à mettre en doute absolument toutes ses idées, tout ce en quoi il a pu croire jusqu'alors, même les choses les plus certaines et les plus évidentes – comme, par exemple, le fait qu'il existe des objets hors de moi, que j'écris sur une table, assis sur une chaise, etc. Pour être bien certain de douter de tout, il imagine même l'hypothèse d'un « malin génie » qui s'amuserait à le tromper en toute circonstance, ou encore il se rappelle comment, parfois, dans ses rêves, il a cru qu'il était éveillé, en train de lire ou de se promener, alors qu'il était « tout nu dedans son lit » !

Bref, il adopte une attitude de scepticisme total qui le conduit à ne tenir absolument plus rien pour certain...

sauf que, au bout du compte, il y a justement une certitude qui résiste à tout et demeure vaillante, une conviction qui tient bon à l'épreuve du doute même le plus radical : celle selon laquelle si je pense, et même si je doute, je dois bien être quelque chose qui existe ! Il se peut bien que je me trompe sans arrêt, que toutes mes idées soient fausses, que je sois dupé en permanence par un malin génie, mais pour pouvoir me tromper ou être trompé, encore faut-il à tout le moins que je sois moi-même quelque chose qui existe ! Une conviction résiste donc au doute, même le plus total, c'est la certitude de mon existence !

D'où la formule, désormais canonique, avec laquelle Descartes conclut son raisonnement : « Je pense donc je suis. » Même si mes pensées sont de part en part erronées, du moins celle selon laquelle j'existe est forcément certaine puisqu'il faut bien au minimum exister, ne fût-ce que pour pouvoir délirer !

Je suis sûr que tes professeurs de philosophie te parleront un jour de ce fameux doute cartésien et de son non moins fameux *cogito*. Ils t'expliqueront certainement pourquoi, malgré son apparente simplicité, il a suscité tant de commentaires et d'interprétations diverses.

Ce que je voudrais, pour l'instant, que tu en retiennes, c'est ceci : à travers l'expérience du doute radical que Descartes imagine de toutes pièces – et qui te semblera peut-être un peu outrée au premier abord – ce sont trois idées fondamentales qui apparaissent pour la première fois dans l'histoire de la pensée, trois idées qui vont être appelées à une formidable postérité et qui sont, au sens propre, fondatrices de la philosophie moderne.

Je me borne ici à te les indiquer, mais sache qu'on pourrait leur consacrer, sans difficulté, un livre tout entier.

Première idée : si Descartes met en scène la fiction du doute, en fait ce n'est pas seulement par jeu intellectuel, mais pour parvenir à une nouvelle définition de la vérité. Car en examinant de près, avec soin, la seule certitude qui résiste absolument à toute mise en question – en l'occurrence, le *cogito* –, il est sûr de parvenir à découvrir un critère fiable de la vérité. On peut même dire que cette méthode de raisonnement va conduire à définir la vérité comme ce qui résiste au doute, comme *ce dont le sujet humain est absolument certain*. C'est ainsi un état de notre conscience subjective, la certitude, qui va devenir le nouveau critère de la vérité. Cela te montre déjà combien la *subjectivité* devient importante chez les Modernes, puisque c'est désormais exclusivement en elle que se trouve le critère le plus sûr de la vérité – là où les Anciens la définissaient d'abord en termes *objectifs*, par exemple comme l'adéquation d'un jugement aux réalités qu'il décrit : quand je dis qu'il fait nuit, cette proposition est vraie si et seulement si elle correspond à la réalité objective, aux faits réels, que je sois certain de moi ou non. Bien sûr, le critère subjectif de la certitude n'était pas inconnu des Anciens. On le trouve, notamment, dans les dialogues de Platon. Mais avec Descartes, il va devenir primordial et prendre le pas sur tous les autres.

La deuxième idée fondamentale sera plus décisive encore sur le plan historique et politique : c'est celle de « table rase », de rejet absolu de tous les préjugés et de toutes les croyances hérités des traditions et du passé. En mettant radicalement en doute, sans distinction, la totalité des idées reçues, Descartes invente tout simplement la notion moderne de *révolution*. Comme le dira, au XIXe siècle, un autre grand penseur français, Tocqueville, les hommes qui ont fait la révolution de 1789, ceux qu'on appelle les « jacobins », ne sont rien d'autre que des « cartésiens sortis des écoles » et « descendus dans la rue ».

On pourrait dire, en effet, que les révolutionnaires répètent dans la réalité historique et politique le geste qui fut celui de Descartes dans la pensée : de même que ce dernier décrète que toutes les croyances passées, toutes les idées héritées de sa famille, de sa nation ou transmises depuis l'enfance par des « autorités » comme celles des maîtres ou de l'Eglise par exemple, doivent être mises en doute, critiquées et examinées en toute liberté par un sujet qui se pose en souverain autonome, seul capable de décider de ce qui est vrai ou non, de même, les révolutionnaires français décrètent qu'il faut en finir avec tous les héritages de l'Ancien Régime. Comme le dit l'un d'entre eux – Rabaud Saint-Etienne – d'une formule tout à fait « cartésienne » et qui fera date elle aussi, la Révolution peut se résumer en une phrase : « Notre histoire n'est pas notre code. »

En clair : ce n'est pas parce que nous avons vécu depuis toujours sous un régime qui est celui de l'aristocratie et de la royauté, des inégalités et des privilèges institués, que nous sommes obligés à jamais de continuer à en faire autant. Ou pour mieux dire peut-être : rien ne nous contraint à respecter pour toujours les traditions. Au contraire, quand elles ne sont pas bonnes, il faut les rejeter et les changer. Bref, il faut savoir « du passé faire table rase » pour reconstruire entièrement à neuf – exactement comme Descartes, après avoir mis toutes les croyances passées en doute, entreprend de reconstruire la philosophie tout entière sur quelque chose d'enfin solide : une certitude inébranlable, celle d'un sujet qui se saisit lui-même en toute transparence et qui n'accorde désormais sa confiance qu'à lui seul.

Tu noteras que, dans les deux cas, chez Descartes comme chez les révolutionnaires français, c'est *l'homme, le sujet humain qui devient le fondement de toutes les pensées comme de tous les projets*, de la philosophie nouvelle dans l'expérience décisive du *cogito* comme de la démocratie et de l'égalité avec l'abolition des privilèges de l'Ancien Régime et la déclaration, a l'époque totalement inouïe, de l'égalité de tous les hommes entre eux.

Note aussi qu'il y a un lien direct entre la première et la deuxième idée, entre la définition de la vérité comme certitude du sujet et la fondation de l'idéologie révolutionnaire : car s'il faut faire table rase du passé et soumettre au doute le plus rigoureux les opinions, croyances et préjugés qui n'auraient pas été passés au crible de l'examen critique, c'est parce qu'il ne convient de croire, de « n'admettre en sa créance » comme dit Descartes, *que ce dont nous pouvons être absolument certains par nous-mêmes.* De là aussi la nature nouvelle, fondée dans la conscience individuelle et non plus dans la tradition, de l'unique certitude qui s'impose avant toutes les autres : celle du sujet dans son rapport à lui-même. Ce n'est donc plus la confiance, la foi qui permet de parvenir, comme nous l'avons vu dans le christianisme, à la vérité ultime, mais la conscience de soi.

De là *la troisième idée* que je voulais évoquer et dont tu ne peux pas imaginer combien elle est, à l'époque de Descartes, révolutionnaire : celle selon laquelle *il faut rejeter tous les « arguments d'autorité ».* On appelle « arguments d'autorité » les croyances qui sont imposées du dehors comme des vérités absolues par des institutions dotées de pouvoirs qu'on n'a pas le droit de discuter, encore moins de mettre en question : la famille, les maîtres d'école, les prêtres, etc. Si l'Eglise décrète, par exemple, que la Terre n'est pas ronde et qu'elle ne tourne pas autour du Soleil, eh bien il faut que tu l'admettes aussi, et si tu refuses, tu risques fort de finir au bûcher, comme Giordano Bruno, ou d'être contraint, comme Galilée, de dire publiquement que tu as tort, même si tu as parfaitement raison.

C'est cela que Descartes abolit avec son fameux doute radical. En d'autres termes, il invente, tout simplement, l'« esprit critique », la liberté de pensée et, en cela aussi, il est le fondateur de toute la philosophie moderne. L'idée qu'ils devraient accepter une opinion parce qu'elle serait celle des autorités, quelles qu'elles soient, répugne si essentiellement aux Modernes qu'elle en vient presque à les définir comme tels. Certes, il nous arrive parfois d'accorder notre confiance à une personne ou une institution, mais ce geste lui-même a cessé d'avoir son sens traditionnel : si j'accepte de suivre le jugement d'autrui, c'est en principe parce que je me suis forgé de « bonnes » raisons de le faire, non parce que cette autorité s'imposerait à moi de l'extérieur sans reconnaissance préalable émanant de ma certitude personnelle, subjective, de ma conviction intime et, si possible, réfléchie.

Il me semble qu'avec ces quelques précisions tu dois déjà voir un peu mieux en quel sens on peut dire que la philosophie moderne est une philosophie du « sujet », un humanisme, et même, un anthropocentrisme, c'est-à-dire, au sens étymologique, une vision du monde qui place l'homme (*anthropos*, en grec) − et non plus le *cosmos* ou la divinité − au centre de tout.

Nous avons déjà vu comment ce principe nouveau allait donner lieu à une nouvelle *theoria* en même temps qu'à une nouvelle morale. Reste à dire quelques mots des doctrines modernes du salut. La tâche, comme tu le pressens peut-être, est d'autant plus difficile qu'en l'absence du *cosmos* et de Dieu, donc en s'en tenant à un humanisme strict, il semble bien que l'idée de salut soit à peu près impensable.

Et, de fait, autant on voit encore assez bien comment des morales sans ordre du monde ni commandements divins sont à peu près pensables, autant on voit mal sur quoi, dès lors que le principe du monde moderne est l'homme et que les hommes, comme on sait, sont mortels, il pourrait s'appuyer pour dépasser si peu que ce soit la crainte de la mort. Au point que pour beaucoup, la question du salut va disparaître. Plus fâcheux encore, elle va tendre à se confondre avec celle de l'éthique.

Cette confusion est même si fréquente aujourd'hui que je voudrais, avant même d'aborder les réponses proprement modernes à l'antique question du salut, tenter de la dissiper le plus clairement possible.

III. DE L'INTERROGATION MORALE À LA QUESTION DU SALUT : EN QUOI CES DEUX SPHÈRES NE SAURAIENT JAMAIS SE CONFONDRE

Si l'on voulait résumer à l'essentiel les idées modernes que nous venons d'examiner, on pourrait très simplement définir les morales laïques comme un ensemble de valeurs, exprimées par des devoirs ou des impératifs, qui nous invitent à ce minimum de respect d'autrui sans lequel une vie commune pacifiée est impossible.

Ce que nos sociétés, qui font des droits de l'homme un idéal, nous demandent de respecter chez les autres, c'est leur égale dignité, leur droit à la liberté, notamment d'opinion, et au bien-être. La fameuse formule selon laquelle « ma liberté s'arrête là où commence celle d'autrui » est, au fond, l'axiome premier de ce respect de l'autre sans lequel il n'est pas de coexistence pacifique possible.

Que les règles morales soient rigoureusement indispensables, nul ne peut en douter. Car en leur absence, c'est aussitôt la guerre de tous contre tous qui se profile à l'horizon. Elles apparaissent ainsi comme la *condition nécessaire* de cette vie commune apaisée que vise à engendrer le monde démocratique. Elles n'en sont cependant pas la *condition suffisante* et j'aimerais que tu comprennes bien en quoi les principes éthiques, si précieux soient-ils, ne règlent en rien, rigoureusement en rien, les questions existentielles que les doctrines du salut avaient jadis prises en charge.

Pour t'en convaincre, je voudrais que tu réfléchisses un instant à la fiction suivante : imagine que tu disposes d'une baguette magique qui te permettrait de faire en sorte que tous les individus vivant aujourd'hui en ce monde se mettent à observer parfaitement l'idéal du respect de l'autre tel qu'il s'est incarné dans les principes humanistes. Supposons que, partout dans le monde, les droits de l'homme soient impeccablement appliqués. Chacun prendrait dès lors pleinement en compte la dignité de tous en même temps que le droit égal de chacun à accéder à ces deux biens fondamentaux que sont la liberté et le bonheur.

Nous pouvons à peine mesurer les bouleversements abyssaux, l'incomparable révolution qu'une telle attitude introduirait dans nos mœurs. Il n'y aurait plus désormais ni guerre ni massacre, ni génocide ni crime contre l'humanité, ni racisme ni xénophobie, ni viol ni vol, ni domination ni exclusion, et les institutions répressives ou punitives telles que l'armée, la police, la justice ou les prisons, pourraient pratiquement disparaître.

C'est dire que la morale n'est pas rien, c'est dire à quel point elle est nécessaire à la vie commune et combien nous sommes loin de sa réalisation, même approximative.

Pourtant, aucun, je dis bien aucun, de nos problèmes existentiels les plus profonds ne serait pour autant résolu. Rien, même dans la réalisation la plus parfaite de la morale elle-même la plus sublime, ne nous empêcherait de vieillir, d'assister impuissants à l'apparition des rides et des cheveux blancs, d'être malades, de connaître des séparations douloureuses, de savoir que nous allons mourir et voir mourir ceux que nous aimons, d'hésiter sur les finalités de l'éducation et de peiner sur les moyens de les mettre en œuvre, ou même, plus simplement, de nous ennuyer et de trouver que la vie quotidienne manque de sel...

Nous aurions beau être des saints, des apôtres parfaits des droits de l'homme et de l'éthique républicaine, que rien ne nous garantirait non plus une vie affective réussie. La littérature fourmille d'exemples qui montrent combien la logique de la morale et celle de la vie amoureuse obéissent à des principes hétérogènes. L'éthique n'a jamais empêché personne d'être trompé ni d'être quitté. Sauf erreur, aucune des histoires d'amour mises en scène dans les plus grandes œuvres romanesques ne relève de l'action humanitaire... Si l'application des droits de l'homme permet une vie commune pacifiée, ces derniers ne donnent par eux-mêmes aucun sens ni même aucune finalité ou direction à l'existence humaine.

Voilà pourquoi, dans le monde moderne comme dans les temps anciens, il a bien fallu inventer, au-delà de la morale, quelque chose qui tienne lieu de doctrine du salut. Le problème, c'est que sans *cosmos* et sans Dieu, la chose semble particulièrement difficile à penser. Comment affronter la fragilité et la finitude de l'existence humaine, la mortalité de toutes choses en ce bas monde, en l'absence de tout principe extérieur et supérieur à l'humanité ?

Voilà l'équation que les doctrines modernes du salut ont dû, tant bien que mal – et il faut l'avouer, plutôt mal que bien – tenter de résoudre.

L'émergence d'une spiritualité moderne : comment penser le salut si le monde n'est plus un ordre harmonieux et si Dieu est mort ?

Pour y parvenir, les Modernes se sont orientés dans deux grandes directions.

La première – dont je ne te cache pas que je l'ai toujours trouvée un peu ridicule, mais enfin, elle a été si dominante dans les deux derniers siècles, qu'on ne peut la passer sous silence – est celle des « religions de salut terrestre », notamment le scientisme, le patriotisme et le communisme.

Qu'est-ce que cela veut dire ?

En gros, ceci : à défaut de pouvoir s'accrocher à un ordre cosmique, à défaut de croire encore en Dieu, les Modernes ont inventé des religions de substitution, des spiritualités sans Dieu ou, si tu veux que nous parlions plus simplement, des idéologies qui, en professant le plus souvent un athéisme radical, se sont malgré tout accrochées à des idéaux susceptibles de donner un sens à l'existence humaine, voire de justifier que l'on meurt pour eux.

Du scientisme à la Jules Verne au communisme de Marx, en passant par le patriotisme du xixᵉ siècle, ces grandes utopies humaines – trop humaines – ont eu au moins le mérite, un peu tragique il est vrai, de tenter l'impossible : réinventer des idéaux supérieurs, sans sortir pour autant, comme le faisaient les Grecs avec le *cosmos* et les chrétiens avec Dieu, des cadres de l'humanité elle-même. En clair, trois façons de sauver sa vie, ou de justifier sa mort, cela revient au même, en la sacrifiant pour une cause supérieure : la révolution, la patrie, la science.

Avec ces trois « idoles », comme dira Nietzsche, on a réussi à sauver l'essentiel de la foi : en conformant sa vie à l'idéal, en la sacrifiant le cas échéant pour lui, on a pu préserver la conviction d'être « sauvé » par une dernière voie d'accès à l'éternité.

Pour te donner un exemple caricatural, mais au plus haut point significatif de ces religions de salut terrestre – de ces religions sans idéal extérieur à l'humanité – je te citerai un grand moment de l'histoire de la presse française. Il s'agit de la une de *France nouvelle*, l'hebdomadaire central du parti communiste, au lendemain de la mort de Staline.

Tu sais que Staline était alors le chef de l'Union soviétique, le pape, si l'on peut dire, du communisme mondial et que tous les fidèles le considéraient, malgré tous ses crimes, comme un véritable héros.

A l'époque, donc – nous sommes en 1953 –, le Parti communiste français rédige la une de son principal organe de propagande en des termes qui paraissent aujourd'hui sidérants, mais qui traduisent parfaitement le caractère encore religieux du rapport à la mort au sein d'une doctrine que se voulait pourtant radicalement matérialiste et athée. En voici le texte :

> « Le cœur de Staline, l'illustre compagnon d'armes et le prestigieux continuateur de Lénine, le chef, l'ami et le frère des travailleurs de tous les pays a cessé de battre. Mais le stalinisme vit, il est immortel. Le nom sublime du maître génial du communisme mondial resplendira d'une flamboyante clarté à travers les siècles et sera toujours prononcé avec amour par l'humanité reconnaissante. A Staline, à tout jamais nous resterons fidèles. Les communistes s'efforceront de mériter, par leur dévouement inlassable à la cause sacrée de la classe ouvrière [...] le titre d'honneur de staliniens. Gloire éternelle au grand Staline dont les magistrales œuvres scientifiques impérissables nous aideront à rassembler la majorité du peuple[1]... »

Comme tu vois, l'idéal communiste était alors si fort, si « sacré » comme le dit la rédaction, pourtant très athée, de *France nouvelle*, qu'il permettait de dépasser la mort, de justifier qu'on donne sa vie sans crainte et sans remords pour lui. Il n'est donc pas excessif de dire que c'est bien à une nouvelle figure des doctrines du salut que nous avions affaire. Aujourd'hui encore, dernier vestige de cette religion sans dieux, l'hymne natio-

---

1. Couverture de *France nouvelle* du 14 mars 1953.

nal cubain étend cette espérance aux simples citoyens,
pourvu qu'ils aient sacrifié leur destin particulier à la
cause supérieure, car « mourir pour la patrie », affirme-
t-il, « c'est entrer dans l'éternité »...

Comme tu sais, on trouvera à droite des formes de
patriotisme tout à fait équivalentes. C'est ce qu'on
appelle habituellement le « nationalisme », et l'idée
qu'il vaut la peine de donner sa vie pour la nation dont
on est membre va elle aussi de soi dans cette perspective.

Dans un style assez proche de celui du communisme
et du nationalisme, le scientisme a également fourni à
certains des raisons de vivre et de mourir. Si tu as lu un
jour un livre de Jules Verne, tu y verras combien les
« savants et bâtisseurs », comme on disait encore à
l'école primaire lorsque j'étais enfant, avaient le sentiment qu'en découvrant une terre inconnue ou une nouvelle loi scientifique, en inventant un engin pour
explorer le ciel ou la mer, ils inscrivaient eux aussi leur
nom dans l'éternité de la grande histoire et justifiaient
ainsi leur existence tout entière...

Grand bien leur fasse.

Si je t'ai dit tout à l'heure que j'avais toujours trouvé
ces nouvelles religions un peu ridicules – et même parfois beaucoup – ce n'est pas seulement en raison du
nombre de morts qu'elles ont engendrés. Elles ont beaucoup tué, c'est un fait, surtout les deux premières, mais
c'est surtout par leur naïveté qu'elles me déconcertent.
Car de toute évidence, tu comprends bien que le salut
de l'individu, malgré tous ses efforts, ne saurait se
confondre avec celui de l'humanité. Quand bien même
on se dévouerait pour une cause sublime, dans la conviction que l'idéal est infiniment supérieur à sa vie, il reste
qu'au final, c'est toujours l'individu qui souffre et qui
meurt en tant qu'être particulier, et nul autre à sa place.
Face à cette mort personnelle, le communisme, le scientisme, le nationalisme et tous les autres « ismes » qu'on

voudra mettre a leur place risquent fort de n'apparaître un jour ou l'autre que comme des abstractions désespérément vides.

Comme le dira le plus grand penseur « postmoderne », Nietzsche, dont nous étudierons la pensée dans le chapitre suivant, cette passion pour les « grands desseins » soi-disant supérieurs à l'individu, voire à la vie même, n'est-elle pas une ruse ultime des religions qu'on avait voulu dépasser ?

Pourtant, derrière tout ce que ces efforts désespérés peuvent avoir parfois de dérisoire, se joue, malgré tout, une révolution d'une ampleur considérable. Car ce qui se trame dans ces fausses religions et derrière leur platitude apparente ou réelle, c'est tout simplement la sécularisation ou l'humanisation du monde. A défaut de principes cosmiques ou religieux, c'est l'humanité elle-même qui commence à être sacralisée au point d'accéder à son tour au statut de principe transcendant. L'opération, du reste, n'a rien d'impensable : après tout, nul ne peut nier que l'humanité dans sa globalité soit, en un sens, supérieure à chacun des individus qui la composent, de même que l'intérêt général doit bien en principe prévaloir sur ceux des particuliers.

Voilà, sans doute, la raison pour laquelle ces nouvelles doctrines du salut sans Dieu ni ordre cosmique ont réussi à convaincre tant de nouveaux fidèles.

Mais, par-delà ces formes jusqu'alors inédites de religiosité, la philosophie moderne a également réussi, comme je te l'ai laissé pressentir tout à l'heure, à penser autrement, de façon infiniment plus profonde, la question du salut.

Je ne veux pas développer maintenant en détail le contenu de cette nouvelle approche humaniste. Je t'en reparlerai mieux dans le chapitre consacré à la pensée contemporaine, lorsque nous aurons étudié Nietzsche.

Je t'en dis seulement un mot, pour que tu n'aies pas le sentiment que la pensée moderne se réduit aux platitudes mortifères du communisme, du scientisme ou du natio-nalisme.

C'est Kant, dans le sillage de Rousseau, qui lance ici, pour la première fois, l'idée cruciale de « pensée élar-gie » comme sens de la vie humaine. La pensée élargie, à ses yeux, c'est le contraire de l'esprit borné, c'est la pensée qui parvient à s'arracher à sa situation parti-culière d'origine pour s'élever jusqu'à la compréhension d'autrui.

Pour te donner un exemple simple, lorsque tu apprends une langue étrangère, il faut tout à la fois que tu t'éloignes de toi-même et de ta condition particulière de départ, par exemple le français, pour entrer dans une sphère plus large, plus universelle, où vit une autre culture et, sinon une autre humanité, du moins une autre communauté humaine que celle à laquelle tu appartenais et dont tu commences en quelque façon, sans pour autant la renier, à te déprendre.

En s'arrachant à ses particularités initiales, on entre donc dans *plus d'humanité*. En apprenant une autre langue, tu peux non seulement communiquer avec un plus grand nombre d'êtres humains, mais tu découvres aussi, à travers le langage, d'autres idées, d'autres formes d'humour, d'autres modalités du rapport à autrui et au monde. Tu *élargis* ta vue et tu repousses les bornes naturelles de l'esprit rivé à sa communauté – qui est l'archétype de l'esprit borné.

Par-delà l'exemple particulier des langues, c'est tout le sens de l'expérience humaine qui est ici en jeu. Si connaître et aimer ne font qu'un, tu entres, en élargissant l'horizon, en te cultivant, dans une dimension de l'exis-tence humaine qui la « justifie » et lui donne un sens – tout à la fois une signification et une direction.

A quoi sert de « grandir » ? demande-t-on parfois. A cela, peut-être, et même si cette idée ne nous sauve plus de la mort – mais quelle idée le pourrait ? –, elle donne au moins du sens au fait de l'affronter.

Nous y reviendrons plus tard, pour l'étoffer comme elle le mérite et t'indiquer plus précisément en quel sens elle prend le relais des anciennes doctrines du salut.

Mais pour le moment, et justement pour comprendre la nécessité d'un discours enfin désillusionné, il faut passer encore par une nouvelle étape : celle de la « déconstruction », de la critique des illusions et des naïvetés des anciennes visions du monde. Et sur ce plan, c'est Nietzsche le plus grand, le maître du soupçon, le penseur le plus décapant, celui qui, pour toute la philosophie à venir, marque un cran d'arrêt : impossible, après lui, de revenir aux croyances d'antan.

Il est temps que tu comprennes par toi-même en quoi.

Chapitre 5

La postmodernité

Le cas Nietzsche

D'abord une remarque de vocabulaire : dans la philosophie contemporaine, on a pris l'habitude de nommer « postmodernes » les pensées qui, à partir du milieu du XIXᵉ siècle, vont entreprendre la critique de l'humanisme moderne et, notamment, de la philosophie des Lumières. De même que cette dernière avait rompu avec les grandes cosmologies de l'Antiquité et inauguré une critique de la religion, les « postmodernes » vont s'en prendre aux deux convictions les plus fortes qui animaient les Modernes du XVIIᵉ au XIXᵉ siècle : celle selon laquelle l'être humain serait le centre du monde, le principe de toutes les valeurs morales et politiques ; celle qui tient que la raison est une formidable puissance émancipatrice et que, grâce aux progrès des « Lumières », nous allons être enfin plus libres et plus heureux.

La philosophie postmoderne va contester ces deux postulats. Elle sera donc tout à la fois *critique de l'humanisme* et *critique du rationalisme*. Sans aucun doute, c'est chez Nietzsche qu'elle va atteindre son sommet. Quoi qu'on en pense par ailleurs – et tu verras que bien des réserves à l'égard de Nietzsche sont possibles – la radicalité, voire la violence de ses assauts contre le rationalisme et l'humanisme n'auront d'égal que le génie avec lequel il a su les mettre en œuvre.

Mais, après tout, pourquoi ce besoin de « déconstruire », comme dira un grand philosophe contemporain, Heidegger, ce que l'humanisme moderne avait eu tant de mal à édifier ? Pourquoi passer, une fois encore, d'une vision du monde à une autre ? Quels sont les motifs qui vont faire apparaître les Lumières comme insuffisantes ou illusoires, les raisons qui vont pousser à nouveau la philosophie à vouloir « aller plus loin » ?

Si l'on s'en tient à l'essentiel, la réponse peut être assez brève. La philosophie moderne, nous l'avons vu ensemble, avait elle-même destitué le *cosmos* et critiqué les autorités religieuses pour les remplacer par la raison et la liberté humaine, par l'idéal démocratique et humaniste de valeurs morales construites sur l'humanité de l'homme, sur ce qui faisait sa différence spécifique d'avec toutes les autres créatures, à commencer par l'animal. Mais, comme tu t'en souviens aussi, cela s'est fait sur la base d'un doute radical, celui-là même que Descartes a mis en scène dans ses œuvres, c'est-à-dire sur fond d'une véritable sacralisation de l'esprit critique, d'une liberté de pensée pouvant aller jusqu'à faire table rase de tous les héritages passés, de toutes les traditions. La science elle-même est de part en part inspirée par ce principe, de sorte que rien ne l'arrêtera plus désormais dans sa recherche de la vérité.

Or c'est cela que les Modernes n'ont pas pleinement mesuré. Comme l'apprenti sorcier qui déchaîne des forces qui bientôt lui échappent, Descartes et les philosophes des Lumières ont libéré eux aussi un esprit, l'esprit critique, qui une fois mis en marche ne peut plus être stoppé par rien. Il est comme un acide qui continue de ronger les matériaux qu'il a touchés, même lorsqu'on tente de l'arrêter en y jetant de l'eau. La raison et les idéaux humanistes vont en être pour leurs frais, de sorte que le monde intellectuel par eux édifié va finalement être victime des principes mêmes sur lesquels il reposait. Mais soyons un peu plus précis.

La science moderne, fruit de l'esprit critique et du doute méthodique, a ruiné les cosmologies et considérablement affaibli, au moins dans un premier temps, les fondements de l'autorité religieuse. C'est un fait. Pour autant, comme nous l'avons vu à la fin du chapitre précédent, l'humanisme n'a pas tout à fait détruit, loin de là, une structure religieuse fondamentale : celle de l'au-delà opposé à l'ici-bas, du paradis opposé à la réalité terrestre ou, si tu veux, de l'idéal opposé au réel. Voilà pourquoi, aux yeux de Nietzsche, lors même que nos républicains héritiers des Lumières se disent athées, voire matérialistes, ils continuent en vérité d'être *croyants* ! Non pas, bien sûr, au sens où ils prieraient encore Dieu, mais au sens où ils n'en révèrent pas moins de nouvelles chimères puisqu'ils continuent de *croire* que certaines valeurs sont *supérieures à la vie*, que le réel doit être jugé au nom de l'idéal, qu'il faut le transformer pour le rendre conforme à des idéaux supérieurs : les droits de l'homme, la science, la raison, la démocratie, le socialisme, l'égalité des chances, etc.

Or cette vision des choses reste fondamentalement héritière de la théologie, même et surtout lorsqu'elle ne s'en rend pas compte et se veut révolutionnaire ou irréligieuse ! Bref, aux yeux des postmodernes, et tout particulièrement de Nietzsche, l'humanisme des Lumières demeure encore prisonnier des structures essentielles de la religion qu'il reconduit, sans s'en rendre compte, au moment même où il prétend les avoir dépassées. Voilà pourquoi il va falloir en quelque sorte lui appliquer à lui aussi les critiques qu'il avait déchaînées contre les autres, partisans des cosmologies anciennes ou des pensées religieuses.

Dans la préface d'*Ecce Homo*, un de ses rares livres qui aient pris la forme de confessions, Nietzsche a décrit son attitude philosophique en des termes qui marquent parfaitement la rupture qu'il instaure avec l'humanisme moderne. Ce dernier ne cessait d'affirmer sa croyance au progrès, sa conviction que la diffusion des sciences et des techniques allait entraîner des jours meilleurs, que l'histoire et la politique devaient être guidées par un idéal, voire une utopie permettant de rendre l'humanité plus respectueuse d'elle-même, etc. Voilà très exactement le type de croyance, de religiosité sans Dieu ou, comme dit Nietzsche dans son vocabulaire bien particulier, d'« idoles », qu'il se propose de déconstruire « en philosophant avec un marteau ». Ecoutons-le un instant :

« Améliorer l'humanité ? Voilà bien la dernière chose que *moi*, j'irais promettre. N'attendez pas de moi que j'érige de nouvelles idoles ! Que les anciennes apprennent plutôt ce qu'il en coûte d'avoir des pieds d'argile ! *Renverser* les "idoles" – c'est ainsi que j'appelle tous les idéaux –, voilà plutôt mon vrai métier. C'est en inventant le mensonge d'un monde idéal qu'on a fait perdre à la réalité sa valeur, sa signification, sa véracité... Le *mensonge* de l'idéal a été jusqu'à présent la malédiction pesant sur la réalité, l'humanité même en est devenue menteuse et fausse jusqu'au plus profond de ses instincts – jusqu'à l'adoration des valeurs *opposées* à celles qui auraient pu lui garantir une belle croissance, un avenir... »

Il ne s'agit donc plus de reconstituer un *monde* humain, un « règne des fins », où les hommes seraient enfin égaux en dignité comme le voulaient Kant et les républicains. Aux yeux du postmoderne, la démocratie, quelque contenu qu'on lui donne, n'est qu'une nouvelle illusion religieuse parmi d'autres, voire une des pires qui soient puisqu'elle se dissimule trop souvent sous les apparences d'une rupture avec le monde religieux en se prétendant volontiers « laïque ». Nietzsche ne cesse d'y revenir, et de la façon la plus claire qui soit, comme, exemple entre mille autres, dans ce passage de son livre intitulé *Par-delà le bien et le mal* :

> « Nous qui nous réclamons d'une autre foi, nous qui considérons la tendance démocratique non seulement comme une forme dégénérée de l'organisation politique, mais comme une forme décadente et diminuée de l'humanité qu'elle réduit à la médiocrité et dont elle amoindrit la valeur, où mettrons-nous nos espérances ? »

Ailleurs que dans la démocratie, en tout cas ! Il est absurde de chercher à le nier : Nietzsche est tout le contraire d'un démocrate et, malheureusement, ce n'est pas tout à fait par hasard qu'il a été considéré par les nazis comme un de leurs inspirateurs.

Si l'on veut cependant le comprendre, avant de le juger, il faut aller plus loin, beaucoup plus loin même, et notamment vers ceci : s'il abhorre les idéaux en tant que tels, s'il veut casser les idoles des Modernes avec son marteau philosophique, c'est parce qu'elles relèvent toutes à ses yeux d'une négation de la vie, de ce qu'il appelle le « nihilisme ». Avant même d'entrer plus avant dans son œuvre, il est essentiel que tu aies au moins une idée de cette notion centrale dans sa déconstruction des utopies morales et politiques modernes.

La conviction de Nietzsche, c'est que tous les idéaux, qu'ils soient explicitement religieux ou non, qu'ils soient de droite ou de gauche, conservateurs ou progressistes, spiritualistes ou matérialistes, possèdent la même structure et la même finalité : fondamentalement, ils relèvent, comme j'ai commencé à te l'expliquer, d'une structure théologique puisqu'il s'agit toujours d'inventer *un au-delà meilleur que l'ici-bas*, d'imaginer des valeurs prétendument *supérieures et extérieures à la vie* ou, pour parler le jargon des philosophes, des valeurs « transcendantes ». Or aux yeux de Nietzsche, une telle invention est toujours, secrètement bien sûr, animée de

« mauvaises intentions ». *Son véritable but n'est pas d'aider l'humanité, mais seulement de parvenir à juger et finalement condamner la vie elle-même, de nier le vrai réel au nom de fausses réalités, au lieu de l'assumer et de l'accepter tel qu'il est.*

C'est cette négation du réel au nom de l'idéal que Nietzsche nomme le « nihilisme ». Comme si, grâce à cette fiction de prétendus idéaux et utopies, on se plaçait à l'extérieur de la réalité, hors de la vie, alors que le cœur de la pensée nietzschéenne, sa pointe ultime, *c'est qu'il n'y a pas de transcendance, que tout jugement est un symptôme, une émanation de la vie qui fait partie de la vie et ne peut jamais se situer hors d'elle.*

Tu tiens là la thèse centrale de toute la pensée de Nietzsche, et si tu la comprends bien, plus rien ne t'empêchera de le lire : *il n'y a rien hors de la réalité de la vie, ni au-dessus d'elle, ni en dessous, ni au ciel, ni en enfer, et tous les fameux idéaux de la politique, de la morale et de la religion ne sont que des « idoles », des boursouflures métaphysiques, des fictions, qui ne visent à rien d'autre qu'à fuir la vie, avant de se retourner contre elle.* C'est toujours cela que l'on fait lorsqu'on juge la réalité au nom de l'idéal, comme s'il était transcendant, hors d'elle, alors que tout lui est, de part en part et sans le moindre reste, immanent.

Nous allons revenir sur cette idée, la préciser, en donner des exemples concrets pour que tu la comprennes bien – car elle n'est pas facile –, mais d'entrée de jeu, tu peux déjà percevoir pourquoi la philosophie postmoderne devait inévitablement en venir à critiquer celle des Modernes, encore trop marquée à son goût par les utopies religieuses.

On pourrait dire que les Modernes sont comme l'arroseur arrosé : ils ont inventé l'esprit critique, le doute et la raison lucide... et tous ces ingrédients essentiels à leur philosophie se retournent maintenant contre eux ! Les principaux penseurs « postmodernes », Nietzsche bien sûr, mais aussi, au moins pour une part, Marx et Freud, vont être justement définis comme des « philosophes du soupçon » : le but de la philosophie est désormais de déconstruire les illusions dont s'est bercé l'humanisme classique. Les « philosophes du soupçon », ce sont les penseurs qui adoptent pour principe d'analyse ce pressentiment qu'il y a toujours, derrière les croyances traditionnelles, derrière les « bonnes vieilles valeurs » qui se prétendent nobles, pures et transcendantes, *des intérêts cachés, des choix inconscients, des vérités plus profondes... et souvent inavouables.* Comme le psychanalyste, qui cherche à traquer et comprendre l'inconscient derrière les symptômes de son patient, le philosophe postmoderne apprend avant toute chose à se méfier des évidences premières, des idées reçues, pour aller y voir derrière, par en dessous, en biais s'il le faut, afin de détecter les partis pris dissimulés qui les fondent en dernière instance.

Voilà aussi pourquoi Nietzsche n'aime pas les grandes avenues, ni les « consensus ». Il préfère les sentiers de traverse, les marges et les sujets qui fâchent. Au fond, comme les pères fondateurs de l'art contemporain, comme Picasso dans la peinture ou Schönberg dans la musique, Nietzsche est un avant-gardiste, quelqu'un qui entend par-dessus tout innover, faire table rase du passé. Ce qui va caractériser au plus haut point l'ambiance postmoderne, c'est son côté irrévérencieux, ce ras-le-bol des bons sentiments, des valeurs bourgeoises, sûres d'elles et bien installées : on se prosterne devant la vérité scientifique, la raison, la morale de Kant, la démocratie, le socialisme, la république... Qu'à cela ne tienne, les avant-gardistes, Nietzsche en tête, entreprendront de tout casser, pour dévoiler à la face du monde ce qui se cache derrière ! Ils ont, si tu veux, un petit côté hooligans (en plus cultivé...) d'autant plus hardi qu'à leurs yeux, l'humanisme a tout perdu des puissances de destruction et de création qu'il possédait encore à l'origine, lorsqu'il cassait lui-même les idoles de la cosmologie grecque ou de la religion chrétienne avant, si l'on ose dire, de s'embourgeoiser à son tour.

C'est cela aussi qui expliquera la radicalité, voire la brutalité et même les terrifiants égarements de la post-modernité philosophique : oui, il faut le dire posément, hors de toute polémique, ce n'est pas un hasard si Nietzsche fut le penseur fétiche des nazis, pas plus que c'en est un que Marx devienne celui des staliniens et des maoïstes... Il n'en reste pas moins que la pensée de Nietzsche, parfois insupportable, est aussi géniale, décapante à souhait. On peut ne pas partager ses idées, on peut même les détester, mais on ne peut plus penser après lui comme avant. Là est le signe incontestable du génie.

Pour t'exposer les principaux motifs de sa philosophie, je suivrai encore les trois grands axes auxquels tu es maintenant habitué : *theoria*, *praxis*, doctrine du salut.

Certains spécialistes de Nietzsche – ou prétendus tels – ne manqueront pas de t'assurer qu'il est absurde de vouloir trouver quelque chose comme une *theoria* chez celui qui fut par excellence – je viens d'ailleurs de te dire pourquoi – le pourfendeur du rationalisme, le critique inlassable de toute « volonté de vérité », chez un penseur qui n'a cessé de se moquer de ce qu'il appelait l'« homme théorique » – philosophe ou scientifique – animé par la « passion de la connaissance ». Il apparaîtra plus sacrilège encore aux nietzschéens orthodoxes – car cette étrange espèce, qui eût bien fait rire Nietzsche, existe – de parler d'une « morale » alors que Nietzsche n'a cessé de se désigner lui-même comme l'« immoraliste », d'une sagesse chez celui dont on se plaît souvent à rappeler que ce n'est peut-être pas tout à fait un hasard s'il est mort fou. Et que dire d'une doctrine du salut chez le penseur de la « mort de Dieu », chez un philosophe qui eut l'audace de se comparer à l'Antéchrist

et de tourner explicitement en dérision toute espèce de
« spiritualité » ?

Je te donne à nouveau ce conseil : n'écoute pas tout
ce qu'on te dit, et juge toujours par toi-même. Lis les
œuvres de Nietzsche – je te suggère de commencer par
Le Crépuscule des idoles, et notamment par le petit chapitre intitulé « Le cas Socrate » dont je te parlerai tout à
l'heure. Compare les interprétations des uns et des
autres, puis fais-toi ton opinion.

Cela dit, je vais te faire une confidence : bien entendu,
c'est une évidence qui crève les yeux du premier lecteur
venu, on ne trouvera pas chez Nietzsche une *theoria*,
une *praxis* et une doctrine du salut au sens où nous les
avons rencontrées chez les stoïciens, chez les chrétiens
ou même chez Descartes, Rousseau et Kant. Nietzsche
est bien ce qu'on appelle un « généalogiste » – c'est le
nom qu'il se donnait lui-même –, un « déconstructeur »,
quelqu'un qui a passé sa vie à pourfendre les illusions
de la tradition philosophique, et cela ne peut échapper à
personne.

Cela signifie-t-il, pour autant, que l'on ne rencontre
pas dans son œuvre une pensée *qui viendrait prendre la
place des idées anciennes*, qui viendrait se substituer aux
« idoles » de la métaphysique traditionnelle ? Evidemment non, et, comme tu vas voir, Nietzsche ne
déconstruit pas la cosmologie grecque, le christianisme
ou la philosophie des Lumières pour le simple plaisir de
nier ou de détruire, mais pour faire place nette à des
pensées neuves, radicales, qui vont bel et bien constituer, quoique en un sens inédit, une *theoria*, une *praxis*
et même une *pensée du salut* d'un nouveau genre.

En quoi il reste un philosophe.

Voyons cela d'un peu plus près en continuant, sans
nous laisser impressionner par de vaines mises en garde,
à reprendre nos trois grands axes : *theoria*, *praxis*, doctrine du salut, pour voir ce que Nietzsche peut bien

inventer de nouveau *en leurs lieu et place*, lorsqu'il entreprend de les subvertir *du dedans*.

I. Par-delà la *theoria* : un « gai savoir » débarrassé du *cosmos*, de Dieu et des « idoles » de la raison

Pardonne-moi d'y revenir, mais cela devient si important qu'il me faut maintenant être certain que tu as bien compris qu'il y a toujours, dans la *theoria* philosophique, deux aspects. Il y a le *theion* et le *orao*, le *divin* qu'on cherche à repérer dans le réel et le *voir* qui le contemple, *ce que* l'on veut connaître et *ce avec quoi* on tente d'y parvenir (les instruments dont on se sert pour y arriver). En d'autres termes, la théorie comprend toujours, d'un côté, la définition de l'essence la plus intime de l'être, de ce qui est le plus important dans le monde qui nous entoure (ce qu'on appelle l'*ontologie* – *onto* renvoie au mot grec qui veut dire « étant ») et, de l'autre, celle de la vision ou, tout au moins, des moyens de connaissance qui nous permettent de l'appréhender (ce qu'on nomme la *théorie de la connaissance*).

Par exemple, chez les stoïciens, tu t'en souviens, l'« ontologie » consiste à définir l'essence la plus intime de l'Etre, ce qui, dans le réel, est le plus réel ou le plus « divin », comme harmonie, *cosmos*, ordre harmonieux, juste et beau ; quant à la théorie de la connaissance, elle réside dans cette contemplation qui, grâce à l'activité de l'intellect, parvient à saisir le côté « logique » de l'univers, le *logos* universel qui structure le monde tout entier. Chez les chrétiens, l'Etre suprême, ce qui est le plus « étant », n'est plus le *cosmos*, mais un Dieu personnel, et l'instrument adéquat pour le penser, le seul moyen, à vrai dire, de le rejoindre en quelque façon, n'est plus la raison mais la foi. Ou encore, chez les

Modernes, chez Newton et Kant notamment, l'univers cesse d'être cosmique ou divin pour devenir un tissu de forces que le savant s'efforce de penser grâce à son entendement, en dégageant les grandes lois, comme celle de la causalité par exemple, qui gouvernent les rapports entre les corps...

Ce sont aussi ces deux axes constitutifs de la *theoria* que nous allons suivre chez Nietzsche pour voir, justement, quelles distorsions il leur fait subir et comment il les réaménage de manière inédite.

Comme tu verras, sa *theoria*, sans mauvais jeu de mots, est plutôt une « *a-theoria* » – au sens où on dit d'un homme qui ne croit pas en Dieu qu'il est a-thée, littéralement : sans Dieu (en grec, le préfixe *a* veut dire tout simplement « sans »). Car pour Nietzsche, d'un côté, le fond du réel, l'essence la plus intime de l'être, n'a rien de cosmique ni de divin, tout au contraire, et de l'autre, la connaissance ne relève pas des catégories de la vision – du *orao* grec. Elle n'est pas une contemplation ou un spectacle passif comme chez les Anciens. Elle n'est pas davantage, comme chez les Modernes, une tentative pour élaborer malgré tout des liens entre les choses afin de retrouver une nouvelle forme d'ordre et de sens. Mais, comme je te l'ai déjà suggéré, elle est au contraire une « déconstruction » à laquelle Nietzsche a donné lui-même le nom de « généalogie ».

Le mot est en soi assez parlant : comme dans l'activité qui consiste à retracer les filiations d'une famille, la racine, le tronc et les branches de son arbre, la vraie philosophie doit, selon Nietzsche, mettre au jour l'origine cachée des valeurs et des idées qui se veulent intouchables, sacrées, venues du ciel... pour les faire redescendre sur Terre et dévoiler la façon, le plus souvent très *terrestre*, en effet (c'est un des mots favoris de Nietzsche), dont elles ont, en réalité, été engendrées.

Voyons cela d'un peu plus près avant d'en venir à l'ontologie.

A. Théorie de la connaissance : comment la « généalogie » prend la place de la *theoria*

Comme j'ai déjà commencé à te l'expliquer, la thèse la plus profonde de Nietzsche, celle qui va fonder toute sa philosophie – tout son « matérialisme » si l'on entend par là un rejet de tous les « idéaux » –, c'est qu'il n'existe rigoureusement *aucun point de vue extérieur et supérieur à la vie, aucun point de vue qui aurait en quoi que ce soit le privilège de s'abstraire du tissu de forces qui constituent le fond du réel, l'essence la plus intime de l'être.*

Par suite, aucun jugement sur l'existence en général n'a le moindre sens, sinon à titre d'illusion, de pur symptôme n'exprimant lui-même qu'un certain état des forces vitales de celui qui le porte.

Voilà ce que Nietzsche énonce de la façon la plus claire dans ce passage décisif du *Crépuscule des idoles* :

> « Des jugements, des appréciations de la vie, pour ou contre, ne peuvent en dernière instance jamais être vrais : ils n'ont d'autre valeur que celle d'être des symptômes – en soi, de tels jugements sont des stupidités. Il faut donc étendre les doigts pour tâcher de saisir cette finesse extraordinaire que *la valeur de la vie ne peut pas être évaluée.* Ni par un vivant, parce qu'il est partie, et même objet de litige, ni par un mort, pour une autre raison. De la part d'un philosophe, voir un problème dans la *valeur* de la vie demeure même une objection contre lui, un point d'interrogation envers sa sagesse, un manque de sagesse[1]. »

Pour le déconstructeur, pour le généalogiste, non seulement il ne saurait exister aucun jugement de valeur

---

1. *Le Crépuscule des idoles*, « Le cas Socrate », § 2.

« objectif », « désintéressé », c'est-à-dire indépendant des intérêts vitaux de celui qui le porte – ce qui suppose déjà la ruine des conceptions classiques du droit et de la morale – mais, pour les mêmes raisons, il ne saurait non plus y avoir ni « sujet en soi », autonome et libre, ni « faits en soi », objectifs et absolument vrais. Car tous nos jugements, tous nos énoncés, toutes les phrases que nous prononçons ou les idées que nous émettons sont les expressions de nos états vitaux, des émanations de la vie en nous et nullement des entités abstraites, autonomes, indépendantes des forces vitales qui sont en nous. Et toute l'œuvre de la généalogie, c'est de prouver cette vérité nouvelle, plus haute que toutes les autres.

Voilà aussi pourquoi, selon l'une des formules les plus célèbres de Nietzsche, « il n'y a pas de fait, mais seulement des interprétations » : de même que nous ne saurions jamais être des individus autonomes et libres, transcendants le réel au sein duquel nous vivons, mais seulement des produits historiques, de part en part immergés dans cette réalité qu'est la vie, de même, contrairement à ce que pensent les positivistes ou les scientistes, il n'y a pas d'« états de fait en soi ». Le savant dit volontiers : « Les faits sont là ! », pour écarter une objection ou, tout simplement, pour exprimer le sentiment qu'il éprouve face à la contrainte de la « vérité objective ». Mais les « faits » auxquels il prétend se soumettre comme à une donnée intangible et incontestable ne sont jamais, si du moins on se place à un niveau de réflexion plus profond, que le produit, lui-même fluctuant, d'une histoire de la vie en général et des forces qui la composent à tel ou tel instant particulier.

La philosophie authentique conduit donc vers un point de vue abyssal : l'activité de déconstruction qui anime le généalogiste finit par se rendre compte que derrière les évaluations il n'y a pas de fond mais un abîme, derrière les arrière-mondes eux-mêmes, d'autres arrière-mondes, à jamais insaisissables. Seul, en marge du « troupeau », il incombe dès lors au philosophe authentique d'affronter la tâche angoissante de regarder cet abîme en face :

> « Le solitaire [...] doute même qu'un philosophe puisse avoir des opinions "véritables et ultimes" ; il se demande s'il n'y a pas en lui, nécessairement, derrière chaque caverne une autre qui s'ouvre, plus profonde encore, et au-dessous de chaque surface un monde souterrain plus vaste, plus étranger, plus riche, et sous tous les fonds, sous toutes les fondations, un tréfonds plus profond encore. "Toute philosophie est une façade" – tel est le jugement du solitaire [...]. Toute philosophie dissimule une autre philosophie, toute opinion est une cachette, toute parole peut être un masque[1]. »

Mais si la connaissance ne parvient jamais à la vérité absolue, si elle est sans cesse repoussée d'horizons en horizons sans pouvoir atteindre un roc solide et définitif, c'est bien entendu parce que le réel lui-même est un chaos qui ne ressemble plus en quoi que ce soit au système harmonieux des Anciens, ni même à l'univers, encore plus ou moins « rationalisable », des Modernes.

C'est avec cette nouvelle idée que tu vas vraiment entrer dans le cœur de la pensée nietzschéenne.

B. Ontologie : une définition du monde comme un chaos qui n'a rien de cosmique ni de divin

Si tu veux bien comprendre Nietzsche, tu n'as qu'à partir de l'idée qu'il pense le monde à peu près à l'opposé des stoïciens. Ces derniers en faisaient un *cosmos*,

---

1. *Par-delà le bien et le mal*, § 289.

un ordre harmonieux et bon qu'ils nous invitaient à prendre comme modèle pour y trouver notre juste place. Nietzsche considère, à l'exact inverse, le monde, organique autant qu'inorganique, en nous autant qu'hors de nous, comme un vaste champ d'énergie, comme un tissu de forces ou de pulsions *dont la multiplicité infinie et chaotique est irréductible à l'unité.* En d'autres termes, le *cosmos* des Grecs est à ses yeux le mensonge par excellence, une belle invention, certes, mais simplement destinée à consoler les hommes et à les rassurer :

> « Savez-vous bien ce que c'est que le "monde" pour moi ? Voulez-vous que je vous le montre dans mon miroir ? Ce monde est un monstre de forces, sans commencement ni fin, une somme fixe de forces, dure comme l'airain, [...] une mer de forces en tempête, un flux perpétuel[1]. »

Tu me diras peut-être, si tu as bien lu ce qui précède, qu'avec les Modernes déjà, avec Newton et Kant par exemple, le *cosmos* des Grecs avait explosé. Et tu te poseras alors la question de savoir en quoi Nietzsche va plus loin qu'eux dans la déconstruction de l'idée d'harmonie.

Pour te répondre d'une phrase, la différence entre le postmoderne et le moderne, la différence, si tu veux, entre Nietzsche et Kant (ou Newton ou Claude Bernard), c'est que ces derniers cherchent encore de toutes leurs forces à retrouver de l'unité, de la cohérence, de l'ordre dans le monde, à y injecter de la rationalité, de la logique. Tu te souviens de l'exemple de Claude Bernard et de ses lapins : le savant cherche désespérément des explications, il veut remettre du sens, de la raison dans le cours des choses. Et le monde de Newton, même s'il est déjà un tissu de forces et d'objets qui s'entre-choquent, n'en est pas moins, au final, un univers

---

1. *Ibid.*, tome I, livre 2, § 51.

cohérent, unifié et régi par des lois – comme celle de la gravitation universelle, qui permet de retrouver un certain ordonnancement des choses.

Pour Nietzsche, une telle entreprise est peine perdue. Elle reste victime des illusions de la raison, du sens et de la logique, car aucune réunification des forces chaotiques du monde n'est plus désormais possible. Comme les hommes de la Renaissance, qui voyaient le *cosmos* s'effondrer sous les coups de la physique nouvelle, nous sommes saisis par l'effroi, mais aucune « consolation » n'est plus possible :

> « Le grand frisson nous saisit une nouvelle fois – mais qui donc aurait envie de recommencer d'emblée à diviniser ce monstre de monde inconnu à la manière ancienne... Ah, cette chose inconnue comprend trop de possibilités d'interprétations non divines, trop de diablerie, de sottise, de bouffonnerie[1]... »

Le rationalisme scientifique des Modernes n'est donc lui-même qu'une illusion, une façon de poursuivre, au fond, celle des cosmologies anciennes, une « projection » humaine (et Nietzsche, déjà, emploie les mots qui seront bientôt ceux de Freud), c'est-à-dire une façon de prendre nos désirs pour des réalités, de nous procurer un semblant de pouvoir sur une matière insensée, multiforme et chaotique qui nous échappe en réalité de toute part.

Je te parlais tout à l'heure de Picasso et de Schönberg, des pères fondateurs de l'art contemporain : au fond, ils sont sur la même longueur d'onde que Nietzsche. Si tu regardes leurs tableaux ou écoutes leur musique, tu verras que le monde qu'ils nous livrent est lui aussi un monde déstructuré, chaotique, brisé, illogique, dépourvu de cette « belle unité » que la perspective et le respect des règles de l'harmonie conféraient aux œuvres d'art

1. *Le Gai Savoir*, § 374.

du passé. Cela te donnera une idée tout à fait juste de ce que tente de penser Nietzsche cinquante ans avant eux – où tu noteras au passage que la philosophie, plus encore que les arts, a toujours été en avance sur son temps.

Comme tu vois, dans ces conditions, il y a peu de chances pour que l'activité philosophique puisse consister à contempler je ne sais quel ordre divin qui viendrait structurer l'univers. Il est impossible qu'elle prenne, au sens strict, du moins si on suit l'étymologie, la forme d'une *theoria*, d'une « vision » de quoi que ce soit de « divin ». L'idée d'un univers unique et harmonieux est l'illusion suprême. Pour le généalogiste, il est sans doute risqué, mais néanmoins nécessaire de la dissiper.

Pourtant, Nietzsche n'en reste pas moins philosophe. Il va donc lui falloir, comme à tout philosophe, tenter de comprendre quand même ce réel qui nous entoure, saisir la nature profonde de ce monde dans lequel il nous faut bien, même et surtout s'il est chaotique, apprendre à nous situer !

Mais, plutôt que de chercher coûte que coûte une rationalité dans ce chaos, ce tissu de forces contradictoires qu'est l'univers, et qu'il désigne sous le nom de *Vie*, Nietzsche va proposer de distinguer deux sphères bien distinctes, deux grands types de forces – ou, comme il dit encore, de « pulsions » ou d'« instincts » : d'un côté les forces « réactives », de l'autre les forces « actives ».

C'est sur cette distinction que va se fonder toute sa pensée. Il faut donc nous y arrêter suffisamment pour que tu la comprennes en profondeur – car ses racines et ses ramifications sont très étendues, mais, comme tu vas voir aussi, d'autant plus éclairantes.

En première approximation, on peut dire que les premières, c'est-à-dire les forces réactives, ont pour modèle, sur le plan intellectuel, la « volonté de vérité » qui anime la philosophie classique et la science ; sur le plan politique, elles tendent à réaliser l'idéal démocratique ; les secondes, au contraire, sont essentiellement en jeu dans l'art et leur univers naturel est celui de l'aristocratie.

Voyons cela d'un peu plus près.

Les forces « réactives » ou la négation du monde sensible : comment elles s'expriment dans la « volonté de vérité » chère au rationalisme moderne et culminent dans l'idéal démocratique

Commençons par l'analyse des forces « réactives » : *ce sont celles qui ne peuvent se déployer dans le monde et y produire tous leurs effets qu'en réprimant, en annihilant ou en mutilant d'autres forces.* Autrement dit, elles ne parviennent à se poser qu'en s'opposant, elles relèvent de la logique du « non » plus que du « oui », du « contre » plus que du « pour ». Le modèle est ici la recherche de la vérité car cette dernière se conquiert toujours plus ou moins *négativement*, en commençant par réfuter des erreurs, des illusions, des opinions fausses. Et cette logique vaut tout autant pour la philosophie que pour les sciences positives.

L'exemple auquel pense Nietzsche, celui qu'il a en tête lorsqu'il parle de ces fameuses forces réactives, est celui des grands dialogues de Platon. J'ignore si tu as déjà regardé un de ces dialogues, mais il faut que tu saches qu'ils se déroulent presque toujours de la façon suivante : les lecteurs – ou les spectateurs, car ils pouvaient aussi être mis en scène devant un public, comme des pièces de théâtre – y assistent aux échanges entre un personnage central, presque toujours Socrate, et des interlocuteurs, tantôt plutôt bienveillants et naïfs, tantôt plus ou moins hostiles et désireux de contredire Socrate.

C'est notamment le cas lorsque ce dernier s'oppose à ceux qu'on nomme alors les « sophistes », c'est-à-dire des maîtres de discours, de « rhétorique », qui ne prétendent pas, contrairement à Socrate, chercher la vérité mais seulement enseigner les meilleurs moyens de séduire et de persuader par l'art oratoire.

Après avoir choisi un thème de discussion philosophique – du genre : qu'est-ce que le courage, la beauté, la vertu ?, etc. – Socrate propose à ses interlocuteurs de repérer ensemble les « lieux communs », les opinions courantes sur le sujet afin de les prendre pour point de départ et de s'élever au-dessus d'elles, jusqu'à atteindre si possible la vérité. Une fois ce repérage effectué, la discussion s'engage : c'est ce qu'on nomme la « dialectique », l'art du dialogue, au cours duquel Socrate ne cesse de poser des questions à ses interlocuteurs, le plus souvent pour leur montrer qu'ils se contredisent, que leurs idées ou leurs convictions premières ne tiennent pas la route, et qu'il faut qu'ils réfléchissent davantage, pour aller plus loin.

Il faut encore que tu saches une chose sur les dialogues de Platon – c'est important pour en revenir à la définition des « forces réactives » qui sont en jeu, selon Nietzsche, dans la recherche de la vérité telle que Socrate la pratique : c'est que cet échange entre Socrate et ses interlocuteurs est en réalité inégal.

Socrate y occupe toujours une position *décalée* par rapport à celui qu'il interroge et avec lequel il dialogue. Socrate fait semblant de ne pas savoir, il joue les naïfs – il a, si j'ose dire, un côté « inspecteur Columbo » –, alors qu'en vérité, il sait parfaitement où il va. Le décalage avec son interlocuteur tient au fait qu'ils ne sont pas au même niveau, au fait que Socrate prétend être à égalité avec lui alors qu'il est en avance sur lui, comme le maître sur l'élève. C'est là ce que les romantiques allemands ont appelé l'« ironie socratique » : ironie, parce que Socrate joue un jeu, parce qu'il est non seu-

lement en décalage avec ceux qui l'entourent, mais surtout avec lui-même, puisqu'il connaît parfaitement,
contrairement à son vis-à-vis, le rôle qu'il joue.

Mais c'est aussi en quoi Nietzsche considère que son
attitude est essentiellement *négative ou réactive* : non
seulement la vérité qu'il recherche ne parvient à s'imposer qu'à travers la réfutation d'autres opinions, mais en
plus, il n'affirme lui-même jamais rien de risqué, il ne
s'expose pas, ne propose jamais rien de positif. Il se
contente seulement, en suivant la fameuse méthode de
la « maïeutique » (c'est-à-dire de l'« art de l'accou-
chement »), de mettre son interlocuteur en difficulté, de
le placer en contradiction avec lui-même, afin de le faire
accoucher, justement, de la vérité.

Dans le petit chapitre du *Crépuscule des idoles*
consacré à Socrate, que je t'ai conseillé de lire tout à
l'heure, Nietzsche le compare à une torpille, ce poisson
électrique qui paralyse ses proies. Car c'est en *réfutant*
les autres que le dialogue progresse pour tenter de parvenir, au final, à une idée plus juste. Cette dernière se pose
donc *contre* des lieux communs auxquels elle s'oppose
comme ce qui « tient » à ce qui ne « tient pas », comme
ce qui est cohérent à ce qui est contradictoire ; elle n'apparaît jamais directement ou immédiatement, mais toujours indirectement, à travers le rejet des forces de
l'illusion.

En quoi tu perçois maintenant le lien qui existe dans
son esprit entre la passion socratique du vrai, la volonté
de rechercher la vérité, philosophique ou scientifique, et
l'idée de « forces réactives ».

Aux yeux de Nietzsche, la recherche de la vérité
s'avère même *doublement réactive* : car la connaissance
vraie ne se construit pas seulement dans un *combat
contre l'erreur, la mauvaise foi et le mensonge,* mais
plus généralement, dans *une lutte contre les illusions
inhérentes au monde sensible en tant que tel.* La philosophie et la science ne peuvent en effet fonctionner

qu'en opposant le « monde intelligible » au « monde sensible » de telle sorte que le second sera inévitablement dévalorisé par le premier. C'est là un point crucial aux yeux de Nietzsche, et il est important que tu le comprennes bien.

Nietzsche reproche, en effet, à toutes les grandes traditions scientifiques, métaphysiques et religieuses – il pense notamment au christianisme – d'avoir sans cesse « méprisé » le corps et la sensibilité au profit de la raison. Il te semblera peut-être étrange qu'il mette dans le même sac les sciences et les religions. Mais la pensée de Nietzsche ne s'égare pas et ce rapprochement n'est pas incohérent. En effet, la métaphysique, la religion et la science, malgré tout ce qui les sépare et même souvent les oppose, *ont en commun de prétendre accéder à des vérités idéales, à des entités intelligibles qui ne se touchent pas concrètement ni ne se voient, à des notions qui n'appartiennent pas à l'univers corporel.* C'est donc aussi *contre lui* – où l'on retrouve à nouveau l'idée de « réaction » – qu'elles s'efforcent de travailler, car les sens, c'est bien connu, ne cessent de nous leurrer.

En veux-tu une preuve toute simple ? En voici une : si nous nous en tenions aux seules données sensorielles – la vue, le toucher, etc. – l'eau, par exemple, pourrait bien nous apparaître sous des formes tout à fait multiples, différentes, voire contradictoires – l'eau bouillante, qui est brûlante, la pluie, qui est froide, la neige, qui est molle, la glace, qui est dure, etc. – alors qu'il s'agit toujours, *en vérité*, d'une seule et même réalité. Voilà pourquoi il faut savoir s'élever au-dessus du sensible, et même penser *contre* lui – ce qui relève à nouveau pour Nietzsche d'une force réactive – si l'on veut atteindre l'« intelligible », parvenir à l'« idée de l'eau » ou, dirions-nous aujourd'hui, à cette abstraction scientifique, purement intellectuelle et non sensible, que désigne une formule chimique telle que H_2O.

Du point de vue de la « volonté de vérité », comme

dit Nietzsche, du point de vue du savant ou du philosophe qui veut parvenir à une connaissance vraie, il faut par conséquent rejeter toutes les forces qui relèvent du mensonge et de l'illusion, mais aussi toutes les pulsions qui dépendent trop exclusivement de la sensibilité, du corps. Bref, *il faut se méfier de tout ce qui est essentiel à l'art.* Et le soupçon de Nietzsche, bien sûr, c'est que derrière cette « réaction » se cache une dimension tout autre que le seul souci de la vérité. Peut-être, déjà, une option éthique inavouée, le choix de certaines valeurs contre d'autres, un parti pris caché en faveur de l'« au-delà » contre l'« ici-bas »...

Le point, en tout cas, est essentiel : en effet, si l'on récuse non seulement la recherche de la vérité, mais en plus, avec elle, l'idéal de l'humanisme démocratique, alors la critique de la philosophie moderne et des « valeurs bourgeoises » sur lesquelles elle repose aux yeux de Nietzsche sera complète : on aura déconstruit tout à la fois le rationalisme et l'humanisme ! Car les vérités auxquelles la science veut parvenir sont « intrinsèquement démocratiques », elles sont de celles *qui prétendent valoir pour tout un chacun, en tout temps et en tout lieu.* Une formule telle que $2 + 2 = 4$ ne connaît aucune frontière, ni celle des classes sociales, ni celles de l'espace et du temps, de la géographie et de l'histoire. Elle tend, autrement dit, *à l'universalité*, en quoi – et il me semble que le diagnostic nietzschéen est sur ce point peu discutable – les vérités scientifiques sont bien au cœur de l'humanisme, ou, comme il se plaît à dire, elles sont « roturières », « plébéiennes », foncièrement « anti-aristocratiques ».

C'est là d'ailleurs ce que les savants, qui sont souvent des républicains, aiment dans leur science : elle s'adresse aux puissants comme aux faibles, aux riches comme aux pauvres, au peuple comme aux princes. De là le fait que Nietzsche s'amuse parfois à souligner les

origines populaires de Socrate, l'inventeur de la philosophie et de la science, le premier promoteur des forces
réactives orientées vers l'idéal du vrai. De là aussi
l'équivalence qu'il établit, dans le chapitre du *Crépuscule des idoles* consacré au « cas Socrate », entre le
monde démocratique et le refus de l'art, entre la volonté
de vérité socratique et la *laideur*, en effet légendaire, du
héros des dialogues de Platon qui signe la fin d'un
monde aristocratique encore pétri de « distinction » et
d'« autorité ».

Je vais te citer un extrait de ce texte, pour qu'il te
fasse réfléchir. Je vais ensuite te l'expliquer en détail
pour te montrer combien Nietzsche est difficile à lire
même lorsqu'il paraît simple, car le sens véritable de ce
qu'il écrit est parfois contraire à l'apparence qu'il se
donne. Voici ce texte :

> « Socrate appartenait par son origine au plus bas
> peuple : Socrate était de la populace. On sait, on voit
> encore combien il était laid... En fin de compte, Socrate
> était-il un Grec ? La laideur est souvent l'expression
> d'une évolution croisée, entravée par le métissage...
> Avec Socrate, le goût grec s'altère en faveur de la dia-
> lectique. Que se passe-t-il exactement ? Avant tout
> c'est un goût *distingué* qui est vaincu. Avec la dialec-
> tique, le peuple arrive à avoir le dessus... Ce qui a
> besoin d'être démontré pour être cru ne vaut pas
> grand-chose. Partout où l'autorité est encore de bon
> ton, partout où l'on ne "raisonne" pas, mais où l'on
> commande, le dialecticien est une sorte de polichinelle.
> On se rit de lui, on ne le prend pas au sérieux. Socrate
> fut le polichinelle qui se fit prendre au sérieux... »

Il est difficile, aujourd'hui, de mettre entre paren-
thèses ce qu'un tel discours peut avoir de déplaisant.
Tous les ingrédients de l'idéologie fasciste paraissent
s'y nouer : culte de la beauté et de la « distinction » dont
la « populace » est par nature exclue, classement des

individus selon leurs origines sociales, équivalence entre peuple et laideur, valorisation de la nation, en l'occurrence la Grèce, soupçons pénibles sur un possible métissage censé expliquer on ne sait trop quelle décadence... Rien n'y manque. Ne t'arrête pas, pourtant, à cette première impression. Non qu'elle soit, hélas, tout à fait fausse. Comme je te l'ai déjà dit d'ailleurs, ce n'est pas par hasard que Nietzsche a pu être récupéré par les nazis. Pourtant, elle ne fait pas non plus justice à ce qu'il peut y avoir malgré tout de profond dans l'interprétation qu'il donne du personnage de Socrate. Plutôt que de le rejeter en bloc, je te propose de regarder ensemble d'un peu plus près le sens de ses propos pour en dégager, autant qu'il est possible, la signification profonde.

Pour y parvenir, il nous faut encore enrichir notre réflexion et prendre maintenant en compte l'autre composante du réel, à savoir ces fameuses *forces actives* que viennent compléter, au côté des réactives, la définition du monde, du réel, à laquelle Nietzsche tente de parvenir.

Les forces « actives » ou l'affirmation du corps : comment elles s'expriment dans l'art – non dans la science – et culminent dans une vision « aristocratique » du monde

Je t'ai déjà suggéré qu'à l'inverse des réactives, les forces actives pouvaient se poser dans le monde et y déployer tous leurs effets sans avoir besoin de mutiler ou de réprimer d'autres forces. C'est dans l'art, et non plus dans la philosophie ou dans la science, que ces forces trouvent leur espace de vie naturel. *De même qu'il existe une équivalence secrète entre : réaction/recherche de la vérité/démocratie/rejet du monde sensible au profit du monde intelligible, de même, un fil d'Ariane*

relie entre eux l'art, l'aristocratie, le culte du monde
sensible ou corporel, et les forces actives.

Voyons cela d'un peu plus près – ce qui te permettra
non seulement de comprendre le jugement terrible de
Nietzsche contre Socrate, mais de percevoir enfin en
quoi consiste son « ontologie », sa définition complète
du monde comme ensemble des forces réactives et
actives.

Contrairement à l'« homme théorique », philosophe
ou savant dont nous venons de parler, l'artiste est par
excellence *celui qui pose des valeurs sans discuter*, celui
qui ouvre pour nous des « perspectives de vie », qui
invente des mondes nouveaux sans avoir besoin de
démontrer la légitimité de ce qu'il propose, *encore*
moins de la prouver par la réfutation d'autres œuvres
qui précéderaient la sienne. Comme l'aristocrate, le
génie *commande sans argumenter contre qui ou quoi*
que ce soit – note au passage que c'est pour cela que
Nietzsche déclare que « ce qui a besoin d'être démontré
pour être cru ne vaut pas grand-chose »...

A l'évidence, tu peux aimer Chopin, Bach, le rock ou
la techno, les peintres hollandais ou les contemporains
sans que nul ne songe même à t'imposer de choisir l'un
d'entre eux à l'exclusion des autres. Du côté de la vérité,
en revanche, il faut bien trancher à un moment ou à un
autre : Copernic a raison contre Ptolémée, et la physique
de Newton est assurément plus vraie que celle de Descartes. La vérité ne se pose qu'en écartant les erreurs
dont l'histoire des sciences est jonchée. L'histoire de
l'art est, tout au contraire, le lieu d'une possible coexistence des œuvres même les plus contrastées. Non que
les tensions et les querelles y soient absentes. Tout à
l'inverse, les conflits esthétiques sont parfois les plus
violents et les plus passionnés qui soient. Seulement, ils
ne sont jamais tranchés en termes d'« avoir tort ou raison », ils laissent toujours ouverte, au moins après coup,
la possibilité d'une égale admiration pour leurs divers

protagonistes. Personne ne songerait à dire, par exemple, que Chopin « a raison contre Bach » ou Ravel « tort par rapport à Mozart » !

Voilà pourquoi, sans doute, depuis l'aube de la philosophie en Grèce, deux types de discours, deux conceptions de l'usage des mots n'ont cessé de s'affronter.

D'un côté, le modèle socratique et réactif qui, par le dialogue, cherche la vérité et, pour y parvenir, s'oppose aux divers visages de l'ignorance, de la bêtise ou de la mauvaise foi. De l'autre, le discours sophistique dont je te disais tout à l'heure qu'il ne *vise en rien la vérité, mais cherche tout simplement à séduire, à persuader, à produire des effets quasi physiques, sur un auditoire dont il s'agit, par la seule puissance des mots, d'emporter l'adhésion.* Le premier registre est celui de la philosophie et de la science : le langage n'y est qu'un instrument au service d'une réalité plus haute que lui, la Vérité intelligible et démocratique qui s'imposera un jour ou l'autre à tout un chacun. Le second est celui de l'art, de la poésie : les paroles n'y sont plus de simples moyens, mais des fins en soi, elles valent par elles-mêmes du moment qu'elles produisent leurs effets esthétiques – c'est-à-dire, si l'on en croit l'étymologie (*aisthésis* est le mot grec qui désigne la sensation), *sensibles, presque corporelles* – sur ceux qui sont capables de les distinguer.

L'une des tactiques employées par Socrate, dans ses joutes oratoires contre les sophistes, illustre parfaitement cette opposition : alors qu'un grand sophiste, Gorgias ou Protagoras, par exemple, vient d'achever un récit éblouissant, devant un public encore sous le charme, Socrate feint l'incompréhension, ou, mieux encore, il arrive volontairement en retard, après le spectacle. Excellent prétexte pour demander au rhéteur de « *résumer* son propos », de formuler, si possible brièvement, le contenu essentiel de son discours. Tu comprends bien que c'est impossible – en quoi la demande de Socrate relève selon Nietzsche de la pure méchanceté ! Autant réduire une conversation amoureuse à son « noyau rationnel », autant demander à Baudelaire ou Rimbaud de résumer un de leurs poèmes ! L'albatros ? Un volatile qui peine à décoller... Le bateau ivre ? Un bâtiment en difficulté... Socrate n'a aucune peine à marquer des points : sitôt que son adversaire commet l'erreur d'entrer dans son jeu, il est perdu, car de toute évidence, du côté de l'art, ce n'est pas le contenu de vérité qui importe, mais la magie des émotions sensibles, et cette dernière, bien entendu, ne saurait résister à l'épreuve, par excellence réductrice, du résumé.

Où tu peux voir enfin ce que Nietzsche veut dire dans le texte que j'ai cité tout à l'heure, quand il évoque la « laideur » de Socrate, lorsqu'il l'associe à l'idéologie démocratique ou encore lorsqu'il stigmatise, un peu plus loin dans le même livre, la « méchanceté du rachitique » qui se plaît à manier contre ses interlocuteurs le « coup de couteau du syllogisme » : n'y vois pas tant l'expression de formules fascisantes que celle d'une aversion à l'égard de la volonté de vérité (du moins sous ses formes rationalistes et réactives traditionnelles – car tu comprends bien que Nietzsche, en un autre sens peut-être, qui reste encore à définir, cherche lui aussi une espèce de vérité).

De même, lorsqu'il parle d'« évolution croisée », et associe l'idée de métissage à celle de décadence, n'y vois pas forcément un relent de racisme – même si les connotations de son discours ne peuvent pas ne pas nous y faire penser. Si ambiguë et même déplaisante que soit la formulation, elle vise à signifier quelque chose de profond, à désigner un phénomène qu'il va nous falloir tirer au clair : à savoir le fait que les forces qui s'entrechoquent, qui se contrecarrent les unes les autres – ce qu'il nomme le « métissage » – *affaiblissent la vie et la rendent moins intense, moins intéressante.*

Car, comme nous l'avons maintenant bien compris,

aux yeux de Nietzsche – ou peut-être faudrait-il dire « à ses oreilles » tant le vocabulaire de la vision, de la *theoria*, est pour lui suspect – le monde n'est pas un *cosmos*, un ordre, ni naturel comme chez les Anciens, ni construit par la volonté des hommes comme chez les Modernes. C'est au contraire un chaos, une pluralité irréductible de forces, d'instincts, de pulsions qui ne cessent de s'affronter : *or le problème, c'est qu'en s'entrechoquant, ces forces menacent sans cesse, en nous comme hors de nous, de se contrecarrer, et par là même de se bloquer, donc de se diminuer et de s'affaiblir. C'est ainsi, dans le conflit, la vie qui s'étiole, qui devient moins vivante, moins libre, moins gaie, bref, moins puissante* – en quoi Nietzsche annonce la psychanalyse. D'après cette dernière, en effet, ce sont les conflits psychiques inconscients, les déchirements internes, qui nous empêchent de bien vivre, qui nous rendent malades, nous affaiblissent et nous interdisent, selon une fameuse formule de Freud, de « jouir et d'agir ».

Beaucoup d'interprètes de Nietzsche, notamment dans la période récente, ont commis une énorme erreur sur sa pensée, et j'aimerais que tu l'évites : ils ont cru hâtivement, que pour rendre la vie plus libre et plus gaie, Nietzsche proposait de rejeter les forces réactives afin de faire vivre les seules forces actives, de libérer le sensible et le corps en rejetant la « sèche et froide raison ».

Cela peut, en effet, sembler assez « logique » à première vue. Sache cependant qu'une telle « solution » est l'archétype de ce que Nietzsche nomme la « bêtise » : *car d'évidence, rejeter les forces réactives, ce serait soimême sombrer dans une autre figure de la réaction, puisqu'on s'opposerait à son tour à une partie du réel !* Ce n'est donc pas vers une quelconque forme d'anarchie, d'émancipation des corps ou de « libération sexuelle » qu'il va nous inviter à le suivre, mais au contraire vers une intensification et une hiérarchisation aussi maîtrisées que possible des multiples forces qui constituent la vie.

C'est là ce que Nietzsche nomme le « grand style ».

Et c'est avec cette idée que nous entrons au cœur de la morale de l'immoraliste.

II. Par-delà le bien et le mal : la morale de l'immoraliste ou le culte du « grand style »

Il y a bien entendu quelque paradoxe à vouloir trouver chez Nietzsche une morale – comme il y en avait un à rechercher la nature de sa *theoria*. Souviens-toi, nous en avons parlé déjà, de la façon dont Nietzsche rejette avec violence tout projet d'amélioration du monde. Chacun sait d'ailleurs, même sans être fin lecteur de ses œuvres, qu'il s'est toujours défini comme l'« immoraliste » par excellence, qu'il n'a cessé de pourfendre la charité, la compassion, l'altruisme, sous toutes leurs formes, chrétiennes ou non.

Je te l'ai dit, Nietzsche déteste la notion d'idéal, il est, par exemple, de ceux qui ne décolèrent pas devant les premières ébauches de l'humanitaire moderne dans lesquelles il ne voit qu'un relent débile de christianisme :

> « Proclamer l'amour universel de l'humanité, écrit-il dans ce contexte, c'est, dans la pratique, accorder la *préférence* à tout ce qui est souffrant, mal venu, dégénéré... Pour l'espèce, il est nécessaire que le malvenu, le faible, le dégénéré périssent[1]. »

Parfois, sa passion anticaritative, voire son goût de la

---

1. *La Volonté de puissance*, 151 (traduction Albert, Le Livre de Poche, p. 166).

catastrophe, tournent franchement au délire. Selon ses proches eux-mêmes, il ne peut contenir sa joie lorsqu'il apprend qu'un tremblement de terre a détruit quelques maisons à Nice, une ville où il aime pourtant séjourner, mais hélas, le désastre est moins grand que prévu. Heureusement, quelque temps après, il se rattrape en apprenant qu'un cataclysme a ravagé l'île de Java :

> « Deux cent mille êtres anéantis d'un coup, *dit-il à son ami Lanzky,* c'est magnifique ! [*sic !*] ... Ce qu'il faudrait, c'est une destruction radicale de Nice et des Niçois[1]... »

Prétendre parler d'une « morale de Nietzsche » n'est-il donc pas aberrant ? Et du reste, que pourrait-il bien proposer en la matière ? Si la vie n'est qu'un tissu de forces aveugles et déchirées, si nos jugements de valeur n'en sont jamais que des émanations, plus ou moins décadentes parfois, mais toujours privées de toute espèce de signification autre que celle d'être des symptômes de nos états vitaux, à quoi bon attendre de Nietzsche la moindre considération éthique ?

Une hypothèse, il est vrai, je te le disais à l'instant, a pu séduire certains nietzschéens « de gauche » – aussi bizarre que cela puisse paraître, cette étrange catégorie qui l'eût sans doute rendu encore plus malade qu'il n'était, existe bel et bien. Ils se sont arrêtés, de manière bien simpliste il faut l'avouer, au raisonnement suivant : si, parmi toutes les forces vitales, les unes, les réactives, sont « répressives », tandis que les autres, les actives, sont émancipatrices, ne faut-il pas tout simplement anéantir les premières au profit des secondes ? Ne faut-il pas même déclarer enfin que toutes les normes en tant que telles sont à proscrire, qu'il est « interdit d'interdire », que la morale bourgeoise n'est qu'une invention

---

1. Cf. sur cet aspect de la personnalité de Nietzsche, Daniel Halévy, *Nietzsche,* Hachette, coll. « Pluriel », 1986, p. 489 *sqq.*

de curés, afin de libérer enfin les pulsions en jeu dans l'art, le corps, la sensibilité ?

On l'a cru. Certains, paraît-il, y croient même encore... Dans la foulée des contestations soixante-huitardes, on a voulu lire Nietzsche en ce sens. Comme un révolté, un anarchiste, un apôtre de la libération sexuelle, de l'émancipation des corps...

A défaut de comprendre Nietzsche, il suffit seulement de le lire pour constater que cette hypothèse non seulement est absurde, mais qu'elle se situe aux antipodes de tout ce en quoi il a pu croire lui-même. Qu'il soit tout sauf un anarchiste, voilà ce qu'il n'a cessé d'affirmer haut et clair, comme en témoigne, parmi tant d'autres, ce passage du *Crépuscule* :

> «Lorsque l'anarchiste, comme porte-parole des couches sociales *en décadence*, réclame, dans une belle indignation, le "droit", la "justice", les "droits égaux", il se trouve sous la pression de sa propre inculture qui ne sait pas comprendre pourquoi, au fond, il souffre, en quoi il est pauvre en vie... Il y a en lui un instinct de causalité qui le pousse à raisonner : il faut que ce soit la faute de quelqu'un s'il se trouve mal à l'aise... cette "belle indignation" lui fait déjà du bien par elle-même, c'est un vrai plaisir pour un pauvre diable de pouvoir injurier, il y trouve une petite ivresse de puissance[1]... »

On peut contester si l'on veut l'analyse (encore que...). On ne saurait, en tout cas, faire endosser à Nietzsche la passion libertaire et les indignations juvéniles d'un Mai 68 qu'il eût sans aucun doute considérées comme une émanation par excellence de ce qu'il nommait l'« idéologie du troupeau »... On peut en discuter, sans doute. On ne peut en tout cas nier son aversion explicite pour toute forme d'idéologie révolutionnaire,

---

1. *Crépuscule, flâneries inactuelles*, § 34.

qu'il s'agisse du socialisme, du communisme ou de l'anarchisme.

Que, par ailleurs, la simple idée de « libération sexuelle » lui fît littéralement horreur n'est pas douteux non plus. C'est l'évidence à ses yeux : un vrai artiste, un écrivain digne de ce nom doit chercher avant tout, sur ce plan, à s'économiser. Selon un thème développé à satiété dans ses fameux aphorismes sur la « physiologie de l'art », « la chasteté est l'économie de l'artiste », il doit la pratiquer sans faille, car « c'est une seule et même force que l'on dépense dans la création artistique et dans l'acte sexuel ». Du reste, Nietzsche n'a pas de mots assez durs contre le déferlement des passions qui caractérise la vie moderne depuis l'émergence, au plus haut point funeste à ses yeux, du romantisme.

Il faut donc lire Nietzsche, avant d'en parler et de le faire parler.

Si, en plus, on veut le comprendre, il faut ajouter ceci, qui devrait être évident pour un vrai lecteur : toute attitude « éthique » qui consisterait à rejeter une partie des forces vitales, fût-ce celle qui correspondrait aux forces réactives, au profit d'un autre aspect de la vie, fût-il des plus « actifs », sombrerait elle-même *ipso facto* dans la plus patente réaction ! Et il est clair que cet énoncé est non seulement une conséquence directe de la définition nietzschéenne des forces réactives comme forces mutilantes et castratrices, mais que c'est aussi sa thèse la plus explicite et la plus constante, comme en témoigne ce passage crucial, et pour une fois limpide, d'*Humain trop humain* :

> « Supposé qu'un homme vive autant dans l'amour des arts plastiques ou de la musique qu'il est entraîné par l'esprit de la science [*il est donc séduit par les deux visages des forces, l'actif et le réactif*], et qu'il considère qu'il est impossible de faire disparaître cette contradiction par la suppression de l'un et l'affranchissement

complet de l'autre : il ne lui reste qu'à faire de lui-même un édifice de culture si vaste qu'il soit possible à ces deux puissances d'y habiter, quoique à des extrémités éloignées, tandis qu'entre elles deux, les puissances conciliatrices auront leur domicile, pourvues d'une force prééminente, pour aplanir en cas de difficulté la lutte qui s'élèverait... »

C'est cette conciliation qui est, aux yeux de Nietzsche, le nouvel idéal, l'idéal enfin acceptable parce qu'il n'est pas, à la différence de tous les autres, faussement extérieur à la vie mais, au contraire, explicitement arrimé à elle. Et c'est cela, très exactement, que Nietzsche nomme la *grandeur* – un terme capital chez lui –, le signe de la « grande architecture », celle au sein de laquelle les forces vitales, parce qu'elles sont enfin *harmonisées et hiérarchisées*, atteignent d'un même élan la plus grande *intensité* en même temps que la plus parfaite élégance. C'est seulement par cette harmonisation et cette hiérarchisation de *toutes les forces, même les réactives*, que la puissance s'épanouit et que la vie cesse d'être amoindrie, affaiblie, mutilée. Ainsi, toute grande civilisation, qu'on la pense à l'échelle individuelle ou à celle des cultures, « a consisté à forcer à l'entente les puissances opposées, par le moyen d'une très forte coalition des autres forces moins irréconciliables, sans pourtant les assujettir ni les charger de chaînes[1] ».

A qui s'interrogerait sur la « morale de Nietzsche », voici donc une réponse possible : la vie bonne, c'est la vie *la plus intense parce que la plus harmonieuse*, la vie la plus élégante (au sens où on le dit d'une démonstration mathématique qui ne fait pas de détours inutiles, de déperdition d'énergie pour rien), *c'est-à-dire celle dans laquelle les forces vitales au lieu de se contrarier, de se*

---

1. *Humain trop humain*, I, § 276.

déchirer et de se combattre et par conséquent de se blo-
quer ou de s'épuiser les unes les autres, se mettent à
coopérer entre elles, fût-ce sous le primat des unes,
les forces actives bien sûr, plutôt que des autres, les
réactives.
Et voilà, selon lui, le « grand style ».

Sur ce point au moins, la pensée de Nietzsche est
d'une parfaite limpidité, sa définition de la « grandeur »,
dans toute l'œuvre de la maturité, d'une univocité sans
faille. Comme l'explique fort bien un fragment de son
grand livre posthume, *La Volonté de puissance*, « la
grandeur d'un artiste ne se mesure pas aux "beaux sentiments" qu'il excite », mais elle réside dans le « grand
style », c'est-à-dire dans la capacité à « se rendre maître
du chaos intérieur, à forcer son propre chaos à prendre
forme ; agir de façon logique, simple, catégorique,
mathématique, se faire loi, voilà la grande ambition ».

Il faut le redire nettement : seuls seront surpris par
ces textes ceux qui commettent l'erreur, aussi niaise que
fréquente, de voir dans le nietzschéisme une manière
d'anarchisme, une pensée « de gauche » qui anticiperait
nos mouvements libertaires. Rien de plus faux et l'apologie de la rigueur « mathématique », le culte de la raison claire et rigoureuse trouvent, eux aussi, leur place
au sein des forces multiples de la vie. Rappelons-en une
dernière fois la raison : si l'on admet que les forces
« réactives » sont celles qui ne peuvent se déployer sans
nier d'autres forces, il faut bien convenir que la critique
du platonisme, et plus généralement du rationalisme
moral sous toutes ses formes, aussi justifiée soit-elle aux
yeux de Nietzsche, ne saurait conduire à une pure et
simple élimination de la rationalité. Une telle éradication
serait elle-même réactive. Il faut, si l'on veut parvenir à
cette grandeur qui est le signe d'une expression réussie
des forces vitales, hiérarchiser ces forces de telle façon
qu'elles cessent de se mutiler réciproquement – et dans
une telle hiérarchie, la rationalité doit aussi trouver sa
place.

Ne rien exclure, donc, et, dans le conflit entre la raison et les passions, ne pas choisir les secondes au détriment de la première, sous peine de sombrer dans la pure et simple « bêtise ».

Ce n'est pas moi qui le dis, mais Nietzsche, en maints endroits de son œuvre : « Toutes les passions ont un temps où elles ne sont que néfastes, où elles avilissent leurs victimes avec la lourdeur de la bêtise – et une époque tardive, beaucoup plus tardive, où elles se marient à l'esprit, où elles se "spiritualisent[1]". » Aussi surprenant que cela puisse paraître aux lecteurs libertaires de Nietzsche, c'est bien de cette « spiritualisation » qu'il fait un critère éthique, c'est elle qui doit nous permettre d'accéder au « grand style » en nous permettant de domestiquer les forces réactives au lieu de les rejeter « bêtement », en comprenant tout ce que nous gagnons à intégrer cet « ennemi intérieur » au lieu de le bannir et, part là même, de s'affaiblir.

Là encore, ce n'est pas moi qui le dis, mais Nietzsche, et de la façon la plus simple :

> « L'*inimitié* est un autre triomphe de notre spiritualisation. Elle consiste à comprendre profondément l'intérêt qu'il y a à avoir des ennemis : nous autres, immoralistes et antichrétiens, nous voyons notre intérêt à ce que l'Eglise subsiste... Il en est de même dans la grande politique. Une nouvelle création, par exemple un nouvel empire, a plus besoin d'ennemis que d'amis. Ce n'est que par le contraste qu'elle commence à se sentir, à devenir nécessaire. Nous ne nous comportons pas autrement à l'égard de l'ennemi intérieur : là aussi nous avons spiritualisé l'inimitié, là aussi nous avons compris sa valeur[2]. »

Et dans ce contexte, Nietzsche n'hésite pas à affirmer

---

1. *La morale en tant que manifestation contre nature*, § 1.
2. *Ibid.*, § 3.

haut et clair, lui qui passe pour l'Antéchrist et le plus acharné pourfendeur des valeurs chrétiennes, que la « continuation de l'idéal chrétien fait partie des choses les plus désirables qui soient[1] » puisqu'il nous offre, par la confrontation qu'il autorise, un moyen très sûr de devenir plus grand.

Si tu as bien compris ce qui précède, et notamment la signification exacte de la différence entre le réactif et l'actif, tu ne peux pas être surpris par ces textes – qui sembleront au contraire incompréhensibles et contradictoires aux mauvais lecteurs de Nietzsche. Et, bien entendu, c'est cette « grandeur » qui constitue l'alpha et l'oméga de la « morale nietzschéenne », elle qui doit nous guider dans la recherche d'une vie bonne, et ce pour une raison qui devient peu à peu évidente : elle seule nous permet d'intégrer en nous toutes les forces, elle seule nous autorise par là même à mener une vie plus *intense*, c'est-à-dire plus riche de diversité, mais aussi plus « puissante » – au sens de ce qu'il nomme « la volonté de puissance » – parce que plus harmonieuse : l'harmonie n'étant plus ici, à la différence de l'harmonie des Anciens, la condition de la douceur et de la paix, mais, en nous évitant les conflits qui épuisent et les amputations qui affaiblissent, celle de la plus grande force.

Voilà aussi pourquoi la notion de « volonté de puis-

---

1. Cf. *La Volonté de puissance, op. cit.*, § 409 : « J'ai déclaré la guerre à l'idéal anémique du christianisme (ainsi qu'à ce qui le touche de près), non point avec l'intention de l'anéantir, mais pour mettre fin à sa tyrannie. [...] La continuation de l'idéal chrétien fait partie des choses les plus désirables qui soient : ne fût-ce qu'à cause de l'idéal qui veut se faire valoir à côté de lui, et peut-être au-dessus de lui – car il faut à celui-ci des adversaires, et des adversaires vigoureux pour devenir fort. C'est ainsi que nous autres immoralistes, nous utilisons la puissance de la morale : notre instinct de conservation désire que nos adversaires gardent leurs forces – il veut seulement devenir le maître de ces adversaires. »

sance » n'a à peu près rien à voir avec ce que les lecteurs superficiels ont cru y comprendre. Il faut que je t'en dise un mot avant d'aller plus loin.

La volonté de puissance comme « essence la plus intime de l'Etre ». Vraie et fausse signification du concept de « volonté de puissance »

La notion de « volonté de puissance » est tellement centrale que Nietzsche n'hésite pas à en faire le cœur de sa définition du réel, le point ultime de ce que nous avons appelé son « ontologie » ou, comme il le dit lui-même à plusieurs reprises, elle est « l'essence la plus intime de l'Etre ».

Il faut ici écarter un malentendu aussi énorme que fréquent : la volonté de puissance n'a rien à voir avec le goût du pouvoir, avec le désir d'occuper je ne sais quelle place « importante ». Il s'agit de tout autre chose. C'est la volonté qui veut l'intensité, qui veut éviter à tout prix les déchirements internes dont je viens de te parler et qui, par définition même, nous diminuent puisque les forces s'annulent les unes les autres de sorte que la vie, en nous, s'étiole et s'amoindrit. C'est donc, non pas du tout la volonté de conquérir, d'avoir de l'argent et du pouvoir, mais le désir profond d'une intensité maximum de vie, d'une vie qui ne soit plus appauvrie, affaiblie parce que déchirée, mais qui soit au contraire la plus intense et la plus vivante possible.

En veux-tu un exemple ? Pense au sentiment de culpabilité, lorsque, comme on dit si bien, on « s'en veut à soi-même » : rien n'est pire que ce déchirement interne, cet état dont on n'arrive pas à sortir et qui nous paralyse au point de nous ôter toute espèce de joie. Mais songe aussi au fait qu'il y a des milliers de petites « culpabilités inconscientes », qui passent inaperçues, et qui, pourtant, n'en produisent pas moins leurs effets dévastateurs en terme de « puissance ». C'est en ce sens, par exemple, que dans certains sports, on « retient ses coups », au lieu de les « lâcher », comme si l'on avait une espèce de remords enfoui, de crainte inconsciente inscrite dans le corps.

La volonté de puissance, ce n'est pas la volonté d'avoir du pouvoir, mais, comme dit encore Nietzsche, c'est la « volonté de volonté », la volonté qui se veut elle-même, qui veut sa propre force, et qui ne veut pas, en revanche, être affaiblie par les déchirements internes, les culpabilités, les conflits mal résolus. Elle se réalise donc seulement dans et par le « grand style », dans des modèles de vie au sein desquels on pourrait enfin en finir avec les peurs, les remords et les regrets, tous ces tiraillements internes qui nous épuisent, qui nous « alourdissent » et nous empêchent de vivre avec la légèreté et l'innocence d'un « danseur ».

Tâchons de voir un peu plus concrètement ce que cela peut bien signifier.

Un exemple concret de « grand style » : le geste libre et le geste « coincé ». Classicisme et romantisme

Si tu veux maintenant te faire une image concrète de ce « grand style », tu n'as qu'à penser à ce que nous devons vivre, lorsque nous nous exerçons à un sport ou un art difficiles – et ils le sont tous –, pour parvenir à un geste parfait.

Pensons, par exemple, au mouvement de l'archet sur les cordes d'un violon, des doigts sur le manche d'une guitare ou, plus simplement encore, à un revers ou un service au tennis. Lorsqu'on en observe la trajectoire chez un champion, il paraît d'une simplicité, d'une facilité littéralement déconcertantes. Sans le moindre effort apparent, dans la fluidité la plus limpide, il envoie la balle à une vitesse confondante : c'est qu'en lui, tout simplement, *les forces en jeu dans le mouvement sont parfaitement intégrées. Toutes coopèrent dans l'harmonie la plus parfaite, sans contrariété aucune, sans déperdition d'énergie, donc sans « réaction » au sens que Nietzsche donne à ce terme.* Conséquence : une réconciliation admirable de la beauté et de la puissance que l'on observe déjà chez les plus jeunes, pourvu qu'ils soient doués de quelque talent.

A l'inverse, celui qui a commencé trop tard aura, l'âge déjà venu, un geste irréversiblement chaotique, désintégré ou, comme on dit si bien, « coincé ». Il retient ses coups, hésite à les lâcher... et ne cesse de s'en vouloir, au point de s'insulter chaque fois qu'il rate. Sans cesse déchiré, c'est davantage contre lui-même que contre son adversaire qu'il se bat. Non seulement l'élégance n'y est plus, mais la puissance manque et ce pour une raison bien simple : les forces en jeu, au lieu de coopérer, se contrecarrent entre elles, se mutilent et se bloquent, de sorte qu'à l'inélégance du geste répond son impuissance.

Voilà ce que Nietzsche propose de dépasser. En quoi tu comprends bien qu'il ne suggère pas pour autant d'élaborer un nouvel « idéal », une idole de plus – ce qui serait contradictoire – puisque le modèle qu'il esquisse est, à la différence de tous les idéaux connus jusqu'à ce jour, rivé à la vie. Il ne prétend nullement être « transcendant », situé au-dessus d'elle dans une quelconque position d'extériorité et de supériorité. Il s'agit plutôt de se représenter ce que serait une vie qui prendrait pour modèle le « geste libre », le geste du champion ou de l'artiste qui compose en lui la plus grande diversité pour parvenir dans l'harmonie à la plus grande puissance, sans effort laborieux, sans déperdition d'énergie. Telle est au fond, la « vision morale » de Nietzsche, celle au nom de laquelle il dénonce toutes les morales « réactives », toutes celles qui, depuis Socrate, prônent la lutte contre la vie, son amoindrissement.

Ainsi, à l'opposé du grand style, se situent tous les comportements qui s'avèrent incapables de parvenir à la maîtrise de soi que seule une hiérarchisation et une harmonisation parfaites des forces qui s'agitent en nous permettent de réaliser.

A cet égard, le déferlement des passions que certaines idéologies de la « libération des mœurs » ont voulu valoriser est la pire des choses, puisque ce déferlement est toujours synonyme d'une mutilation réciproque des forces et, par là même, d'un primat de la réaction.

Une telle mutilation définit très exactement ce que Nietzsche nomme la laideur. Cette dernière apparaît toujours quand les passions déchaînées s'entrechoquent et s'affaiblissent ainsi les unes les autres : « Quand il y a contradiction et coordination insuffisante des aspirations intérieures, il faut en conclure qu'il y a diminution de force organisatrice, de volonté [1]... » Et dans ces conditions, la volonté de puissance s'étiole et la joie fait place à la culpabilité qui elle-même engendre le ressentiment.

Bien entendu, l'exemple que je t'ai donné pour te faire comprendre le « grand style », l'idée d'une synthèse réconciliatrice des forces actives et réactives qui permet seule de parvenir à la « puissance » authentique – celui du revers d'un champion de tennis – n'est pas de Nietzsche lui-même. Lui a d'autres images, d'autres références en tête, et il n'est pas inutile, si tu veux un jour le lire vraiment, que tu connaisses au moins l'une d'entre elles, parce que c'est la plus importante à ses yeux. Il s'agit de l'opposition entre classicisme et romantisme.

Pour simplifier, on peut dire que le classicisme désigne l'essentiel de l'art grec, mais aussi l'art classique français du XVIIe siècle – les pièces de Molière ou

---

1. *La Volonté de puissance, op. cit.*, II, 152.

de Corneille, ainsi que l'art des jardins « géomé-
triques », avec leurs arbres taillés comme des figures
mathématiques.

Si tu vas visiter un jour, dans un de nos musées, une
salle consacrée aux antiquités, tu observeras que les sta-
tues grecques – illustrations parfaites de l'art classique –
se caractérisent surtout par deux traits, tout à fait
typiques : les proportions des corps y sont parfaites, har-
monieuses à souhait, et les visages sont d'un calme et
d'une sérénité absolus. Le classicisme est un art qui
accorde une place primordiale à l'harmonie et à la raison. Il se méfie comme de la peste du déferlement sentimental qui va, au contraire, caractériser pour une
bonne part le romantisme.

On pourrait développer longuement cette opposition,
mais l'essentiel est ici que tu comprennes ce que
Nietzsche en fait et pourquoi elle est si importante à ses
yeux.

Selon un thème constant chez lui, la « simplicité logique » propre aux classiques est la meilleure
approximation de cette hiérarchisation « grandiose » que
réalise le « grand style ». Là encore, Nietzsche n'en fait
pas mystère :

> « L'embellissement est la conséquence d'une plus
> grande force. On peut considérer l'embellissement
> comme l'expression d'une volonté victorieuse, d'une
> coordination plus intense, d'une mise en harmonie de
> tous les désirs violents, d'un infaillible équilibre per-
> pendiculaire. La simplification logique et géométrique
> est une conséquence de l'augmentation de la force[1]. »

J'espère que tu mesures bien, à nouveau, combien
Nietzsche prend à contre-pied tous ceux qui voudraient
voir en lui un contempteur de la raison, un apôtre de
l'émancipation des sens et des corps contre le primat de

---

1. *La Volonté de puissance, op. cit.*, p. 152.

la logique. Nietzsche le proclame haut et clair : « Nous sommes les adversaires des émotions sentimentales[1] ! » L'artiste digne de ce nom est celui qui sait cultiver « la haine du sentiment, de la sensibilité, de la finesse d'esprit, la haine de ce qui est multiple, incertain, vague, fait de pressentiments[2]... ». Car « pour être classique, il faut avoir tous les dons, tous les désirs violents et contradictoires en apparence, mais de telle sorte qu'ils marchent ensemble sous le même joug » de sorte qu'on y a besoin de « froideur, de lucidité, de dureté, de la logique avant tout ».

On ne saurait être plus clair : le classicisme est l'incarnation la plus parfaite du « grand style ». Voilà pourquoi, contre Victor Hugo, qu'il tient pour un romantique sentimental, Nietzsche réhabilite Corneille, à ses yeux un cartésien rationaliste, comme un de ces

> « poètes appartenant à une civilisation aristocratique...
> qui mettaient leur point d'honneur à *soumettre à un*
> *concept* [c'est Nietzsche qui souligne] leurs sens peut-
> être plus vigoureux encore, et à imposer aux préten-
> tions brutales des couleurs, des sons et des formes la
> loi d'une intellectualité raffinée et claire ; en quoi ils
> étaient, ce me semble, dans la suite des grands
> Grecs[3]... ».

Le triomphe des classiques grecs et français consiste à combattre victorieusement ce que Nietzsche nomme encore de façon significative « cette plèbe sensuelle » dont les peintres et les musiciens « modernes », c'est-à-dire les romantiques, font si volontiers les personnages de leurs œuvres.

A l'inverse du génie classique, le héros romantique est alors dépeint comme un être *déchiré et par consé-*

---

1. *Ibid.*, p. 172.
2. *Ibid.*, p. 170.
3. Traduction Bianquis, II, 337.

quent affaibli par ses passions intérieures. Il est malheureux en amour, il soupire, pleure, s'arrache les
cheveux, se lamente et ne quitte les tourments de la passion que pour retomber dans ceux de la création. Voilà
pourquoi, en général, le héros romantique est malade,
pâlichon même, et finit toujours par mourir jeune, rongé
de l'intérieur par ces forces qui l'habitent et le minent
faute de s'accorder entre elles : voilà ce que Nietzsche
abhorre, voilà pourquoi il détestera finalement Wagner
et Schopenhauer, pourquoi il préférera toujours Mozart
ou Rameau à Schumann et à Brahms, c'est-à-dire la
musique « classique et mathématique » à la musique
« romantique et sentimentale ».

Au final, tu noteras, c'est là un aspect essentiel de
toute philosophie, que le point de vue pratique rejoint
celui de la théorie et que l'éthique n'est pas séparable
de l'ontologie, car dans cette morale de la grandeur,
c'est bien l'intensité qui prime tout, la volonté de puissance qui l'emporte sur toute autre considération. « Rien
n'a de valeur dans la vie que le degré de puissance [1] ! »
dit Nietzsche. Ce qui signifie bien qu'il y a des valeurs,
une morale, chez l'immoraliste.

Comme celui qui a pratiqué avec bonheur les arts
martiaux, l'homme du grand style se meut dans l'élégance, à mille lieux de toute apparence laborieuse. Il ne
transpire pas, et s'il déplace des montagnes, c'est sans
effort apparent, dans la sérénité. De même que la vraie
connaissance, le gai savoir, se moque de la théorie et
de la volonté de vérité au nom d'une vérité plus haute,
Nietzsche ne se moque de la morale qu'au nom d'une
autre morale.

Il en va de même pour sa doctrine du salut.

---

1. *La Volonté de puissance*, Introduction, § 8.

III. Une pensée inédite du salut : la doctrine de *L'amor fati* (l'amour de l'instant présent, du « destin »), l'« innocence du devenir » et l'éternel retour

Là encore, certains te diront qu'il est vain de chercher une pensée du salut chez Nietzsche.

Et de fait, quelles qu'elles soient, les doctrines du salut sont à ses yeux une expression achevée du nihilisme, c'est-à-dire, tu le sais maintenant, de la négation de « l'ici-bas bien vivant » au nom d'un prétendu « au-delà idéel » qui lui serait supérieur. Certes, déclare Nietzsche pour se moquer des promoteurs de telles doctrines, on n'avoue pas volontiers que l'on est « nihiliste », qu'on adore le néant plutôt que la vie : « On ne dit pas "le néant". A la place, on dit "l'au-delà", ou bien "Dieu", ou encore "la vie véritable", ou bien le nirvana, le salut, la béatitude... », mais « cette innocente rhétorique, qui rentre dans le domaine de l'idiosyncrasie religieuse et morale paraîtra beaucoup moins innocente dès que l'on comprendra quelle est la tendance qui se drape ici dans un manteau de paroles sublimes : *l'inimitié* à l'égard de la vie[1] ». Chercher le salut en un Dieu, ou dans quelque autre figure de la transcendance qu'on voudra mettre à sa place, c'est, dit-il encore, « déclarer la guerre [...] à la vie, à la nature, à la volonté de vivre ! », c'est la « formule de toutes les calomnies de l'"en deçà", de tous les mensonges de l'"au-delà"[2] ».

Tu vois dans ces déclarations combien la critique nietzschéenne du nihilisme s'applique par excellence à l'idée même de doctrine du salut, au projet de vouloir trouver dans un « au-delà » quel qu'il soit, dans un

---

1. *L'Antéchrist*, § 7.
2. *Ibid.*, § 18.

« idéal », quelque chose qui pourrait « justifier » la vie, lui donner un sens, et par là, en quelque façon, la sauver du malheur d'être mortelle. Tout cela doit maintenant commencer à te parler, à t'être familier.

Cela signifie-t-il, pourtant, que toute aspiration à la sagesse et à la béatitude soit, aux yeux de Nietzsche, à écarter ? Rien n'est moins sûr. Je crois au contraire que Nietzsche, comme tout vrai philosophe, vise la sagesse.

C'est là ce dont témoigne, entre autres, le premier chapitre d'*Ecce Homo*, qui s'intitule – en toute modestie : « Pourquoi je suis si sage ». Or cette sagesse, il nous le confie lui-même dans ses dernières œuvres, c'est dans sa fameuse – mais au premier abord très obscure – doctrine de l'« éternel retour » qu'il la trouve. Elle a, elle aussi, donné lieu à tant d'interprétations, à tant de malentendus, qu'il n'est pas inutile de revenir à l'essentiel.

Le sens de l'éternel retour : une doctrine du salut enfin totalement terrestre, sans idoles et sans Dieu

Il faut dire que Nietzsche eut à peine le temps de formuler sa pensée de l'éternel retour avant que la maladie lui interdise à jamais de la préciser et de la développer comme il l'aurait souhaité. Pourtant, il était absolument convaincu que c'était dans cette ultime doctrine que résidait son apport le plus original, sa véritable contribution à l'histoire des idées.

Pourtant, sa question centrale ne peut que nous toucher. Elle concerne, au final, tous ceux qui ne sont plus « croyants », en quelque sens qu'on l'entende – c'est-à-dire, il faut bien l'avouer, la plupart d'entre nous : s'il n'y a plus d'ailleurs, plus d'au-delà, plus de *cosmos* ni de divinité, si les idéaux fondateurs de l'humanisme ont eux-mêmes du plomb dans l'aile, comment distinguer non seulement le bien du mal, mais plus profondément, ce qui vaut la peine d'être vécu et ce qui est médiocre ? Ne faut-il pas, pour opérer cette distinction, lever les yeux vers quelque ciel et y chercher un critère transcendant l'ici-bas ? Et si le ciel est désespérément vide, où s'adresser ?

C'est pour apporter une réponse à cette question que la doctrine de l'éternel retour est inventée par Nietzsche. Pour nous fournir tout simplement un *critère, enfin terrestre, de sélection* de ce qui mérite d'être vécu et de ce qui ne le mérite pas. Pour ceux qui croient, elle restera lettre morte. Mais pour les autres, pour ceux qui ne croient plus, pour ceux qui ne pensent pas non plus que les engagements militants, politiques ou autres, suffisent, il faut bien avouer que la question vaut le détour...

Qu'elle corresponde, par ailleurs, à la problématique du salut ne fait aucun doute. Il suffit, pour s'en convaincre, de considérer un instant la façon dont Nietzsche la présente, en comparaison avec les religions. Elle contient, affirme-t-il, « plus que toutes les religions qui ont enseigné à mépriser la vie comme passagère, à lorgner vers une *autre* vie », de sorte qu'elle va devenir « la *religion* des âmes les plus sublimes, les plus libres, les plus sereines ». Dans cette optique, Nietzsche va jusqu'à proposer explicitement de mettre « la doctrine de l'éternel retour à la place de la "métaphysique" et de la religion » [1] – comme il a mis la généalogie à la place de la *theoria*, et le grand style à la place des idéaux de la morale. A moins de supposer qu'il emploie des termes aussi lourds de sens à la légère, ce qui est peu probable, il faut bien nous demander pourquoi il les applique à sa propre philosophie, qui plus est dans ce qu'elle a de plus original et de plus fort à ses propres yeux.

1. Edition *Schlechta*, III, 560.

Qu'enseigne donc la pensée de l'éternel retour ? En quoi reprend-elle, fût-ce par un tout autre biais, les questions de la sagesse et du salut ?

Je te propose une réponse brève, que nous allons développer ensuite : s'il n'y a plus de transcendance, plus d'idéaux, plus de fuite possible dans un au-delà, fût-il, après la mort de Dieu, « humanisé » sous forme d'utopie morale ou politique (l'« humanité », la « patrie », la « révolution », la « république », le « socialisme », etc.), *c'est au sein de l'ici-bas, en restant sur cette terre et dans cette vie, qu'il faut apprendre à distinguer ce qui vaut d'être vécu et ce qui mérite de périr. C'est ici et maintenant qu'il faut savoir séparer les formes de vie ratées, médiocres, réactives et affaiblies, des formes de vie intenses, grandioses, courageuses et riches de diversité.*

Premier enseignement à retenir, donc : le salut selon Nietzsche ne saurait être autre que résolument *terrestre*, enraciné dans le tissu de forces qui constitue la trame de la vie. Il ne saurait s'agir, une fois encore, d'inventer un nouvel idéal, une idole de plus qui servirait pour la énième fois à juger, rejuger et condamner l'existence au nom d'un principe prétendument supérieur et extérieur à elle.

C'est là ce qu'indique clairement un texte crucial du prologue d'*Ainsi parlait Zarathoustra*, l'un des derniers livres de Nietzsche. Fidèle à son style iconoclaste, il invite son lecteur à inverser le sens de la notion de blasphème :

> « Je vous en conjure, ô mes frères, demeurez fidèles à la terre et ne croyez pas ceux qui vous parlent d'espérance supraterrestre. Sciemment ou non, ce sont des empoisonneurs.
>
> « Ce sont des contempteurs de la vie, des moribonds, des intoxiqués dont la terre est lasse : qu'ils périssent donc !

« Blasphémer Dieu était jadis le pire des blasphèmes, mais Dieu est mort, et morts avec lui ses blasphémateurs. Désormais le crime le plus affreux, c'est de blasphémer la terre et d'accorder plus de prix aux entrailles de l'insondable qu'au sens de la terre. »

En quelques lignes, Nietzsche définit comme nul autre le programme qui deviendra au XXᵉ siècle celui de toute philosophie d'inspiration « matérialiste », c'est-à-dire de toute pensée refusant résolument l'« idéalisme » entendu au sens d'une philosophie qui poserait des idéaux supérieurs à cette réalité qu'est la vie ou la volonté de puissance. Du coup, comme tu vois, le blasphème change de sens : au XVIIᵉ siècle encore, et même au XVIIIᵉ, celui qui faisait publiquement profession d'athéisme pouvait être jeté en prison, voire mis à mort. Aujourd'hui, c'est l'inverse qui devrait être la règle selon Nietzsche : blasphémer, ce n'est plus dire que Dieu est mort, mais tout au contraire, c'est céder encore aux niaiseries métaphysiques et religieuses selon lesquelles il y aurait un « au-delà », des idéaux supérieurs, fussent-ils irréligieux comme le socialisme ou le communisme, au nom desquels il faudrait « transformer le monde ».

C'est là ce qu'il explique de façon presque limpide dans un fragment datant de l'année 1881 où il s'amuse au passage à parodier Kant :

« Si, dans tout ce que tu veux faire, tu commences par te demander : "Est-il sûr que je veuille le faire un nombre infini de fois ?", ce sera pour toi le centre de gravité le plus solide... Voici l'enseignement de ma doctrine : "Vis de telle sorte que tu doives *souhaiter* de revivre – c'est le devoir – car tu revivras en tout cas ! Celui dont l'effort est la joie suprême, qu'il s'efforce ! Celui qui aime avant tout le repos, qu'il se repose ! Celui qui aime avant tout se soumettre, obéir et suivre, qu'il obéisse ! Mais *qu'il sache bien où va sa préférence*, et qu'il ne recule devant *aucun moyen* ! Il y va de *l'éternité* !" Cette doctrine est douce envers ceux qui n'ont pas la foi en elle. Elle n'a ni enfer ni menaces. Celui qui n'a pas la foi ne sentira en lui qu'une vie *fugitive*[1]. »

Ici enfin, la signification de la doctrine de l'éternel retour apparaît en toute clarté.

Elle n'est ni une description du cours du monde, ni un « retour aux Anciens » comme on l'a cru parfois bêtement, encore moins une prédiction. Elle n'est au fond rien d'autre qu'un critère d'évaluation, un principe de sélection des instants de nos vies qui valent la peine d'être vécus et de ceux qui ne le valent pas. Il s'agit, grâce à elle, d'interroger nos existences afin de fuir les faux-semblants et les demi-mesures, toutes ces lâchetés qui conduiraient, comme dit encore Nietzsche, à ne vouloir telle ou telle chose, « rien qu'une petite fois », comme une concession, tous ces moments où l'on s'abandonne à la facilité d'une exception, sans vraiment la vouloir.

Nietzsche nous invite au contraire à vivre de telle façon que les regrets et les remords n'aient plus aucune place, plus aucun sens. Voilà la vraie vie. Et qui, en effet, pourrait vouloir sérieusement que les instants médiocres, tous ces déchirements, toutes ces culpabilités inutiles, toutes ces faiblesses inavouables, ces mensonges, ces lâchetés, ces petits arrangements avec soi-même, reviennent éternellement ? Mais aussi : combien d'instants de nos vies subsisterait-il si nous appliquions honnêtement, avec rigueur, le critère de l'éternel retour ?

---

1. *La Volonté de puissance*, Bianquis, IV, 2442-2444. Dans le même sens, voir aussi *Le Gai Savoir*, IV, § 341, ainsi que les fameux passages du *Zarathoustra* où Nietzsche commente sa formule selon laquelle « toute joie[*Lust*] veut l'éternité ».

Quelques moments de joie, sans doute, d'amour, de lucidité, de sérénité, surtout...

Tu m'objecteras peut-être que tout cela est fort intéressant, le cas échéant utile et vrai, mais sans rapport aucun ni avec une religion, fût-elle d'un type radicalement nouveau, ni avec une doctrine du salut. Que je puisse m'exercer à réfléchir aux instants de ma vie en utilisant le critère de l'éternel retour, pourquoi pas ? Mais en quoi cela peut-il bien me sauver des peurs dont nous parlions au début de ce livre ? Quel rapport avec la « finitude humaine », avec les angoisses qu'elle suscite et dont les doctrines du salut prétendent nous guérir ?

C'est la notion d'éternité qui peut nous mettre sur la voie. Car tu noteras que, même en l'absence de Dieu, il en va bien de l'*éternité*, et pour y parvenir, il faut, affirme étrangement Nietzsche – étrangement parce que cela semble presque chrétien – *avoir la foi et cultiver l'amour* :

> « Oh ! Comment ne brûlerais-je pas du désir de l'éternité, du désir de l'anneau des anneaux, l'anneau nuptial du Retour ? Jamais encore je n'ai rencontré la femme de qui j'eusse voulu des enfants, si ce n'est cette femme que j'aime, car je t'aime, ô éternité ! Car je t'aime, ô éternité[1] ! »

Ces formulations poétiques, j'en conviens, ne facilitent pas toujours la lecture.

Si tu veux les comprendre et comprendre aussi, au passage, en quoi Nietzsche renoue avec les doctrines du salut, il faut bien que tu saisisses en quoi il rejoint l'une de ces intuitions profondes que nous avons vues à l'œuvre dans les sagesses anciennes : *celle selon laquelle la vie bonne est celle qui parvient à vivre l'instant sans référence au passé ni à l'avenir, sans condam-*

---

1. *Zarathoustra*, III, « Les sept sceaux ».

nation ni exclusive, dans la légèreté absolue, dans le sentiment accompli qu'il n'y a plus alors de différence réelle entre le présent et l'éternité.

La doctrine de l'amor fati *(amour de ce qui est au présent) : fuir le poids du passé comme les promesses de l'avenir*

Nous avons vu, en évoquant les exercices de sagesse recommandés par les stoïciens, comment ce thème était essentiel chez les Anciens, mais aussi chez les bouddhistes. Nietzsche le retrouve par ses propres moyens, en suivant son cheminement de pensée, comme l'indique assez ce magnifique passage *d'Ecce Homo* :

« Ma formule pour ce qu'il y a de grand dans l'homme est *amor fati* : ne rien vouloir d'autre que ce qui est, ni devant soi, ni derrière soi, ni dans les siècles des siècles. Ne pas se contenter de supporter l'inéluctable, et encore moins de se le dissimuler – tout idéalisme est une manière de se mentir devant l'inéluctable –, mais l'*aimer*[1]. »

Ne rien vouloir d'autre que ce qui est ! La formule pourrait être signée par Epictète ou Marc Aurèle – ceux-là mêmes dont il n'a cessé de tourner en dérision la cosmologie. Et pourtant, Nietzsche y insiste avec force, comme dans ce fragment de *La Volonté de puissance* :

« Une *philosophie expérimentale* comme celle que je vis commence par supprimer, à titre d'expérience, jusqu'à la possibilité du pessimisme absolu... Elle veut bien plutôt parvenir à l'extrême opposé, à une *affirmation dionysiaque* de l'univers tel qu'il est, sans possibilité de soustraction, d'exception ou de choix. Elle veut le cycle

---

1. *Ecce Homo*, « Pourquoi je suis si avisé ».

éternel : les mêmes choses, la même logique ou le même illogisme des enchaînements. Etat le plus élevé auquel puisse parvenir un philosophe : ma formule pour cela est *amor fati*. Cela implique que les aspects jusqu'alors *niés* de l'existence soient conçus non seulement comme *nécessaires* mais comme désirables[1]... »

Espérer un peu moins, regretter un peu moins, aimer un peu plus. Ne jamais séjourner dans les dimensions non réelles du temps, dans le passé et l'avenir, mais tenter au contraire d'habiter autant que possible le présent, lui dire oui avec amour (dans une « affirmation dionysiaque » dit Nietzsche en référence à Dionysos, le dieu grec du vin, de la fête et de la joie, celui qui, par excellence, aime la vie).

Pourquoi pas ?

Mais tu me feras peut-être encore une objection.

On peut admettre, à la limite, que le présent et l'éternité puissent se ressembler dès lors qu'ils ne sont ni l'un ni l'autre « relativisés » et amoindris par le souci du passé ou de l'avenir. On peut aussi comprendre, avec les stoïciens et les bouddhistes, comment celui qui parvient à vivre dans le présent peut puiser dans une telle attitude les moyens d'échapper aux angoisses de la mort. Soit. Mais il reste qu'il y a une contradiction troublante entre les deux messages de Nietzsche : d'un côté, dans la doctrine de l'éternel retour, il nous demande de *choisir* ce que nous voulons vivre et revivre en fonction du critère de la répétition éternelle du même ; et de l'autre, il nous recommande d'aimer tout le réel, quel qu'il soit, sans en prendre ni en laisser, et surtout, de ne rien vouloir d'autre que ce qui est sans jamais chercher à choisir ou à trier au sein du réel ! Le critère de l'éternel retour nous invitait à la *sélection* des seuls instants dont

---

1. Traduction Bianquis, II, Introduction, § 14.

nous pourrions souhaiter l'infinie répétition, et voici que la doctrine de l'*amor fati*, qui dit oui au destin, ne doit faire aucune exception pour tout prendre et tout comprendre dans un même amour du réel. Comment concilier les deux thèses ?

En admettant sans doute, pour autant que cela soit possible, que cet amour du destin ne vaut qu'après application des exigences très sélectives de l'éternel retour : si nous vivions selon ce critère d'éternité, si nous nous trouvions enfin dans le grand style, dans l'intensité la plus haute, tout nous serait bon. Les mauvais coups du sort n'auraient plus d'existence, pas davantage que les heureux. C'est le réel tout entier que nous pourrions enfin vivre comme s'il était, à chaque instant, l'éternité même et ce pour une raison que bouddhistes et stoïciens avaient, eux aussi, déjà comprise : si tout est nécessaire, si nous comprenons que le réel se réduit en vérité au présent, le passé et l'avenir perdront enfin leur inépuisable capacité à nous culpabiliser, à nous persuader que nous aurions pu, et par conséquent dû, faire *autrement*. Attitude du remords, de la nostalgie, des regrets, mais aussi des doutes et des hésitations face à l'avenir, qui conduit toujours au déchirement intérieur, à l'opposition de soi à soi, donc à la victoire de la réaction puisqu'elle conduit nos forces vitales à s'affronter entre elles.

L'innocence du devenir ou la victoire sur la peur de la mort

Si la doctrine de l'éternel retour renvoie comme un écho à celle de l'*amor fati*, cette dernière culmine donc à son tour dans l'idéal d'une déculpabilisation totale. Car la culpabilité, comme nous l'avons vu, est le comble du réactif, le sentiment par excellence qui résulte du déchirement interne, du conflit entre soi et soi. Seul le sage, celui qui tout à la fois pratique le grand style et suit les principes de l'éternel retour pourra parvenir à la vraie sérénité. C'est elle, très exactement, que Nietzsche désigne sous l'expression d'« innocence du devenir » :

> « Depuis combien de temps déjà me suis-je efforcé de me démontrer à moi-même la totale *innocence* du devenir ! [...] Et tout cela pour quelle raison ? N'était-ce pas pour me procurer le sentiment de ma complète irresponsabilité, pour échapper à toute louange et à tout blâme[1]... ? »

Car c'est ainsi, et ainsi seulement, que nous pouvons enfin être sauvés. De quoi ? Comme toujours, de la peur. Par quoi ? Comme toujours, par la sérénité. Voilà pourquoi, tout simplement,

> « nous voulons rendre au devenir son innocence : il n'y a pas d'être que l'on puisse rendre responsable du fait que quelqu'un existe, possède telle ou telle qualité, est né dans telles circonstances, dans tel milieu. *C'est un grand réconfort qu'il n'existe pas d'être pareil* [c'est Nietzsche lui-même qui souligne]... Il n'y a ni lieu, ni fin, ni sens, à quoi nous puissions imputer notre être et notre manière d'être... Et encore une fois, c'est un grand réconfort, en cela consiste l'innocence de tout ce qui est[2] ».

A la différence des stoïciens, sans doute, Nietzsche ne pense pas que le monde soit harmonieux et rationnel. La transcendance du *cosmos* est abolie. Mais comme eux, cependant, il invite à vivre dans l'instant[3], à nous sauver nous-mêmes en aimant tout ce qui est, à fuir la distinction des événements heureux et malheureux, à nous affranchir, surtout, de ces déchirements qu'une mauvaise compréhension du temps introduit fatalement

---

1. Traduction Bianquis, III, § 382.
2. *Ibid.*, § 458.
3. En quoi il suit le précédent des épicuriens.

en nous : remords liés à une vision indéterminée du passé (« j'aurais dû agir autrement... »), hésitations face au futur (« ne devrais-je pas faire un autre choix ? »). Car c'est en nous libérant de ce double visage insidieux des forces réactives (tout déchirement est par essence réactif), en nous libérant des pesanteurs du passé et de l'avenir, que nous atteignons à la sérénité et à l'éternité, ici et maintenant, *puisqu'il n'y a rien d'autre*, puisqu'il n'y a plus de référence à des « possibles » qui viendraient relativiser l'existence présente et semer en nous le poison du doute, du remords ou de l'espérance.

CRITIQUES ET INTERPRÉTATIONS DE NIETZSCHE

Je t'ai exposé, je crois, la pensée de Nietzsche sous son meilleur jour, sans jamais chercher à la critiquer – comme je l'ai fait d'ailleurs presque toujours pour les autres grandes philosophies que nous avons abordées ensemble.

Je suis en effet convaincu d'une part, qu'il faut d'abord comprendre avant de faire des objections, et que cela prend du temps, beaucoup de temps parfois, mais aussi et surtout qu'il faut apprendre à penser grâce aux autres et avec eux avant de parvenir, autant qu'il est possible, à penser par soi-même. Voilà pourquoi je n'aime pas dénigrer un grand philosophe – même quand, parfois, cela me conduit à taire des objections qui me viennent irrépressiblement à l'esprit.

Je ne puis cependant te cacher plus longtemps l'une d'entre elles – j'en aurais à vrai dire plusieurs autres – qui te fera comprendre pourquoi, malgré tout l'intérêt que je porte à l'œuvre de Nietzsche, je n'ai jamais pu être nietzschéen.

Cette objection concerne la doctrine de l'*amor fati*

que l'on retrouve, comme tu l'as vu, dans plusieurs autres traditions philosophiques, chez les bouddhistes et les stoïciens notamment, mais aussi dans le matérialisme contemporain, comme tu le verras dans le prochain chapitre.

La notion d'*amor fati* repose au fond sur le principe suivant : regretter un peu moins, espérer un peu moins, aimer un peu plus le réel comme il est, et si possible même, l'aimer entièrement ! Je comprends parfaitement ce qu'il peut y avoir de sérénité, de soulagement, de réconfort, comme dit si bien Nietzsche, dans l'innocence du devenir. J'ajoute que l'injonction ne vaut, bien entendu, que pour les aspects les plus pénibles du réel : nous inviter à l'aimer quand il est aimable n'aurait, en effet, guère de sens, puisque cela irait de soi. Ce que le sage doit parvenir à réaliser en lui c'est l'amour de ce qui advient, faute de quoi il n'est pas sage, mais se retrouve comme tout le monde à aimer ce qui est aimable et à ne pas aimer ce qui ne l'est pas !

Or c'est là que le bât blesse : s'il faut dire oui à tout, s'il ne faut pas, comme on dit, « en prendre et en laisser », mais bien tout assumer, comment éviter ce qu'un philosophe contemporain, disciple de Nietzsche, Clément Rosset, nommait si justement (mais pour le rejeter) l'« argument du bourreau » ?

Cet argument s'énonce à peu près de la façon suivante : il existe sur cette Terre, depuis toujours, des bourreaux, des tortionnaires. Ils font indubitablement partie du réel. Par conséquent, la doctrine de l'*amor fati*, qui nous commande d'aimer le réel tel qu'il est, nous demande aussi d'aimer les tortionnaires !

Rosset juge l'objection banale et dérisoire. Sur le premier point, il a raison : l'argument, j'en conviens, est trivial. Mais sur le second ? Un propos peut être banal et cependant parfaitement vrai. Or je crois que c'est, ici, tout simplement le cas.

Un autre philosophe contemporain, Théodore Adorno,

se demandait si l'on pouvait encore, après Auschwitz et le génocide hitlérien perpétré contre les Juifs, inviter les hommes à aimer *le monde tel qu'il est*, dans un oui sans réserve ni exception. Est-ce même possible ? Epictète, de son côté, avouait n'avoir jamais dans sa vie rencontré un seul sage stoïcien, quelqu'un qui aime le monde en toute occasion, même les plus atroces que l'on voudra imaginer, qui s'abstienne en toute circonstance de regretter comme d'espérer. Devons-nous vraiment voir dans cette défaillance une folie, une faiblesse passagères, un manque de sagesse, ou n'est-elle pas plutôt le signe que la théorie vacille, que l'*amor fati* non seulement est impossible, mais qu'il devient parfois, tout simplement, obscène ? S'il nous faut accepter tout ce qui est comme il est, dans toute sa dimension tragique de non-sens radical, comment éviter l'accusation de complicité, voire de collaboration avec le mal ?

Mais il y a plus – beaucoup plus même. Si l'amour du monde comme il va n'est pas *réellement praticable*, ni chez les stoïciens, ni chez les bouddhistes, ni chez Nietzsche, ne risque-t-il pas de reprendre irrésistiblement la forme abhorrée d'un nouvel *idéal, et, par là même, d'une nouvelle figure du nihilisme* ? C'est là, à mon humble avis, l'argument le plus fort contre cette longue tradition qui va des sagesses les plus anciennes de l'Orient et de l'Occident jusqu'au matérialisme le plus contemporain : à quoi bon prétendre en finir avec l'« idéalisme », avec tous les idéaux et toutes les « idoles » si ce superbe programme philosophique reste lui-même... un idéal ? A quoi bon tourner en dérision toutes les figures de la transcendance et en appeler à cette sagesse qui aime le réel tel qu'il est, si cet amour reste à son tour parfaitement transcendant, s'il demeure un objectif radicalement inaccessible chaque fois que les circonstances sont un tant soit peu difficiles à vivre ?

Quoi qu'il en soit de telles interrogations, elles ne sauraient nous conduire à sous-estimer l'importance historique de la réponse nietzschéenne aux trois grandes questions de toute philosophie : la généalogie comme nouvelle théorie, le grand style comme morale encore inédite et l'innocence du devenir comme doctrine du salut sans Dieu ni idéal forment un tout cohérent qui te donnera, j'en suis sûr, longtemps à réfléchir. En prétendant déconstruire la notion même d'idéal, la pensée de Nietzsche ouvre la voie aux grands matérialismes du XXᵉ siècle, à ces pensées de l'immanence radicale de l'être au monde qui, pour présenter les mêmes défauts que leur modèle d'origine, n'en constitueront pas moins une longue et féconde postérité.

Je voudrais encore, en guise de conclusion, te dire comment l'œuvre de Nietzsche fera l'objet de trois interprétations (je ne parle bien sûr ici que de celles qui en valent la peine, de celles qui s'enracinent dans une lecture sérieuse).

On peut y voir d'abord une forme radicale d'antihumanisme, une déconstruction sans précédent des idéaux qui furent ceux de la philosophie des Lumières. Et, de fait, il est clair que le progrès, la démocratie, les droits de l'homme, la république, le socialisme, etc., toutes ces idoles et quelques autres encore avec elles sont balayées par Nietzsche de sorte que lorsque Hitler rencontra Mussolini, ce n'est pas tout à fait par hasard qu'il lui offrit une belle édition reliée de ses œuvres complètes... Pas un hasard, non plus, qu'il ait servi, dans un autre style, mais qui rejoint parfois le premier dans la haine de la démocratie et de l'humanisme, de modèle au gauchisme culturel des années soixante.

On peut, tout à l'inverse, voir en lui un prolongateur paradoxal de la philosophie des Lumières, un héritier de Voltaire et des moralistes français du XVIIIᵉ siècle. Ce qui n'a rien d'absurde. Car à bien des égards, Nietzsche poursuit le travail qu'ils ont inauguré en critiquant la religion, la tradition, l'Ancien Régime, voire en mettant sans cesse en évidence, derrière les grands idéaux affichés, les intérêts inavouables et les hypocrisies cachées.

On peut enfin lire Nietzsche comme celui qui accompagne la naissance d'un monde nouveau, celui dans lequel les notions de sens et d'idéal vont disparaître au profit de la seule logique de la volonté de puissance. C'est l'interprétation que fera Heidegger, comme nous allons le voir dans le prochain chapitre, en voyant en Nietzsche le « penseur de la technique », le premier philosophe à détruire intégralement et sans le moindre reste la notion de « finalité », l'idée qu'il y aurait dans l'existence humaine un sens à chercher, des objectifs à poursuivre, des fins à réaliser. Avec le grand style, en effet, le seul critère qui subsiste encore pour définir la vie bonne, c'est le critère de l'intensité, de la force pour la force, au détriment de tous les idéaux supérieurs.

N'est-ce pas, une fois passé le bonheur de déconstruire, vouer le monde contemporain au pur cynisme, aux lois aveugles du marché et de la compétition mondialisée ?

La question, comme tu vas voir, mérite au moins d'être posée.

Chapitre 6

Après la déconstruction

La philosophie contemporaine

Mais d'abord : pourquoi vouloir, une fois encore, aller plus loin ? Pourquoi, après tout, ne pas en rester à Nietzsche et à sa lucidité corrosive ? Pourquoi ne pas se contenter, comme tant et tant l'ont fait, de développer son programme, de remplir les cases encore vides et de broder sur les thèmes qu'il nous a légués ? Et si nous ne l'aimons pas, si nous trouvons que sa pensée flirte un peu trop avec le cynisme et les idéologies fascistes – rouges ou brunes – pourquoi ne pas revenir en arrière, par exemple aux droits de l'homme, à la république, aux Lumières ?

Ces questions, une histoire de la philosophie, si simple soit-elle, ne peut les éluder. Car penser le passage d'une époque à une autre, d'une vision du monde à une autre, fait désormais partie de la philosophie elle-même.

Alors je te dirai très simplement ceci : la déconstruction des idoles de la métaphysique a dévoilé trop de choses pour que nous n'en tenions pas compte. Il ne me semble ni possible, ni même souhaitable de revenir en arrière. Les « retour à » n'ont guère de sens : si les positions antérieures étaient si fiables et si convaincantes, jamais elles n'auraient subi les rigueurs de la critique, jamais elles n'auraient cessé d'être de saison. La volonté de restaurer des paradis perdus relève toujours d'un manque de sens historique. On peut bien vouloir rétablir les uniformes à l'école, les tableaux noirs, les encriers en porcelaine et les porte-plumes, revenir aux Lumières ou à l'idée républicaine, mais ce n'est jamais qu'une posture, une mise en scène de soi qui fait fi du temps écoulé, comme si ce dernier était vide, nul et non avenu – ce qu'en vérité il n'est jamais. Les problèmes que les démocraties ont à résoudre ne sont plus ceux du XVIIIe siècle : les communautarismes ne sont plus les mêmes, les aspirations ont changé, nos rapports aux autorités et nos modes de consommation aussi, des droits et des acteurs politiques nouveaux (les minorités ethniques, les femmes, les jeunes...) ont fait leur apparition, et il ne sert à rien de se voiler la face.

Il en va de même dans l'histoire de la philosophie. Qu'on le veuille ou non, Nietzsche pose des questions qu'il n'est plus possible d'écarter. Nous ne pouvons plus penser après lui comme avant, comme si de rien n'était, comme si ses fameuses « idoles » étaient encore bien debout. Tout simplement parce que ce n'est pas le cas. Un ébranlement a eu lieu, pas seulement avec Nietzsche, d'ailleurs, mais avec toute la postmodernité : les avant-gardes sont passées par là et nous ne pouvons plus penser, écrire, peindre ou chanter tout à fait comme avant. Les poètes ne célèbrent plus les clairs de lune ni les couchers de soleil. Un certain désenchantement du monde a eu lieu, mais de nouvelles formes de lucidité, de liberté aussi, l'ont accompagné. Qui voudrait sérieusement revenir aujourd'hui au temps des *Misérables* de Victor Hugo, à l'époque où les femmes n'avaient pas le droit de vote, où les ouvriers n'avaient pas de vacances, où les enfants travaillaient à douze ans, où l'on colonisait allègrement l'Afrique et l'Asie ? Personne, et c'est bien pourquoi, d'ailleurs, la nostalgie des paradis perdus n'est qu'une pause, un affichage velléitaire plus qu'une réelle volonté.

Alors où en sommes-nous ? Et, une fois encore, si Nietzsche est si « incontournable », pourquoi ne pas en rester là et nous contenter, comme l'ont fait ses nombreux disciples, Michel Foucault ou Gilles Deleuze par exemple, de poursuivre l'œuvre du maître ?

C'est possible, en effet, et nous sommes aujourd'hui au beau milieu d'une alternative qu'on pourrait résumer ainsi : continuer sur une voie ouverte par les pères fondateurs de la déconstruction ou reprendre encore le chemin de la recherche.

Une première possibilité pour la philosophie contemporaine : poursuivre dans la voie de la déconstruction ouverte par Nietzsche, Marx et Freud

On peut bien sûr poursuivre, y compris par d'autres voies, le travail de Nietzsche ou, pour parler plus généralement, le travail de la *déconstruction*. Je dis « plus généralement » parce que Nietzsche, même s'il est à mes yeux le plus grand, n'est pas le seul « généalogiste », le seul « déconstructeur », l'unique pourfendeur d'idoles. Il y eut aussi, je te l'ai dit, Marx et Freud, et depuis le début du xxᵉ siècle, ils eurent à eux trois, si j'ose dire, quelques milliers d'enfants. Sans compter qu'à ces philosophes du soupçon est venu s'ajouter, pour faire bonne mesure, le vaste courant des sciences humaines, lesquelles, pour l'essentiel, ont poursuivi l'œuvre déconstructrice des grands matérialistes.

Toute une partie de la sociologie, par exemple, a entrepris de montrer comment les individus qui se croient autonomes et libres, sont en vérité déterminés de part en part dans leurs choix éthiques, politiques, culturels, esthétiques, voire vestimentaires, par des « habitus de classe » – ce qui veut dire, si l'on met de côté le jargon, par le milieu familial et social dans lequel on est né. Les sciences dures elles-mêmes s'y sont mises, à commencer par la biologie, qui peut servir à montrer, dans un style nietzschéen, que nos fameuses « idoles » ne sont qu'un produit du fonctionnement tout matériel de notre cerveau ou encore, un pur et simple effet des nécessités de l'adaptation de l'espèce humaine à l'histoire de son environnement. Par exemple, nos partis pris en faveur de la démocratie et des droits de l'homme s'expliqueraient en dernière instance, non par un choix intellectuel sublime et désintéressé, mais par le fait que nous avons, pour la survie de l'espèce, plus intérêt à la coopération et à l'harmonie qu'au conflit et à la guerre.

On peut ainsi, de mille façons à vrai dire, continuer à penser et à œuvrer dans le style de philosophie inauguré par Nietzsche. Et, pour l'essentiel, c'est ce qu'a fait la philosophie contemporaine.

Non que cette dernière, bien entendu, soit univoque. Elle est au contraire riche et diverse. On ne saurait la réduire à la déconstruction. Tu dois savoir, par exemple, qu'il existe, venu de Grande Bretagne et des Etats-Unis, un courant de pensée nommé « philosophie analytique », qui s'intéresse avant tout au fonctionnement des sciences et que certains considèrent comme important entre tous, même si on en parle assez peu chez nous. Dans un tout autre style, des philosophes comme Jürgen Habermas, Karl Otto Appel, Karl Popper ou John Rawls ont tenté, chacun à leur façon, de poursuivre l'œuvre de Kant en la modifiant et en la prolongeant tout à la fois sur des questions du temps présent – par exemple celle de la société juste, des principes éthiques qui doivent régir la discussion entre des êtres égaux et libres, celle, encore, de la nature de la science et de ses liens avec l'idée démocratique, etc.

Mais, en France à tout le moins, et pour une large part aussi aux Etats-Unis, c'est la poursuite de la déconstruction qui l'a le plus souvent emporté, du moins jusqu'à ces dernières années, sur les autres courants de pensée. Comme je te l'ai dit, les « philosophes du soupçon », Marx, Nietzsche et Freud, ont eu de nombreux disciples. Les noms d'Althusser, Lacan, Foucault, Deleuze, Derrida, et quelques autres que tu ne connais sans doute pas encore, appartiennent, quoique sur des modes divers, à cette configuration. Chacun d'entre eux a cherché à dévoiler, derrière notre croyance aux idoles, les logiques cachées, inconscientes, qui nous déterminent à notre insu. Avec Marx, on est allé chercher du côté de l'économie et des rapports sociaux, avec Freud, du côté du langage et des pulsions enfouies dans notre inconscient, avec Nietzsche, du côté du nihilisme et de la victoire des forces réactives, sous toutes ses formes...

Pourtant, il n'est pas interdit de questionner à son tour l'interminable procès mené, au nom de la lucidité et de l'esprit critique, contre les « idoles » de l'humanisme. Où conduit-il ? Quels desseins sert-il ? Et pourquoi pas, puisque cette question est aussi bien par excellence celle de la généalogie et que rien n'empêche de la lui retourner : d'où vient-il ? Car sous les dehors avant-gardistes et audacieux de la déconstruction, sous la prétention à élaborer une « contre-culture » faisant pièce à des « idoles » embourgeoisées, c'est paradoxalement la sacralisation absolue du réel tel qu'il est qui risque de triompher. Ce qui, d'ailleurs, est assez logique : à force de disqualifier ces fameuses idoles, à force de n'accepter comme seul horizon possible pour la pensée que celui de la « philosophie au marteau », on devait bien finir, comme Nietzsche y vient d'ailleurs lui-même avec son fameux *amor fati*, à se prosterner devant le réel comme il va.

Comment, dans ces conditions, éviter le destin de ces anciens militants de la révolution reconvertis dans le *business*, devenus « cyniques » au sens le plus trivial du terme : désabusés, privés d'ambition autre que celle d'une efficace adaptation au réel ? Et dans ces conditions, faut-il vraiment, au nom d'une lucidité de plus en plus problématique, se résigner à faire son deuil de la Raison, de la Liberté, du Progrès, de l'Humanité ? N'y a-t-il rien, dans tous ces mots qui furent naguère encore chargés de lumière et d'espoir, qui puisse échapper aux rigueurs de la déconstruction, qui puisse lui survivre ?

Si la déconstruction se renverse en cynisme,
si sa critique des « idoles » sacralise le monde
tel qu'il est, comment la dépasser à son tour ?

Telles sont, à mes yeux, les questions qui ouvrent la philosophie contemporaine à une autre voie que celle de la prolongation indéfinie du « déconstructionisme ». Non pas, tu t'en doutes, celle d'un retour en arrière aux Lumières, à la raison, à la république et à l'humanisme, ce qui n'aurait, je t'ai dit pourquoi, aucun sens, mais une tentative de les penser à nouveaux frais, non pas « comme avant », *mais au contraire après et à la lumière de la déconstruction qui a eu lieu.*

Car à ne pas le faire, c'est bien la soumission au réel tel qu'il est qui risque fort de l'emporter. En quoi la déconstruction, qui voulait pourtant libérer les esprits, briser les chaînes de la tradition, s'est, involontairement sans doute, renversée en son contraire, un nouvel asservissement, plus désabusé que lucide, à la dure réalité de l'univers de la mondialisation dans lequel nous baignons. On ne peut pas, en effet, jouer sans cesse sur les deux tableaux : à la fois plaider avec Nietzsche pour l'*amor fati*, pour l'amour du présent tel qu'il est et la mort joyeuse de tous les « idéaux supérieurs » et verser en même temps des larmes de crocodile sur la disparition des utopies et la dureté du capitalisme triomphant !

Pour m'en rendre pleinement compte, il m'a fallu découvrir la pensée de celui qui reste à mes yeux le principal philosophe contemporain, Heidegger. Il fut pourtant, lui aussi, un des pères fondateurs de la déconstruction. Mais sa pensée n'est cependant pas un matérialisme – c'est-à-dire une philosophie hostile à l'idée même de transcendance, une « généalogie » soucieuse de prouver que les idées sont toutes et sans reste produites par des intérêts inavoués et inavouables.

Il est à mon sens le premier qui ait su donner du monde d'aujourd'hui – de ce qu'il nomme « le monde de la technique » – une interprétation qui permet de comprendre pourquoi il est impossible d'en rester à l'attitude nietzschéenne, du moins si l'on ne veut pas se rendre purement et simplement complice d'une réalité qui prend aujourd'hui la forme de la mondialisation capitaliste. Car cette dernière, malgré ses côtés extraordinairement positifs – entre autres, l'ouverture aux autres et la formidable croissance des richesses qu'elle permet –, possède aussi des effets dévastateurs sur la pensée, sur la politique et tout simplement sur la vie des hommes.

Voilà pourquoi je voudrais, pour explorer l'espace de la philosophie contemporaine, commencer par t'exposer cet aspect fondamental de la pensée de Heidegger.

D'abord parce qu'il s'agit, comme tu vas pouvoir le constater par toi-même, d'une idée intrinsèquement géniale, une de celles qui éclairent de manière puissante, voire incomparable, le temps présent. Ensuite parce qu'elle permet comme nulle autre non seulement de comprendre le paysage économique, culturel et politique qui nous entoure, mais aussi de nous faire saisir pourquoi la poursuite inlassable de la déconstruction nietzschéenne ne peut désormais conduire qu'à une sacralisation obscène des réalités, pourtant bien triviales et bien peu sacrées, d'un univers libéral voué, à proprement parler, au non-sens.

Beaucoup le disent aujourd'hui, parmi les écologistes, chez ceux, aussi, qui se disent « altermondialistes ».

Mais l'originalité de Heidegger et de sa critique du monde de la technique, c'est qu'elle n'en reste pas aux critiques rituelles du capitalisme et du libéralisme. D'ordinaire, en effet, on leur reproche, pêle-mêle, d'accroître les inégalités, de dévaster les cultures et les identités régionales, de réduire de manière irréversible la diversité biologique, celle des espèces, d'enrichir les riches et d'appauvrir les pauvres... Tout cela, en vérité, est non seulement fort contestable mais passe en outre à côté de l'essentiel. Il n'est pas vrai, par exemple, que la pauvreté augmente dans le monde même si les inégalités se creusent, pas vrai non plus que les pays riches soient peu soucieux de l'environnement. Bien au contraire, ils le sont infiniment plus que les pays pauvres pour lesquels les nécessités du développement passent avant celles de l'écologie – de même qu'ils sont aussi les premiers à voir leurs opinions publiques être véritablement préoccupées par la préservation des identités et des cultures particulières.

On pourrait en tout cas en discuter longuement.

Mais ce qui est certain, en revanche, et que Heidegger permet de comprendre, c'est que la mondialisation libérale est en train de trahir une des promesses les plus fondamentales de la démocratie : celle selon laquelle nous allions pouvoir, collectivement, faire notre histoire, du moins y participer, avoir notre mot à dire sur notre destin, pour tenter de l'infléchir vers le mieux. Or l'univers dans lequel nous entrons, non seulement nous échappe de toute part, mais s'avère être en plus dénué de sens, dans la double acception du terme : privé tout à la fois de signification et de direction.

Je suis sûr que tu as constaté par toi-même que, chaque année, ton téléphone portable, ton ordinateur, les jeux que tu utilises, tout cela et le reste, changent : les fonctions se multiplient, les écrans s'agrandissent, se colorent, les connexions Internet s'améliorent, etc. Or tu comprends bien qu'une marque qui ne suivrait pas le mouvement se suiciderait. Elle est donc absolument contrainte de le faire, que cela lui plaise ou non, que cela ait ou non un sens. Ce n'est pas une question de goût, un choix parmi d'autres possibles, mais un impératif absolu, une nécessité indiscutable si l'on veut, tout simplement, survivre. En ce sens, on pourrait dire que dans la compétition mondialisée qui aujourd'hui met toutes les activités humaines dans un état de concurrence permanente, l'histoire se meut désormais hors la volonté des hommes. Elle devient non seulement une espèce de fatalité, mais qui plus est, rien n'indique à coup sûr qu'elle se dirige vers le mieux : qui peut sérieusement croire que nous allons être plus libres et plus heureux parce que l'année prochaine le poids de nos MP3 aura diminué de moitié ou leur mémoire augmenté du double ? Conformément au souhait de Nietzsche, les idoles sont mortes : aucun idéal, en effet, n'anime plus le cours du monde, mais seulement la nécessité absolue du mouvement pour le mouvement.

Pour prendre une métaphore banale mais parlante : comme une bicyclette doit avancer pour ne pas chuter, ou un gyroscope tourner en permanence pour rester sur son axe et ne pas tomber de son fil, il nous faut sans cesse « progresser », mais ce progrès mécaniquement induit par la lutte en vue de la survie ne peut plus être situé au sein d'un projet plus vaste, intégré dans un grand dessein. Là encore, comme tu vois, la transcendance des grands idéaux humanistes dont se moquait Nietzsche a bel et bien disparu – *de sorte qu'en un sens, c'est bien, comme le pense Heidegger, son programme qu'accomplit parfaitement le capitalisme mondialisé.*

Ce qui fait problème, dans ce dernier, ce n'est donc pas tant, comme le pensent à tort les écologistes et les altermondialistes, le fait qu'il appauvrirait les pauvres pour enrichir les riches (ce qui est largement contestable), mais c'est qu'il nous *dépossède de toute emprise sur l'histoire et la prive elle-même de toute finalité visible*. Dépossession et non-sens sont les deux termes qui le caractérisent au mieux – et c'est en quoi d'ailleurs, il incarne à merveille aux yeux de Heidegger, la philosophie de Nietzsche, c'est-à-dire une pensée qui assuma comme nulle autre le programme d'une éradication complète de tous les idéaux en même temps que de la logique du sens.

Comme tu vois, cette analyse mérite, par l'ampleur du propos, qu'on s'y arrête un instant et qu'on prenne le temps de la comprendre en profondeur. C'est tout à fait possible si l'on fait abstraction du jargon aussi inutile qu'impénétrable dont les traducteurs français ont cru bon d'entourer la pensée de Heidegger.

L'avènement du « monde de la technique » selon Heidegger : le retrait de la question du sens

Dans un petit essai intitulé *Le Dépassement de la métaphysique*, il décrit comment la domination de la technique qui caractérise à ses yeux l'univers contemporain est le résultat d'un processus qui prend son essor dans la science du XVIIe siècle pour s'étendre peu à peu à tous les domaines de la vie démocratique.

J'aimerais t'en exposer ici, dans un langage simple, destiné à qui n'a encore jamais lu Heidegger, les principaux moments. Je te préviens quand même : ce que je vais te dire là, tu ne le trouveras pas sous cette forme chez Heidegger. J'ai ajouté de nombreux exemples qui ne sont pas les siens, et trouvé ma propre façon de présenter la logique technicienne. Néanmoins, l'idée initiale vient de lui et j'ai toujours pensé qu'il fallait rendre à César ce qui est à César. Ce qui importe ici, en effet, ce n'est pas telle ou telle formulation particulière, mais l'idée centrale qu'on peut tirer de l'analyse heideggerienne : celle selon laquelle le projet de maîtrise de la nature et de l'histoire qui accompagne la naissance du monde moderne et donne tout son sens à l'idée démocratique, va finalement se renverser en son exact contraire. La démocratie nous promettait la possibilité de prendre enfin part à la construction collective d'un univers plus juste et plus libre, or nous perdons aujourd'hui presque tout contrôle sur le cours du monde. Trahison suprême des promesses de l'humanisme qui pose tant de questions qu'il est nécessaire d'y réfléchir en profondeur.

Reprenons donc.

Le premier moment de ce processus coïncide avec l'apparition de la science moderne, dont nous avons vu ensemble comment elle rompait en tout point avec la philosophie grecque. Avec elle, en effet, on assiste à l'émergence d'un projet de domination de la Terre, de maîtrise totale du monde par l'espèce humaine. Selon la fameuse formule de Descartes, la connaissance scientifique va permettre à l'homme de se rendre enfin « comme maître et possesseur de la nature » : « comme » parce qu'il n'est pas encore tout à fait semblable à Dieu, son créateur, mais presque. Cette aspiration à une domination scientifique du monde par l'espèce humaine prend elle-même une double forme.

Elle va d'abord s'exprimer sur un plan simplement « intellectuel », théorique si tu veux : celui de la connaissance du monde. La physique moderne va se fonder tout entière sur le postulat selon lequel *rien, dans le monde, n'advient sans raison*. En d'autres termes, tout, en lui, doit pouvoir s'expliquer un jour ou l'autre rationnellement, tout événement possède une cause, une raison d'être, et le rôle de la science est de les découvrir de sorte que son progrès se confond avec l'éradication progressive du mystère que les hommes du Moyen Age croyaient pour ainsi dire inhérent à la nature.

Mais, une autre domination se profile derrière celle de la connaissance. Il s'agit cette fois-ci d'une domination tout à fait pratique, qui ne relève plus de l'intellect mais de la volonté des hommes. En effet, si la nature n'est plus mystérieuse, si elle n'est plus sacrée mais qu'elle se réduit au contraire à n'être qu'un stock d'objets purement matériels et en eux-mêmes tout à fait dénués de sens ou de valeur, alors, rien ne nous interdit plus de l'utiliser comme bon nous semble pour réaliser les fins qui sont les nôtres. Pour prendre une image, si l'arbre de la forêt n'est plus, comme dans les contes de fées de notre enfance, un être magique susceptible de se transformer en sorcière ou en monstre pendant la nuit, mais juste un morceau de bois tout à fait dépourvu d'âme, alors rien ne nous empêche plus de le transformer en meuble ou de le passer par la cheminée pour nous chauffer. La nature tout entière perd ses charmes. Elle devient un gigantesque terrain de jeu, une sorte d'énorme magasin où les humains peuvent puiser à volonté, sans restriction autre, et encore, que celle imposée par les nécessités de préserver l'avenir.

Pour autant, au moment de cette naissance de la science moderne, nous ne sommes pas encore dans ce que Heidegger nomme à proprement parler le « monde de la technique », c'est-à-dire un univers dans lequel le souci des fins, des objectifs ultimes de l'histoire humaine va totalement disparaître au profit de la seule et unique considération des moyens. En effet, dans le rationalisme des XVIIe et XVIIIe siècles, chez Descartes, les encyclopédistes français ou chez Kant, par exemple, le projet d'une maîtrise scientifique de l'univers possède encore une visée émancipatrice. Je veux dire par là que, dans son principe, *il reste soumis à la réalisation de certaines finalités, de certains objectifs considérés comme profitables pour l'humanité.* On ne s'intéresse pas seulement aux moyens qui nous permettront de dominer le monde, mais aux objectifs que cette domination nous permettra, le cas échéant, de réaliser – en quoi tu vois bien que cet intérêt n'est pas purement technicien. S'il s'agit de dominer l'univers théoriquement et pratiquement, par la connaissance scientifique et par la volonté des hommes, ce n'est pas pour le simple plaisir de dominer, par pure fascination pour notre propre puissance. On ne vise pas à maîtriser pour maîtriser, mais bien pour comprendre le monde et pouvoir le cas échéant s'en *servir en vue de parvenir à certains objectifs supérieurs qui se regroupent finalement sous deux chapitres principaux : la liberté et le bonheur.*

En quoi tu dois bien comprendre que la science moderne à l'état naissant n'est pas encore réduite à une pure technique.

De la différence entre la science moderne et la technique contemporaine

Au siècle des Lumières, le projet scientifique repose encore sur deux credo, sur deux convictions qui fondent l'optimisme, la croyance au progrès qui dominent alors les plus grands esprits.

La première conviction, c'est celle selon laquelle la science va nous permettre de libérer les esprits, d'*émanciper* l'humanité des chaînes de la superstition et de l'obscurantisme moyenâgeux. La raison va sortir victorieuse du combat contre la religion et, plus généralement, contre toutes les formes d'arguments d'autorité – par où le rationalisme moderne prépare en pensée, comme nous l'avions vu à propos de Descartes, la grande révolution de 1789.

La seconde, c'est que cette maîtrise du monde va nous libérer des servitudes naturelles et même les retourner à notre profit. Tu te souviens peut-être que nous avons évoqué l'émotion provoquée en 1755 par le fameux tremblement de terre de Lisbonne qui, en quelques heures, va faire des milliers de morts. Un débat s'est instauré alors entre les philosophes sur la « méchanceté » de cette nature qui, décidément, n'a vraiment rien d'un *cosmos* harmonieux et bon. Et tous, ou presque, pensent à l'époque que la science va nous sauver des tyrannies naturelles. Grâce à elle, en effet, il sera enfin possible de prévoir et, par conséquent, de prévenir les catastrophes que la nature envoie régulièrement aux hommes. C'est ici l'idée moderne d'un bonheur conquis par la science, d'un bien-être rendu possible par la maîtrise du monde, qui fait son entrée en scène.

Et c'est ainsi par rapport à ces deux finalités, la liberté et le bonheur, qui à elles deux définissent le cœur de l'idée de progrès, que le développement des sciences apparaît comme le vecteur d'un autre progrès, celui de la civilisation. Peu importe ici qu'une telle vision des vertus de la raison soit naïve ou non. Ce qui compte, c'est qu'en elle la volonté de maîtrise s'articule encore à des objectifs *extérieurs et supérieurs à elle* et que, en ce sens, elle ne puisse se réduire à une pure raison instrumentale ou technique ne prenant en considération que les moyens au détriment des fins.

Pour que notre vision du monde devienne pleinement technicienne, il faut donc un pas supplémentaire. Il faut que le projet des Lumières soit intégré dans le monde de la compétition, pour ainsi dire « enchâssé » en lui de sorte que le moteur de l'histoire, le principe de l'évolution de la société, comme dans l'exemple du téléphone portable que je t'ai donné tout à l'heure, cesse d'être lié à la représentation d'un projet, d'un idéal, pour devenir le seul et unique résultat de la compétition elle-même.

Le passage de la science à la technique : la mort des grands idéaux ou la disparition des fins au profit des moyens

Dans cette nouvelle perspective, celle de la concurrence généralisée – que nous désignons aujourd'hui comme la « mondialisation » –, la notion de progrès change totalement de signification : au lieu de s'inspirer d'idéaux transcendants, le progrès, ou plus exactement le *mouvement* des sociétés va peu à peu se réduire à n'être plus que le résultat mécanique de la libre concurrence entre ses différentes composantes.

Au sein des entreprises, mais aussi des laboratoires scientifiques, des centres de recherche, la nécessité de se comparer sans cesse aux autres – ce qu'on désigne aujourd'hui d'un mot bien laid : le *benchmarking* –, d'augmenter la productivité, de développer les connaissances et surtout leurs applications à l'industrie, à l'économie, bref, à la consommation, est devenue un impératif absolument vital. L'économie moderne fonctionne comme la sélection naturelle chez Darwin : dans une logique de compétition mondialisée, une entreprise qui ne progresse pas chaque jour est une entreprise tout simplement vouée à la mort. Mais ce progrès n'a plus d'autre but que lui-même, il ne vise à rien de plus qu'à rester dans la course avec les autres concurrents.

De là le formidable et incessant développement de la technique, rivé à l'essor économique et largement financé par lui. De là aussi le fait que l'augmentation de la puissance des hommes sur le monde est devenue un processus totalement automatique, incontrôlable et même aveugle puisqu'il dépasse de toute part les volontés individuelles conscientes. Il est, tout simplement, le résultat inévitable de la compétition. *En quoi, contrairement aux Lumières et à la philosophie du* XVIIIe *siècle dont nous avons vu qu'elles visaient l'émancipation et le bonheur des hommes, la technique est bel et bien un processus définalisé, dépourvu de tout espèce d'objectif défini : à la limite, plus personne ne sait où nous mène le cours du monde car il est mécaniquement produit par la compétition et nullement dirigé par la volonté consciente des hommes regroupés collectivement autour d'un projet, au sein d'une société qui, au siècle dernier encore, pouvait s'appeler* res publica, *république : étymologiquement, « affaire » ou « cause commune ».*

Voici donc l'essentiel : *dans le monde de la technique, c'est-à-dire, désormais, dans le monde tout entier puisque la technique est un phénomène sans limites, planétaire, il ne s'agit plus de dominer la nature ou la société pour être plus libre et plus heureux, mais de maîtriser pour maîtriser, de dominer pour dominer. Pourquoi ? Pour rien justement, ou plutôt, parce qu'il est tout simplement impossible de faire autrement étant donné la nature de sociétés de part en part animées par la compétition, par l'obligation absolue de « progresser ou de périr ».*

Tu peux maintenant comprendre pourquoi Heidegger appelle « monde de la technique » l'univers dans lequel nous vivons aujourd'hui. Il suffit pour cela que tu penses un instant à la signification que revêt le mot « technique » dans le langage courant.

Il désigne généralement l'ensemble des moyens qu'il faut mobiliser pour réaliser un but donné. C'est en ce sens qu'on dit, par exemple, d'un peintre ou d'un pianiste qu'il possède une « solide technique » pour signifier qu'il maîtrise assez son art pour pouvoir peindre ou jouer ce qu'il veut. Tu dois d'abord et avant tout noter que la technique concerne les *moyens* et non les *fins*. Je veux dire par là qu'elle est une sorte d'*instrument* qui peut se mettre au service de toutes sortes d'objectifs, mais qui ne les choisit pas elle-même : c'est, pour l'essentiel, la même technique qui servira au pianiste à jouer aussi bien du classique que du jazz, de la musique ancienne ou moderne, mais la question de savoir quelles œuvres il va choisir d'interpréter ne relève en rien de la compétence technique.

Voilà pourquoi on dit aussi de cette dernière qu'elle est une « rationalité instrumentale », justement parce qu'elle nous dit comment réaliser au mieux un objectif, *mais qu'elle ne le fixe jamais par elle-même.* Elle se meut dans l'ordre du « si... alors » : « si tu veux ceci, alors fais cela », nous dit-elle, mais jamais elle ne détermine par elle-même ce qu'il faut choisir comme fin. Un « bon médecin » au sens d'un bon technicien de la médecine, peut tout aussi bien tuer son patient que le guérir – et même plus aisément le premier que le second... Mais décider de soigner ou d'assassiner, voilà qui est totalement indifférent à la logique technicienne en tant que telle.

C'est également en quoi il est légitime de dire que l'univers de la compétition mondialisée est bien, au sens large, « technique » car en lui, le progrès scientifique cesse bel et bien de viser des *fins extérieures et supérieures* à lui pour devenir une espèce de fin en soi – comme si l'accroissement des moyens, de la puissance ou de la maîtrise des hommes sur l'univers devenait à lui-même sa propre finalité. C'est très exactement cela, cette « technicisation du monde » qui advient, selon Heidegger, dans l'histoire de la pensée avec la doctrine nietzschéenne de la « volonté de puissance » en tant qu'elle déconstruit et même détruit toutes les « idoles », tous les idéaux supérieurs. Dans la réalité – et non plus seulement dans l'histoire des idées – cette mutation transparaît dans l'avènement d'un monde où le « progrès » (les guillemets s'imposent maintenant) est devenu un processus *automatique et définalisé,* une sorte de mécanique autosuffisante dont les êtres humains sont totalement *dépossédés. Et c'est justement cette disparition des fins au profit de la seule logique des moyens qui constitue la victoire de la technique comme telle.*

Telle est la différence ultime qui nous sépare des Lumières, qui oppose le monde contemporain à l'univers des Modernes : nul ne peut plus raisonnablement être certain que ces évolutions grouillantes et désordonnées, ces mouvements incessants qui ne sont plus reliés par aucun projet commun, nous conduisent infailliblement vers le mieux. Les écologistes en doutent fortement, les critiques de la mondialisation aussi, mais tout aussi bien nombre de républicains, voire de libéraux qui, pour cette raison même, deviennent, fût-ce à contre-cœur parfois, nostalgiques d'un passé encore récent mais, semble-t-il, irrémédiablement révolu.

De là aussi, chez les citoyens même les moins passionnés par l'histoire des idées, le sentiment d'un doute. Pour la première fois dans l'histoire de la vie, une espèce vivante détient les moyens de détruire la planète tout entière et cette espèce ne sait pas où elle va ! Ses pouvoirs de transformation et, le cas échéant, de destruction du monde sont désormais gigantesques, mais comme un géant qui aurait le cerveau d'un nourrisson, ils sont totalement dissociés d'une réflexion sur la sagesse – tandis que la philosophie elle-même s'en éloigne à grands pas, saisie qu'elle est, elle aussi, par la passion technicienne.

Nul ne peut aujourd'hui sérieusement garantir la survie de l'espèce, beaucoup s'en inquiètent, et nul ne sait pour autant comment « reprendre la main » : de protocoles de Kyoto en sommets sur l'écologie, les chefs d'Etat assistent, pratiquement impuissants, aux évolutions du monde, tenant un discours moralisateur, bourré de vœux pieux, mais sans effet réel sur les situations même les mieux identifiées comme potentiellement catastrophiques. Le pire n'est pas toujours certain et rien n'interdit, bien entendu, de conserver l'optimisme. Mais cela relève, il faut bien l'avouer, davantage de la foi que d'une conviction fondée en raison. Aussi l'idéal des Lumières fait-il place aujourd'hui à une inquiétude diffuse et multiforme, toujours prête à se cristalliser sur telle ou telle menace particulière de sorte que la peur tend à devenir la passion démocratique par excellence.

Quelle leçon tirer d'une telle analyse ?

D'abord que l'attitude généalogique et la technique ne sont bel et bien, comme le pense Heidegger, que les deux faces d'une même médaille : la première est le double idéel, philosophique, de la seconde, qui n'en est que l'équivalent social, économique et politique.

Bien entendu, c'est un paradoxe. En apparence, rien n'est plus éloigné du monde de la technique, avec son côté démocratique, plat et grégaire, aux antipodes de toute espèce de « grand style », que la pensée aristocratique et poétique de Nietzsche. Pourtant, en cassant toutes les idoles à l'aide de son marteau, en nous livrant, sous couleur de la lucidité, pour ainsi dire pieds et poings liés au réel tel qu'il est, sa pensée sert, sans l'avoir voulu, l'incessant mouvement du capitalisme moderne.

De ce point de vue, Heidegger a raison, Nietzsche est bien, par excellence, le « penseur de la technique », celui qui, comme nul autre, accompagne le désenchantement du monde, l'éclipse du sens, la disparition des idéaux supérieurs au profit de la seule et unique logique de la volonté de puissance. Que l'on ait pu, dans la philosophie française des années soixante voir dans la pensée de Nietzsche quelque chose comme une philosophie des utopies radicales restera sans aucun doute une des plus grandes bévues de l'histoire des interprétations. Nietzsche est un avant-gardiste, bien entendu, mais pas pour autant un théoricien des utopies. Tout au contraire, il est leur plus ardent et efficace contempteur.

Le risque est donc grand – et là je m'éloigne nettement de la pensée de Heidegger pour revenir à notre propos – qu'une poursuite indéfinie et inlassable de la déconstruction n'enfonce désormais une porte trop largement ouverte. Le problème n'est plus, hélas, de briser encore les pauvres « pieds d'argile » de malheureux idéaux que nul ne parvient plus à percevoir tant ils sont devenus fragiles et incertains. *L'urgence n'est certes plus de s'en prendre à des « pouvoirs » désormais introuvables tant le cours de l'histoire est devenu méca-*

nique et anonyme, mais au contraire, de faire surgir de nouvelles idées, voire de nouveaux idéaux, afin de retrouver un minimum de pouvoir sur le cours du monde. Car le vrai problème n'est certainement pas qu'il serait secrètement guidé par quelques « puissants », mais au contraire qu'il nous échappe désormais à tous, puissants compris. Ce n'est plus tant le pouvoir qui gêne, que l'absence de pouvoir – de sorte que vouloir déconstruire encore et toujours les idoles, chercher pour la énième fois à renverser le « Pouvoir » avec un grand P, ce n'est plus tant œuvrer à l'émancipation des hommes que se rendre involontairement complice d'une mondialisation aveugle et insensée.

Ensuite, sans aucun doute, et c'est là une troisième et importante leçon, la priorité, dans la situation où nous sommes, est, comme on dit, de « reprendre la main », de tenter si possible de « maîtriser la maîtrise ». Heidegger lui-même n'y croyait guère ou plus exactement, il doutait que la démocratie fût à la hauteur d'un tel défi – et c'est une des raisons, sans aucun doute, qui l'ont jeté dans les bras du pire régime autoritaire que l'humanité ait connu. Il pensait, en effet, que les démocraties épousent fatalement la structure du monde de la technique. Sur le plan économique, parce qu'elles sont intimement liées au système libéral de concurrence entre les entreprises. Or ce système, nous avons vu comment, induit quasi nécessairement la progression illimitée et mécanique des forces productives. Sur le plan politique aussi, puisque les élections prennent également la forme d'une compétition organisée qui, insensiblement, tend à dériver vers une logique dont la structure la plus intime, celle, pour aller vite, de la démagogie et du règne sans partage de l'audimat, est l'essence même de la technique, c'est-à-dire de la société de compétition mondialisée.

Heidegger s'est donc, et c'est bien sûr consternant, engagé dans le nazisme, convaincu sans aucun doute que seul un régime autoritaire pouvait se montrer au niveau des défis lancés à l'humanité par le monde de la technique. Plus tard, dans la dernière partie de son œuvre, il s'est détaché de tout volontarisme, de toute tentation de transformer le monde au profit d'une sorte de « retrait », seul susceptible d'offrir une certaine sérénité. Bien qu'explicables, ces deux attitudes sont impardonnables, voire absurdes – ce qui prouve qu'on peut être génial dans l'analyse et tragique quand il s'agit d'en tirer de justes conséquences. Une grande partie de l'œuvre de Heidegger est donc terriblement décevante, parfois insupportable, bien que le cœur de sa conception de la technique soit réellement éclairant. C'est ainsi.

Mais laissons là les conclusions que Heidegger a tirées pour son propre compte des constats qu'il a si justement faits. Ce qui me semble ici l'essentiel, c'est que tu perçoives bien comment, dans ce monde technicien, la philosophie peut s'engager dans deux directions.

Deux voies possibles pour la philosophie contemporaine : devenir une « discipline technique » à l'université ou s'engager enfin à penser l'humanisme après la déconstruction

On peut d'abord, conformément à l'atmosphère, au sens large « technicienne », dans laquelle nous vivons et respirons désormais en permanence, faire de la philosophie une nouvelle scolastique, au sens propre du terme : une discipline scolaire à l'université et au lycée. Le fait est qu'après une phase intense de « déconstruction » inaugurée par le marteau de Nietzsche et poursuivie par d'autres sous des formes diverses, la philosophie, elle-même saisie par la passion de la technique, s'est spécialisée en secteurs particuliers : philosophie des sciences, de la logique, du droit, de la morale, de la politique, du langage, de l'écologie, de la religion, de la bioéthique, histoire des idées orientales ou occidentales, continen-

tales ou anglo-saxonnes, de telle période, de tel pays...
A vrai dire, on n'en finirait pas d'énumérer la liste des
« spécialités » que les étudiants sont sommés de choisir
pour être considérés comme « sérieux » et « techni-
quement compétents ».

Dans les grands organismes de recherche, comme le
CNRS (notre Centre National de la Recherche Scientifique), les jeunes gens qui ne travaillent pas sur un sujet
ultrapointu – sur le « cerveau de la sangsue », plaisantait
déjà Nietzsche – n'ont aucune chance d'être considérés
comme d'authentiques chercheurs. Non seulement la
philosophie est sommée de mimer à tout prix le modèle
des sciences « dures », mais ces dernières sont elles-
mêmes devenues des « techno-sciences », c'est-à-dire
des sciences très souvent plus soucieuses de leurs retombées concrètes, économiques et commerciales, que de
questions fondamentales.

Lorsque la philosophie universitaire veut prendre du
champ, lorsque le philosophe est invité à se prononcer
comme un « expert » sur tel ou tel sujet concernant la
vie de la cité (et il en est mille possibles), elle tient que
sa fonction principale est de répandre l'esprit critique et
les « Lumières » dans la société sur des questions
qu'elle n'a pas produites elle-même, mais qui relèvent
de l'intérêt général. Sa finalité la plus haute serait ainsi,
au sens large, une finalité morale : éclairer la discussion
publique, favoriser les argumentations rationnelles dans
le but de faire en sorte que l'on aille dans le bon sens.
Et pour bien y parvenir, elle pense, par probité intellectuelle, qu'il lui faut se spécialiser sur des sujets bien
précis, des sujets sur lesquels le philosophe, devenu en
vérité professeur de philosophie, finit par acquérir une
compétence particulière.

Par exemple, de nombreux universitaires s'intéressent
aujourd'hui, un peu partout dans le monde, à la bioéthique ou à l'écologie, dans le but de réfléchir aux
impacts des sciences positives sur l'évolution de nos

sociétés, afin d'apporter des réponses sur ce qu'il convient de faire et de ne pas faire, d'autoriser ou d'interdire touchant des questions comme le clonage, les organismes génétiquement modifiés, l'eugénisme ou les procréations médicalement assistées...

Une telle conception de la philosophie n'a évidemment rien d'indigne ni de méprisable. Tout au contraire, elle peut même avoir son utilité et je ne songe nullement à le nier. Elle n'en est pas moins terriblement réductrice par rapport à l'idéal qui fut celui de tous les grands philosophes depuis Platon jusqu'à Nietzsche. Aucun, en effet, n'avait encore à ce point renoncé à penser la vie bonne – aucun ne s'était résolu à croire que la réflexion critique et la morale étaient les horizons ultimes de la pensée philosophique.

Face à cette évolution, qui n'est pas à mes yeux un progrès, les grandes interrogations philosophiques apparaissent aux nouveaux spécialistes saisis par la passion du sérieux comme des bluettes d'un autre temps. Plus question de parler de sens, de vie bonne, d'amour de la sagesse, encore moins de salut ! Tout ce qui avait fait pendant des millénaires l'essentiel de la philosophie semble passer à la trappe pour ne laisser place qu'à l'érudition, à la « réflexion » et à l'« esprit critique ». Non que ces attributs ne soient des qualités, mais enfin, comme disait Hegel, « l'érudition commence par les idées et finit avec les ordures... » : tout et n'importe quoi peut devenir objet d'érudition, les couvercles de pots de yaourt aussi bien que les concepts, de sorte que la spécialisation technicienne peut engendrer des compétences incontestables associées à l'absence de sens la plus désolante.

Quant à la « réflexion critique », j'ai déjà eu l'occasion de te dire, dans les toutes premières pages de ce livre, ce que j'en pensais : c'est une qualité indispensable, une exigence essentielle dans notre univers républicain, mais en rien, je dis bien en rien, l'apanage de la philosophie. Tout être humain digne de ce nom réfléchit sur son métier, ses amours, ses lectures, la vie politique ou les voyages sans être pour autant philosophe.

Voilà pourquoi nous sommes aujourd'hui quelques-uns à nous situer en retrait des grandes avenues de la pensée académique, comme des chemins de traverse de la déconstruction. Quelques-uns à vouloir, non pas restaurer les questions anciennes – car, je te l'ai dit, les « retours à » n'ont aucun sens – mais les garder en vue, pour les penser à nouveaux frais. C'est dans cette optique, pour ainsi dire dans les interstices, que des débats authentiquement philosophiques demeurent en vie. Après la phase de la déconstruction et en marge de l'érudition vide, la philosophie, une certaine philosophie à tout le moins, reprend son vol vers d'autres horizons, plus prometteurs à mes yeux. Je suis convaincu que la philosophie peut et doit encore, à vrai dire même plus que jamais en raison du fond technicien dans lequel nous baignons, maintenir en vie l'interrogation, non seulement sur la *theoria* et la morale, mais bel et bien sur la question du salut, quitte à renouveler cette dernière de fond en comble.

Nous ne pouvons plus aujourd'hui nous contenter d'une pensée philosophique réduite à l'état de discipline universitaire spécialisée et nous ne pouvons pas davantage nous en tenir à la seule logique de la déconstruction, comme si la lucidité corrosive était une fin en soi. Parce que l'érudition dénuée de sens ne nous suffit pas. Parce que l'esprit critique, même lorsqu'il sert l'idéal de la démocratie, n'est qu'une condition nécessaire, mais pas suffisante de la philosophie : il nous permet de nous débarrasser des illusions et des naïvetés de la métaphysique classique, mais il ne répond en rien pour autant aux questions existentielles que l'aspiration à la sagesse inhérente à l'idée même de philosophie plaçait au cœur des anciennes doctrines du salut.

On peut certes renoncer à la philosophie, on peut

déclarer haut et fort qu'elle est morte, finie, définitivement remplacée par les sciences humaines, mais on ne peut pas prétendre sérieusement philosopher en s'en tenant à la seule dynamique de la déconstruction et en faisant l'impasse sur la question du salut, en quelque sens qu'on l'entende. D'autant que si l'on ne veut pas non plus céder, pour les raisons que j'ai indiquées à partir de l'analyse heideggerienne de la technique, au cynisme de l'*amor fati*, il nous faut aussi tenter de dépasser le matérialisme philosophique où il atteint son point culminant. Bref, pour qui n'est pas croyant, pour qui ne veut pas se contenter des « retours à » ni s'enfermer dans la pensée « au marteau », il est nécessaire de relever le défi d'une sagesse ou d'une spiritualité post-nietzschéennes.

Un tel projet suppose, bien sûr, que l'on prenne ses distances avec le matérialisme contemporain, c'est-à-dire avec le rejet de tous les idéaux transcendants, leur réduction par la généalogie à n'être que les produits illusoires de la nature et de l'histoire. Pour cela, il faut montrer comment, même à son meilleur niveau, il ne répond pas de façon satisfaisante à la question de la sagesse ou de la spiritualité. C'est là ce que j'aimerais t'expliquer encore, à ma façon bien sûr – qu'un matérialiste contesterait, mais que je crois pourtant juste – avant de t'indiquer comment un humanisme post-nietzschéen parvient à penser en termes neufs la *theoria*, la morale et la problématique du salut ou ce qui peut, désormais, en tenir lieu.

Pourquoi chercher à penser, après la déconstruction, les bases d'un humanisme débarrassé des « idoles » de la métaphysique moderne ? L'échec du matérialisme

Même quand il veut, avec talent, réassumer clairement le projet de déboucher à son tour sur une morale, voire sur une doctrine du salut ou de la sagesse – ce que Nietzsche, par exemple, ne faisait jamais que de manière subreptice, implicite –, le matérialisme contemporain ne parvient pas, du moins à ce qu'il me semble, à une cohérence suffisante pour pouvoir réellement emporter l'adhésion. Cela ne signifie pas qu'il n'y ait pas du vrai en lui, ni des éléments de réflexion profondément stimulants, mais seulement qu'au total, les tentatives pour en finir avec l'humanisme se soldent par un échec.

Je voudrais te dire ici un mot de ce renouveau du matérialisme – qui rejoint tout à la fois le stoïcisme, le bouddhisme et la pensée nietzschéenne – parce que c'est en quelque sorte, comme je viens de te le suggérer, en raison même de son échec qu'un nouvel humanisme doit être, comme par contrecoup, pensé à nouveaux frais.

Dans l'espace de la philosophie contemporaine, c'est sans doute André Comte-Sponville qui a poussé le plus loin, avec le plus de talent et de rigueur intellectuelle, la tentative de fonder une nouvelle morale et une nouvelle doctrine du salut sur la base d'une déconstruction radicale des prétentions de l'humanisme à la transcendance des idéaux. En ce sens, même si André Comte-Sponville n'est pas nietzschéen – il rejette avec vigueur les tonalités fascisantes auxquelles Nietzsche n'échappe pas toujours –, il n'en partage pas moins avec la pensée nietzschéenne le sentiment que les « idoles » sont illusoires, la conviction qu'elles doivent être déconstruites, rapportées par la généalogie à leur mode de production, et que seule une sagesse de l'immanence radicale est possible. Sa pensée va donc finalement culminer, elle aussi, dans une des nombreuses figures de l'*amor fati*, dans un appel à se réconcilier avec le monde tel qu'il est ou, si tu veux, cela revient au même, dans une critique radicale de l'espérance. « Espérer un peu moins, aimer un peu plus », telle est, au fond, à ses yeux, la clef du salut. Car l'espérance, à l'encontre de ce que pense le commun des mortels, loin de nous aider à vivre mieux, nous fait plutôt manquer l'essentiel de la vie même qui est à prendre ici et maintenant.

Comme pour Nietzsche et les stoïciens, du point de vue de ce matérialisme renouvelé, l'espoir est bien davantage un malheur qu'une bienfaisante vertu. Voilà ce qu'André Comte-Sponville a résumé d'une formule aussi synthétique que parlante : « Espérer, dit-il, c'est désirer sans jouir, sans savoir et sans pouvoir. » C'est donc un grand malheur, et nullement une attitude qui donnerait, comme on le répète si souvent, du goût à la vie.

La formule peut être commentée de la façon suivante : espérer, c'est d'abord, en effet, *désirer sans jouir*, puisqu'il est clair, par définition même, que nous ne possédons pas les objets de nos espérances. Espérer être riche, être jeune, être en bonne santé, etc., c'est bien sûr ne pas l'être déjà. C'est se situer dans le manque de ce que nous voudrions être ou posséder. Mais c'est aussi *désirer sans savoir* : si nous savions quand et comment les objets de nos espoirs allaient nous advenir, nous nous contenterions sans nul doute de les *attendre*, ce qui, si les mots ont un sens, est tout différent. Enfin, c'est *désirer sans pouvoir* puisque, d'évidence là encore, si nous avions la capacité ou la puissance d'actualiser nos souhaits, de les réaliser ici et maintenant, nous ne nous en priverions pas. Nous nous bornerions à le faire, sans passer par le détour de l'espoir.

Le raisonnement est impeccable. Frustration, ignorance, impuissance, voici bien, d'un point de vue matérialiste, les caractéristiques majeures de l'espérance – par où la critique qu'il en fait rejoint une spiritualité dont tu te souviens certainement que nous l'avions vue à l'œuvre aussi bien dans le stoïcisme que dans le bouddhisme.

Des sagesses grecques, en effet, la doctrine du salut matérialiste reprend volontiers l'idée du fameux *carpe diem* – « profite du jour présent » – des Anciens, c'est-à-dire la conviction que la seule vie qui vaille la peine d'être vécue se situe dans l'ici et le maintenant, dans la réconciliation avec le présent. Pour lui comme pour elles, les deux maux qui nous gâtent l'existence sont la nostalgie d'un passé qui n'existe plus et l'attente d'un futur qui n'est pas encore, en quoi, au nom de ces deux néants, nous manquons absurdement la vie telle qu'elle est, la seule réalité qui vaille parce que la seule vraiment réelle : celle d'un instant qu'il nous faudrait enfin apprendre à aimer tel qu'il est. Comme dans le message stoïcien, mais aussi comme chez Spinoza et Nietzsche, il faut parvenir à aimer le monde, il faut nous élever jusqu'à l'*amor fati*, et c'est là aussi le fin mot de ce que nous pouvons bien nommer, même si cela semble un peu paradoxal, la « spiritualité » matérialiste.

Cette invitation à l'amour ne saurait laisser insensible. Elle a même, j'en suis convaincu, sa part de vérité qui correspond à une expérience que nous avons tous faite : celle de ces instants de « grâce » où, par bonheur, le monde tel qu'il va ne nous paraît pas hostile, mal fichu ou laid, mais, au contraire, bienveillant et harmonieux. Ce peut être à l'occasion d'une promenade au bord d'un fleuve, à la vue d'un paysage dont la beauté naturelle nous charme, ou même, au sein du monde humain, lors-qu'une conversation, une fête, une rencontre nous comblent – toutes situations que j'emprunte pour l'occasion à Rousseau. Chacun pourra à son gré retrouver le souvenir d'un de ces moments bienheureux de légèreté où nous éprouvons le sentiment que le réel n'est pas à transformer, à améliorer laborieusement, par l'effort et le travail, mais à goûter dans l'instant tel qu'il est, sans souci du passé ni de l'avenir, dans la contemplation et la jouissance plus que dans la lutte portée par l'espoir de jours meilleurs.

Je t'ai déjà dit tout cela, en prenant, si tu t'en sou-viens, l'exemple de la plongée sous-marine. Je n'y insiste donc pas.

Il est clair qu'en ce sens, le matérialisme est bien une philosophie du bonheur et, lorsque tout va bien, qui ne serait volontiers porté à céder à ses charmes ? Une philosophie pour beau temps, en somme. Oui, mais voilà, quand la tempête se lève, pouvons-nous encore le suivre ?

C'est pourtant là qu'il nous serait de quelque secours, mais d'un coup, il se dérobe sous nos pieds – ce que, d'Epictète à Spinoza, les plus grands furent bien contraints de concéder : le sage authentique n'est pas de ce monde et la béatitude nous reste, hélas, inaccessible.

Face à l'imminence de la catastrophe – la maladie d'un enfant, la victoire possible du fascisme, l'urgence d'un choix politique ou militaire, etc. –, je ne connais aucun sage matérialiste qui ne redevienne aussitôt un vulgaire humaniste soupesant les possibles, tout à coup convaincu que le cours des événements pourrait bien en quelque façon dépendre de ses libres choix. Qu'il faille se préparer au malheur, l'anticiper, comme on l'a dit, sur le mode du futur antérieur (« quand il adviendra, je m'y serai du moins préparé »), j'en conviens volontiers. Mais qu'il faille aimer en toute circonstance le réel me paraît tout simplement impossible, pour ne pas dire absurde, voire obscène. Quel sens peut bien avoir l'impératif de l'*amor fati* à Auschwitz ? Et que valent nos révoltes ou nos résistances si elles sont inscrites de toute éternité dans le réel au même titre que ce à quoi elles s'opposent ? Je sais que l'argument est trivial. Pour autant je n'ai jamais vu qu'aucun matérialiste, ancien ou moderne, avait trouvé les moyens d'y répondre.

Voilà pourquoi, tout bien pesé, je préfère m'engager dans la voie d'un humanisme qui aurait le courage d'assumer pleinement le problème de la transcendance. Car c'est bien, au fond, de cela qu'il s'agit, de l'incapacité logique où nous sommes de faire l'économie de la notion de liberté telle que nous l'avons vue à l'œuvre chez Rousseau et Kant – c'est-à-dire de l'idée qu'il y a en nous quelque chose qui est comme en excès par rapport à la nature et à l'histoire.

Non, contrairement à ce que prétend le matérialisme, nous ne parvenons pas à nous penser comme totalement déterminés par elles, nous ne parvenons pas à éradiquer tout à fait le sentiment que nous sommes en quelque façon capables de nous en détacher pour les regarder de façon critique. On peut être femme, et ne pas s'enfermer pour autant dans ce que la nature semble avoir prévu en matière de féminité : l'éducation des enfants, la sphère privée, la vie de famille ; on peut naître dans un milieu défavorisé socialement et s'émanciper, progresser, grâce à l'école par exemple, pour entrer dans d'autres mondes que ceux qu'un déterminisme social aurait programmés pour nous.

Pour t'en convaincre, ou tout au moins, pour bien saisir ce que je tente de te faire comprendre ici, réfléchis un instant à l'expérience qui est inévitablement la tienne – à vrai dire la nôtre à tous chaque fois que nous portons le moindre jugement de valeur. Comme tout un chacun sans doute, tu ne peux t'empêcher de penser, pour prendre un exemple parmi mille autres possibles, que les militaires qui ont ordonné le massacre des musulmans bosniaques à Srebrenica sont de véritables salauds. Avant de les tuer, ils se sont amusés à leur faire peur, à tirer à la mitraillette dans leurs jambes, à les obliger à courir avant de les abattre. Parfois ils leur ont coupé les oreilles, ils les ont torturés avant de les achever. Bref, je ne vois pas comment dire et penser autrement qu'avec des mots comme celui que je viens d'employer : ce sont des salauds.

Mais quand je dis cela, et encore une fois, tu pourras prendre tout autre exemple à ta guise, c'est bien évidemment parce que je suppose qu'en tant qu'êtres humains, *ils auraient pu agir autrement, ils possédaient une liberté de choix.* Si les généraux serbes étaient des ours ou des loups, je ne porterais sur eux aucun jugement de valeur. Je me contenterais de déplorer le massacre des innocents par des bêtes sauvages, mais il ne me viendrait pas à l'idée de les juger d'un point de vue moral. Je le fais, justement, parce que les généraux ne sont pas des bêtes, mais des humains auxquels j'impute une capacité de choisir entre des possibles.

On pourrait, bien entendu, en se plaçant d'un point de vue matérialiste, dire que de tels jugements de valeur sont des illusions. On pourrait en faire la « généalogie », montrer d'où ils viennent, comment ils sont déterminés par notre histoire, notre milieu, notre éducation, etc. Le problème c'est que je n'ai jamais rencontré encore qui que ce soit, matérialiste ou non, qui soit capable d'en faire l'économie. Au contraire, même, la littérature matérialiste est remplie comme nulle autre d'une incroyable profusion de condamnations diverses et variées. A commencer par Marx et Nietzsche les matérialistes ne se privent jamais de juger en permanence tout le monde et son voisin, de prononcer des sentences morales dont toute leur philosophie devrait pourtant les conduire à s'abstenir. Pourquoi ? Tout simplement parce que, sans même s'en rendre compte, ils continuent dans la vie commune à attribuer aux êtres humains une liberté qu'ils leur dénient dans la théorie philosophique – de sorte qu'on doit bien en venir à penser que l'illusion réside sans doute moins dans la liberté que dans le matérialisme lui-même dès lors que son point de vue s'avère tout simplement impossible à tenir.

Par-delà la sphère de la morale, tous tes jugements de valeur, même le moindre d'entre eux – une remarque sur un film qui t'a plu, une musique qui t'a ému, que sais-je encore –, impliquent que tu te penses comme libre, que tu te représentes toi-même comme parlant librement et non comme un être traversé par des forces inconscientes qui parleraient pour ainsi dire à travers toi sans que tu t'en rendes compte.

Qui faut-il croire alors ? Toi-même, quand tu te

penses libre, ce que tu fais implicitement chaque fois que tu émets un jugement ? Ou le matérialiste, qui t'affirme (librement ?) que tu ne l'es pas – mais qui n'en prononce pas moins, lui aussi, dès que l'occasion s'en présente, des jugements de valeur supposant sa propre liberté ? A toi de choisir...

Quant à moi, je préfère en tout cas ne pas me contredire en permanence, et pour ce faire, postuler, même si elle reste, en effet, mystérieuse – comme la vie, comme l'existence elle-même – une faculté d'arrachement à la nature et à l'histoire, cette faculté que Rousseau et Kant nommaient la liberté ou la perfectibilité, et qui est bien en situation de transcendance par rapport aux codes dans lesquels le matérialisme voudrait nous enfermer.

J'ajouterai même, pour faire bonne mesure et pour comprendre le simple phénomène du jugement de valeur que je viens d'évoquer, qu'il y a non seulement transcendance de la liberté, pour ainsi dire, *en nous*, mais aussi des valeurs *hors de nous* : ce n'est pas nous qui inventons les valeurs qui nous guident et nous animent, pas nous qui inventons, par exemple, la beauté de la nature ou la puissance de l'amour.

Comprends-moi bien : je ne dis nullement que nous avons « besoin » de transcendance comme une pensée un peu niaise se complaît aujourd'hui à le proclamer – ajoutant volontiers qu'on a « besoin de sens », voire « besoin de Dieu ». De telles formules sont calamiteuses, car elles se retournent immédiatement contre celui qui les utilise : ce n'est pas parce que nous avons besoin d'une chose qu'elle est vraie. Tout au contraire : il y a de fortes chances pour que le besoin nous pousse à l'inventer, à la défendre ensuite, fût-ce avec mauvaise foi, parce que nous lui sommes attachés. Le besoin de Dieu est à cet égard la plus grande objection que je connaisse contre lui.

Je ne dis donc nullement que nous avons « besoin » de la transcendance de la liberté ou de la transcendance des valeurs. Je dis, ce qui est tout différent, que nous ne pouvons pas en faire l'économie, que nous ne pouvons pas nous penser nous-mêmes ni notre rapport aux valeurs sans faire l'hypothèse de la transcendance. C'est une nécessité logique, une contrainte rationnelle, pas une aspiration ou un désir. Il n'est pas question, dans ce débat, de notre confort mais de notre rapport à la vérité. Ou pour formuler les choses encore autrement : si je ne suis pas convaincu par le matérialisme, ce n'est pas parce qu'il me paraît inconfortable, bien au contraire. Comme le dit d'ailleurs Nietzsche, la doctrine de l'*amor fati* est la source d'un réconfort à nul autre pareil, le motif d'une infinie sérénité. Si je me sens obligé de dépasser le matérialisme pour tenter d'aller plus loin, c'est parce que je le trouve, au sens propre, « impensable », trop empli de contradictions logiques pour que je puisse intellectuellement m'y installer.

Pour formuler une fois encore le principe de ces contradictions, je te dirai seulement que la croix du matérialisme, c'est qu'il ne parvient jamais à penser sa propre pensée. La formule peut te sembler difficile, elle signifie quelque chose de pourtant très simple : le matérialiste dit, par exemple, que nous ne sommes pas libres, *mais il est convaincu, bien entendu, qu'il affirme cela librement, que nul ne l'oblige, en effet, à le faire, ni ses parents, ni son milieu social, ni sa nature biologique.* Il dit que nous sommes de part en part déterminés par notre histoire, *mais il ne cesse de nous inviter à nous en émanciper, à la changer, à faire la révolution si possible* ! Il dit qu'il faut aimer le monde tel qu'il est, se réconcilier avec lui, fuir le passé et l'avenir pour vivre au présent, *mais il ne cesse de tenter, comme toi et moi quand le présent nous pèse, de le changer dans l'espérance d'un monde meilleur.* Bref, le matérialiste énonce des thèses philosophiques profondes, *mais toujours pour les autres, jamais pour lui-même.* Toujours, il réintroduit de la transcendance, de la liberté, du projet, de l'idéal, car en vérité, il ne peut pas ne pas se croire, lui aussi, libre et requis par des valeurs supérieures à la nature et à l'histoire.

De là la question fondamentale de l'humanisme contemporain : comment penser la transcendance sous ses deux formes, en nous (celle de la liberté) et hors de nous (celle des valeurs) sans retomber immédiatement sous les coups de la généalogie et de la déconstruction matérialistes ? Ou encore, c'est la même question formulée autrement : comment penser un humanisme qui soit enfin débarrassé des illusions métaphysiques qu'il charriait encore avec lui à l'origine, au moment de la naissance de la philosophie moderne ?

Voilà, tu l'as sans doute compris, le programme philosophique qui est le mien, celui, à tout le moins, dans lequel je me reconnais pleinement et dont j'aimerais te dire quelques mots pour finir.

I. *THEORIA* : VERS UNE PENSÉE INÉDITE DE LA TRANSCENDANCE

Contrairement au matérialisme, auquel il s'oppose diamétralement, l'humanisme post-nietzschéen auquel je songe ici – dont la longue tradition plonge ses racines dans la pensée de Kant et s'épanouit avec l'un de ses plus grands disciples, Husserl, qui écrivit l'essentiel de son œuvre au début du siècle dernier – réhabilite la notion de transcendance. Mais il lui donne, sur le plan théorique notamment, une signification nouvelle que je voudrais tenter de te faire bien comprendre ici. Car c'est par cette nouveauté qu'il va pouvoir échapper aux critiques venues du matérialisme contemporain et se situer ainsi dans un espace de pensée non pas « pré- » mais « post- » nietzschéen.

On peut, en effet, distinguer trois grandes conceptions de la transcendance. Tu vas les reconnaître sans difficulté, car, bien que sans les nommer, nous avons déjà eu l'occasion de les rencontrer en chemin.

La première est celle que mobilisaient déjà les Anciens pour décrire le *cosmos*. Fondamentalement, bien sûr, la pensée grecque est une pensée de l'immanence puisque l'ordre parfait n'est pas un idéal, un modèle qui se situerait ailleurs que dans l'univers, mais au contraire une caractéristique de part en part incarnée en lui. Comme tu t'en souviens, le divin des stoïciens, à la différence du Dieu des chrétiens, n'est pas un Etre extérieur au monde, mais il est pour ainsi dire son ordonnancement même, en tant qu'il est parfait. Cependant, comme je te l'avais déjà signalé au passage, on peut dire aussi que l'ordre harmonieux du *cosmos* n'en est pas moins *transcendant* par rapport aux humains, en ce sens précis qu'ils ne l'ont ni créé ni inventé. Ils le *découvrent* au contraire comme une donnée extérieure et supérieure à eux. Le mot « transcendant » s'entend donc ici par rapport à l'humanité. Il désigne une réalité qui dépasse les hommes sans pour autant se situer ailleurs que dans l'univers. La transcendance n'est pas au ciel mais sur la Terre.

Une deuxième conception de la transcendance, tout à fait différente et même opposée à la première, s'applique au Dieu des grands monothéismes. Elle désigne tout simplement le fait que l'Etre suprême est, au contraire du divin des Grecs, « au-delà » du monde créé par lui, c'est-à-dire tout à la fois extérieur et supérieur à l'ensemble de la création. Contrairement au divin des stoïciens, qui se confond avec l'harmonie naturelle et n'est par conséquent pas situé hors d'elle, le Dieu des juifs, des chrétiens et des musulmans est totalement supranaturel – pour ne pas dire « surnaturel ». Il s'agit là d'une transcendance qui ne se situe pas seulement par rapport à l'humanité, comme celle des Grecs, mais aussi par rapport à l'univers lui-même conçu tout entier comme une création dont l'existence dépend d'un Etre extérieur à elle.

Mais une troisième forme de transcendance, différente des deux premières, peut encore être pensée. Elle prend racine, déjà, dans la pensée de Kant, puis chemine jusqu'à nous à travers la phénoménologie de Husserl. Il s'agit de ce que Husserl, qui aimait bien le jargon philosophique, nommait la « transcendance dans l'immanence ». La formule n'est pas très parlante, mais elle recouvre une idée d'une très grande profondeur.

Voici comment, à ce qu'on raconte, Husserl lui-même se plaisait à la faire comprendre à ses élèves – car, comme beaucoup de grands philosophes, Kant, Hegel, Heidegger, qui fut son élève, et tant d'autres encore, il était d'abord un grand professeur.

Husserl prenait un cube – ou un parallélépipède rectangle, peu importe –, par exemple une boîte d'allumettes, et il le montrait à ses élèves en leur faisant observer ceci : quelle que soit la façon de s'y prendre et de présenter le cube en question, on n'en verra jamais plus de trois faces en même temps, bien qu'il en compte six.

Et alors ? me diras-tu. Qu'est-ce que cela signifie et que faut-il en tirer sur le plan philosophique ? D'abord et avant tout ceci : il n'y a pas d'omniscience, pas de savoir absolu car tout visible (en l'occurrence, le visible est symbolisé par les trois faces exposées du cube) se donne toujours sur un fond d'invisible (les trois faces cachées). En d'autres termes, toute présence suppose une absence, toute immanence une transcendance cachée, toute donation d'objet, quelque chose qui se retire.

Il faut bien comprendre l'enjeu de cet exemple, qui bien sûr n'est que métaphorique. Il signifie que la transcendance n'est pas une nouvelle « idole », une invention de métaphysicien ou de croyant, la fiction, une fois encore, d'un au-delà qui servirait à déprécier le réel au nom de l'idéal, mais un fait, un constat, une dimension incontestable de l'existence humaine inscrite au cœur même du réel. Et c'est en quoi la transcendance, ou pour mieux dire, *cette transcendance-là*, ne saurait tomber sous les coups des critiques classiques menées contre les idoles par les matérialistes ou les différents tenants de la déconstruction. En ce sens, elle est bien non métaphysique et post-nietzschéenne.

Pour mieux cerner cette nouvelle pensée de la transcendance avant d'en donner quelques exemples concrets, un bon moyen consiste à réfléchir, comme le suggère encore Husserl, à la notion d'*horizon*. En effet, lorsque tu ouvres les yeux sur le monde, les objets te sont toujours donnés sur un fond, et ce fond lui-même, au fur et à mesure que tu pénètres l'univers qui nous entoure, ne cesse de se déplacer comme le fait l'horizon pour un navigateur, sans jamais se clore pour constituer un fond ultime et indépassable.

Ainsi, de fond en fond, d'horizon en horizon, tu ne parviens jamais à saisir quoi que ce soit que tu puisses tenir comme une entité dernière, un Etre suprême ou une cause première qui viendrait garantir l'existence du réel où nous sommes plongés. Et c'est en cela qu'il y a de la transcendance, quelque chose qui nous échappe toujours au sein même de ce qui nous est donné, que nous voyons et touchons, donc, au cœur même de l'immanence.

Par où la notion d'horizon, en raison de sa mobilité infinie, renferme en quelque façon celle de mystère. Comme celle du cube, dont je ne perçois jamais toutes les faces en même temps, la réalité du monde ne m'est jamais donnée dans la transparence et la maîtrise parfaites ou, pour le dire autrement : si l'on s'en tient au point de vue de la finitude humaine, à l'idée, comme dit encore Husserl, que « toute conscience est conscience de quelque chose », que toute conscience est donc limitée par un monde extérieur à elle et, par conséquent, en ce sens, *finie*, il faut admettre que la connaissance humaine ne saurait jamais accéder à l'omniscience, qu'elle ne peut jamais coïncider avec le point de vue que les chrétiens prêtent à Dieu.

C'est aussi par ce refus de la clôture, par ce rejet de toutes les formes de « savoir absolu », que cette transcendance d'un troisième type apparaît bien comme une « transcendance dans l'immanence » seule susceptible de conférer une signification rigoureuse à l'expérience humaine que tente de décrire et de prendre en compte l'humanisme débarrassé des illusions de la métaphysique. C'est bien « en moi », dans ma pensée ou dans ma sensibilité, que la transcendance des valeurs se manifeste. Quoique situées en moi (immanence), tout se passe comme si elles s'imposaient (transcendance) malgré tout à ma subjectivité, comme si elles venaient d'ailleurs.

En effet, considère un instant les quatre grands domaines dans lesquels se dégagent des valeurs fondamentales de l'existence humaine : la vérité, la beauté, la justice et l'amour. Toutes les quatre, quoi qu'en dise le matérialisme, demeurent fondamentalement transcendantes pour l'individu singulier, pour toi comme pour moi, comme pour tout le monde.

Disons les choses plus simplement encore : je n'invente ni les vérités mathématiques, ni la beauté d'une œuvre, ni les impératifs éthiques et, comme on dit si bien, on « tombe amoureux » plus qu'on ne le décide par choix délibéré. La transcendance des valeurs est en ce sens bien réelle. Mais elle est cette fois-ci donnée dans l'expérience la plus concrète, pas dans une fiction métaphysique, pas sous la forme d'une idole telle que « Dieu », le « paradis », la « république », le « socialisme », etc. Nous pouvons en faire une « phénoménologie », c'est-à-dire une simple description qui part du sentiment irrépressible d'une nécessité, de la conscience d'une impossibilité à penser ou à sentir autrement : je n'y puis rien, 2 + 2 font bien 4 et cela n'est pas affaire de goût ni de choix subjectif. Cela s'impose à moi comme si cela venait d'ailleurs et pourtant, c'est bien en moi que cette transcendance est présente, presque palpable.

Mais de la même façon, la beauté d'un paysage ou d'une musique me « tombe » littéralement dessus, elle m'emporte, que je le veuille ou non. Et pareillement, je ne suis pas du tout convaincu que je « choisisse », à proprement parler, les valeurs morales, que je décide, par exemple, d'être antiraciste : la vérité, c'est bien plutôt que je ne puis penser autrement et que l'idée d'humanité s'impose à moi avec les notions de justice et d'injustice qu'elle charrie avec elle.

Il y a bel et bien une transcendance des valeurs et c'est cette ouverture que l'humanisme non métaphysique, contrairement au matérialisme qui prétend tout expliquer et tout réduire – sans jamais y parvenir d'ailleurs –, veut assumer. Non par impuissance, mais par lucidité, parce que l'expérience est incontestable et qu'aucun matérialisme ne parvient vraiment à en rendre compte.

Il y a donc bien transcendance.

Mais pourquoi « dans l'immanence » ?

Tout simplement, parce que, de ce point de vue, les valeurs ne sont plus imposées à nous au nom des arguments d'autorité ni déduites de quelque fiction métaphysique ou théologique. Certes, je découvre et n'invente pas la vérité d'une proposition mathématique, pas plus que je n'invente la beauté de l'océan ou la légitimité des droits de l'homme. Mais pour autant, c'est bel et bien en moi, et nulle part ailleurs qu'elles se dévoilent. Il n'y a plus de ciel des idées métaphysiques, plus de Dieu, ou du moins, je ne suis plus obligé d'y croire pour accepter l'idée que je me trouve en face de valeurs qui, tout à la fois, me dépassent et pourtant ne sont nulle part ailleurs, visibles qu'au sein de ma propre conscience.

Prenons encore un exemple. Lorsque je « tombe » amoureux, il n'y a pas de doute qu'à moins d'être Narcisse, je suis bel et bien séduit par un être extérieur à moi, une personne qui m'échappe et même, le plus souvent, d'autant plus que je suis dépendant d'elle. Il y a donc bien, en ce sens, transcendance. Mais il n'en est pas moins clair que cette transcendance de l'autre, c'est en moi que je la ressens. Bien plus, elle se situe, si l'on peut dire, dans ce qui, au sein de ma personne, est le plus intime, dans la sphère du sentiment ou, comme on dit si bien, du « cœur ». On ne saurait trouver plus belle métaphore de l'immanence que cette image du cœur. C'est ce dernier qui est par excellence, tout à la fois le lieu de la transcendance – de l'amour de l'autre comme irréductible à moi – et de l'immanence du sentiment amoureux à ce que ma personne a de plus intérieur. Transcendance dans l'immanence, donc.

Là où le matérialisme veut à tout prix réduire le sentiment de transcendance aux réalités matérielles qui l'ont engendré, un humanisme débarrassé des naïvetés qui étaient encore celles de la philosophie moderne préfère se livrer à une description brute, une description qui n'apporte pas de préjugés avec elle, une « phénoménologie » de la transcendance telle qu'elle s'est en quelque sorte installée au cœur de ma subjectivité.

Voilà aussi pourquoi la *theoria* humaniste va s'avérer être par excellence une théorie de la connaissance centrée sur la conscience de soi ou, pour parler le langage de la philosophie contemporaine, sur l'« autoréflexion ». A l'inverse du matérialisme, dont je t'ai dit pourquoi il ne parvient jamais à penser sa propre pensée, l'humanisme contemporain va tout faire pour tâcher de réfléchir à la signification de ses propres affirmations, pour en prendre conscience, les critiquer, les évaluer. L'esprit critique qui caractérisait déjà la philosophie moderne à partir de Descartes va franchir encore un pas supplémentaire : au lieu de s'appliquer seulement aux autres, il va enfin systématiquement s'appliquer à lui-même.

De la theoria *comme « autoréflexion »*

On pourrait, là encore, distinguer trois âges de la connaissance.

Le premier correspond à la *theoria* grecque. Contemplation de l'ordre divin du monde, compréhension de la structure du *cosmos*, elle n'est pas, nous l'avons vu, une connaissance indifférente aux valeurs ou, pour parler le langage de Max Weber, le plus grand sociologue allemand du XIXe siècle, elle n'est pas « axiologiquement neutre » – ce qui signifie « objective », désintéressée ou dénuée de parti pris. Comme nous l'avons vu dans le stoïcisme, connaissance et valeurs sont intrinsèquement liées en ce sens que la découverte de la nature cosmique de l'univers implique d'elle-même la mise en évidence de certaines finalités morales pour l'existence humaine.

Le deuxième apparaît avec la révolution scientifique moderne qui voit émerger, à l'encontre du monde grec, l'idée d'une connaissance radicalement indifférente à la question des valeurs. Aux yeux des Modernes, non seulement la nature ne nous indique plus rien sur le plan éthique, elle n'est plus un modèle pour les hommes, mais en outre, la science authentique doit être absolument neutre en ce qui regarde les valeurs, sous peine d'être partisane et de manquer d'objectivité. Pour le dire encore autrement : la science doit décrire *ce qui est*, elle ne saurait indiquer *ce qui doit être*, ce que nous devons moralement faire ou ne pas faire. Comme on dit dans le jargon philosophique et juridique, elle ne possède, en tant que telle, aucune portée *normative*. Le biologiste, par exemple, peut bien te démontrer qu'il est mauvais pour la santé de fumer et sur ce point il a raison sans le moindre doute. En revanche, à la question de savoir si, d'un point de vue moral, le fait de fumer est ou non une faute, si, par conséquent, arrêter de fumer est un devoir éthique, il n'a rien à nous dire. C'est à nous de décider, en fonction de valeurs qui ne sont plus, en tant que telles, scientifiques. Dans cette perspective, qu'on désigne généralement sous le nom de « positivisme » et qui domine très largement le xviiie et le xixe siècle, la science s'interroge moins sur elle-même qu'elle ne vise à connaître le monde tel qu'il est.

On ne saurait en rester là : la critique ne peut pas ne valoir que pour les autres. Il lui faut bien un jour, ne serait-ce que par fidélité à ses propres principes, ne pas se laisser elle-même de côté. Il faut bien que la pensée critique en vienne à se critiquer elle-même, ce que les philosophes modernes commencent tout juste à percevoir, mais que Nietzsche et les grands matérialismes refusent paradoxalement de faire. Le généalogiste, le déconstructeur fait merveille lorsqu'il s'agit de crever les bulles de la métaphysique et de la religion, de casser au marteau leurs idoles, mais s'agissant de lui, rien à faire. Son aversion pour l'autocritique, pour l'autoréflexion est pour ainsi dire constitutive de son regard sur le monde. Sa lucidité est admirable quand il s'agit des autres, mais elle n'a d'égal que son aveuglement dès lors qu'il en va de son propre discours.

Une troisième étape vient donc tout à la fois remettre en question mais aussi compléter la deuxième : celle de l'autocritique ou de l'autoréflexion qui caractérise au plus haut point l'humanisme contemporain, post-nietzschéen. Elle n'apparaît vraiment qu'au lendemain de la Seconde Guerre mondiale, lorsqu'on commence, notamment, à s'interroger sur les méfaits potentiels d'une science qui a été en quelque façon responsable des effroyables crimes de guerre que furent le lancement de deux bombes atomiques sur Hiroshima et Nagasaki. Elle se poursuivra plus généralement dans tous les domaines où les retombées de la science peuvent avoir des implications morales et politiques, notamment dans le champ de l'écologie ou de la bioéthique par exemple.

On peut dire, de ce point de vue, qu'avec la seconde moitié du xxᵉ siècle, la science cesse d'être essentiellement dogmatique et autoritaire pour commencer de s'appliquer à elle-même ses propres principes, ceux de l'esprit critique et de la réflexion – lesquels, du coup, deviennent bien autocritique ou « autoréflexion ». Des physiciens s'interrogent sur les dangers potentiels de l'atome, sur les méfaits possibles de l'effet de serre, des biologistes se demandent si les organismes génétiquement modifiés ne présentent pas un risque pour l'humanité, si les techniques de clonage sont moralement licites, et mille autres questions du même ordre qui témoignent d'un retournement complet de perspective par rapport au xixᵉ siècle. La science n'est plus sûre d'elle-même et dominatrice, elle apprend, lentement mais sûrement, à se remettre en question.

De là aussi, le formidable essor, tout au long du xxᵉ siècle, des sciences historiques. L'histoire, à coup sûr, devient la reine des « sciences humaines » et là encore, il est utile de réfléchir un instant à la signification de la montée en puissance de cette merveilleuse discipline. La raison de son incroyable succès s'explique à mes yeux dans ce contexte. Empruntant au modèle de la psychanalyse, elle nous promet que c'est en maîtrisant sans cesse davantage notre passé, en pratiquant l'autoréflexion à haute dose, que nous allons mieux comprendre notre présent et mieux orienter notre avenir.

Ainsi, les sciences historiques, au sens large, incluant toute une partie des sciences sociales, s'enracinent, de façon plus ou moins consciente dans la conviction que l'histoire pèse d'autant plus sur nos vies lorsque nous l'ignorons. Connaître son histoire, c'est dès lors, comme dans la psychanalyse, travailler à sa propre émancipation de sorte que l'idéal démocratique de la liberté de pensée et de l'autonomie ne peut faire l'économie d'un détour par la connaissance historique, ne fût-ce que pour approcher le temps présent avec moins de préjugés.

C'est là aussi, je te le signale au passage, ce qui explique l'erreur dominante selon laquelle la philosophie serait vouée tout entière à l'autoréflexion et à la critique. Il y a, comme tu vois, une part de vérité dans cette erreur : en effet, la *theoria* moderne est bel et bien entrée dans l'âge de l'autoréflexion. Ce qui est faux, simplement, c'est d'en déduire que la philosophie tout entière devrait en rester là, comme si, désormais, la *theoria* était sa seule et unique dimension, comme si la problématique du salut, notamment, devait être abandonnée.

Je vais te montrer dans un instant qu'il n'en est rien, qu'elle reste plus que jamais d'actualité pourvu qu'on accepte de la penser dans des termes qui ne sont plus ceux du passé.

Mais voyons d'abord comment, dans cette perspective d'un humanisme non métaphysique, la morale moderne s'enrichit elle aussi de nouvelles dimensions.

II. Une morale fondée sur la sacralisation d'autrui : la divinisation de l'humain

Nietzsche l'avait bien compris, même si c'était, dans son cas, pour en tirer des conclusions critiques et s'engager dans la voie d'un « immoralisme » revendiqué comme tel : la problématique morale, en quelque sens qu'on l'entende et quel que soit le contenu qu'on lui donne, fait son apparition dès l'instant où un être humain pose des valeurs sacrificielles, des valeurs « supérieures à la vie ». Il y a morale lorsque des principes nous semblent, à tort ou à raison – aux yeux de

Nietzsche, c'est évidemment à tort, mais peu importe ici – si élevés, si « sacrés » que nous en venons à estimer qu'il vaudrait la peine de risquer, voire de sacrifier sa vie pour les défendre.

Je suis sûr, par exemple, que si tu assistais au lynchage de quelqu'un que d'autres torturent simplement parce qu'il n'a pas la même couleur de peau ou la même religion qu'eux, tu ferais tout ce qui est en ton pouvoir pour le sauver, même si cela devait être dangereux. Et si tu manquais de courage, ce que chacun peut comprendre, tu admettrais sans doute dans ton for intérieur que, moralement, c'est cela qu'il faudrait faire. Si la personne que l'on assassine était quelqu'un que tu aimes entre tous, peut-être, sans doute même, prendrais-tu des risques énormes pour la sauver.

Je te donne ce petit exemple – qui n'arrive pas souvent dans la France d'aujourd'hui, bien sûr, mais qui est, ne l'oublie pas, quotidien dans les pays qui sont actuellement en guerre à quelques heures d'avion du nôtre – pour que tu réfléchisses à ceci : à l'encontre de ce que devraient être les conséquences logiques d'un matérialisme enfin radical, nous continuons, matérialistes ou non, d'estimer que certaines valeurs pourraient, le cas échéant, nous amener à prendre le risque de la mort.

Tu es peut-être trop jeune pour t'en souvenir, mais au début des années quatre-vingt, à l'époque où le totalitarisme soviétique était encore bien en place, les pacifistes allemands arboraient un détestable slogan : *Lieber rot als tot* – « Mieux vaut rouge que mort » –, autrement dit, mieux vaut se coucher devant l'oppression plutôt que de risquer sa vie en lui résistant. Finalement, ce slogan n'a pas convaincu tous nos contemporains et, d'évidence, nombre d'entre eux, pas forcément « croyants » pour autant, pensent encore que la préservation de sa propre vie, pour infiniment précieuse qu'elle soit, n'est pas nécessairement et en toutes circonstances la seule valeur qui vaille. J'ai même la conviction que, s'il le fallait, nos concitoyens seraient encore capables de prendre les armes pour défendre leurs proches, voire pour entrer en résistance contre des menaces totalitaires ou, qu'à tout le moins, une telle attitude, lors même qu'ils n'auraient pas le courage de la mener à son terme, ne leur paraîtrait ni indigne, ni absurde.

Le sacrifice, qui renvoie à l'idée d'une valeur *sacrée*, possède paradoxalement, même chez un matérialiste convaincu, une dimension qu'on pourrait presque dire religieuse. Il implique, en effet, que l'on admette, fût-ce de manière subreptice, qu'il existe des valeurs transcendantes, puisque supérieures à la vie matérielle ou biologique.

Simplement, et c'est là que je veux en venir pour identifier enfin ce que la morale humaniste peut avoir de nouveau dans l'espace contemporain par rapport à celle des Modernes, les motifs traditionnels du sacrifice ont fait long feu.

Dans nos démocraties occidentales du moins, bien peu nombreux sont les individus qui seraient disposés au sacrifice de leur vie pour la gloire de Dieu, de la patrie ou de la révolution prolétarienne. En revanche, leur liberté et, plus encore sans doute, la vie de ceux qu'ils aiment pourraient bien leur paraître, dans certaines circonstances extrêmes, mériter qu'ils assument encore des combats.

En d'autres termes, *aux transcendances de jadis – celles de Dieu, de la patrie ou de la révolution – nous n'avons nullement substitué l'immanence radicale chère au matérialisme, le renoncement au sacré en même temps qu'au sacrifice, mais bien plutôt des formes nouvelles de transcendance, des transcendances « horizontales » et non plus verticales, si l'on veut : enracinées dans l'humain, dans des êtres qui sont sur le même plan que nous, et non plus dans des entités situées au-dessus de nos têtes.* Voilà en quoi il me semble que le mouvement du monde contemporain est un mouvement au cours duquel deux tendances lourdes se sont croisées.

D'un côté une tendance à l'*humanisation du divin*. Pour te donner un exemple, on pourrait dire que notre grande Déclaration des droits de l'homme n'est rien d'autre – et là encore Nietzsche l'avait bien vu – que du christianisme « sécularisé » – c'est-à-dire une reprise du contenu de la religion chrétienne sans que la croyance en Dieu soit pour autant une obligation.

D'un autre côté, nous vivons sans aucun doute un mouvement inverse de divinisation ou de *sacralisation de l'humain* au sens que je viens de définir : c'est désormais pour l'autre homme que nous pouvons, le cas échéant, accepter de prendre des risques, certainement pas pour défendre les grandes entités d'antan comme la patrie ou la révolution parce que nul ne croit plus, comme l'hymne cubain, que « mourir pour elles, c'est entrer dans l'éternité ». Bien entendu, on peut rester patriote, mais la patrie elle-même a changé de sens : elle désigne moins le territoire que les hommes qui vivent en lui, moins le nationalisme que l'humanisme.

En veux-tu un exemple, pour ne pas dire une preuve ? Il te suffira de lire le tout petit, mais très important livre d'Henri Dunant intitulé *Un souvenir de Solferino*. Henri Dunant, comme tu le sais peut-être, fut le créateur de la Croix-Rouge et, par-delà cette institution particulière, le fondateur de l'humanitaire moderne auquel il consacra toute sa vie. Dans son petit livre, il raconte la naissance de cet extraordinaire engagement. Traversant sans l'avoir voulu, par les hasards d'un voyage d'affaires, le champ de bataille de Solferino, il découvre l'horreur absolue. Des milliers de morts et, pis encore, d'innombrables blessés qui agonisent lentement dans des souffrances atroces, sans la moindre aide ni assistance d'aucune sorte. Dunant descend de sa diligence et passe quarante-huit heures épouvantables, les mains dans le sang, à accompagner les mourants.

Il en tire une leçon magnifique qui sera à l'origine de cette véritable révolution morale que représente l'humanitaire contemporain : celle selon laquelle le soldat, une fois à terre, désarmé et blessé, cesse d'appartenir à une nation, à un camp, pour redevenir un homme, un simple humain qui, en tant que tel, mérite d'être protégé, assisté, soigné, abstraction faite de tous ses engagements passés dans le conflit auquel il a participé. Dunant rejoint ici l'inspiration fondamentale de la grande Déclaration des droits de l'homme de 1789 : tout être humain mérite d'être respecté indépendamment ou abstraction faite de toutes ses appartenances communautaires, ethniques, linguistiques, culturelles, religieuses. Mais il va plus loin encore, car il nous invite à faire également abstraction des appartenances nationales de sorte que l'humanitaire, en cela héritier du christianisme, nous demande désormais de traiter notre propre ennemi, une fois réduit à l'état d'être humain inoffensif, de la même manière que s'il était notre ami.

Comme tu vois, nous sommes loin de Nietzsche – que son aversion pour l'idée même de pitié conduisait à haïr toutes les formes de l'action caritative, suspecte à ses yeux de relayer encore des relents de christianisme, des restes d'idéal. Au point de sauter littéralement de joie le jour où il apprend qu'un tremblement de terre a eu lieu à Nice ou qu'un cyclone a dévasté les îles Fidji.

Nietzsche s'égare, ce n'est pas douteux. Mais sur le fond du diagnostic, il n'a pas tout à fait tort : pour être désormais à visage humain, le sacré, en effet, n'en subsiste pas moins, comme subsiste la transcendance, même logée dans l'immanence, au cœur de l'homme. Mais au lieu de le déplorer avec lui, c'est cela, très exactement cela qu'il s'agit plutôt de penser en termes neufs si l'on veut cesser de vivre, comme le matérialiste doit bien se résoudre à le faire, dans cette intenable et permanente dénégation qui consiste à reconnaître dans son expérience intime l'existence de valeurs qui engagent *absolument*, tout en s'attachant sur le plan théorique à défendre une morale *relativiste*, rabaissant cet absolu au statut d'une simple illusion à surmonter.

C'est sur cette base que nous pouvons maintenant nous élever jusqu'à la considération du salut ou tout au moins de ce qui en tient lieu dans un univers désormais voué à une exigence de lucidité jusqu'alors inconnue.

III. Repenser la question du salut : à quoi sert de grandir ?

Je voudrais, pour finir, te proposer trois éléments de réflexion sur la façon dont un humanisme non métaphysique peut aujourd'hui réinvestir l'ancienne problématique de la sagesse : ils concernent l'*exigence de la pensée élargie*, la *sagesse de l'amour* et l'*expérience du deuil*.

L'exigence de la pensée élargie

La « pensée élargie », d'abord.

Cette notion, que j'ai eu l'occasion d'évoquer à la fin du chapitre sur la philosophie moderne, prend une signification nouvelle dans le cadre de la pensée post-nietzschéenne. Elle ne désigne plus simplement, comme chez Kant, une exigence de l'esprit critique, une contrainte argumentative (« se mettre à la place des autres pour mieux comprendre leur point de vue ») mais, bel et bien, une nouvelle façon de répondre à la question du sens de la vie. Je voudrais t'en dire un mot afin de t'indiquer quelques-uns des rapports qu'elle entretient avec la problématique du salut ou, tout au moins, avec ce qui en tient désormais lieu dans la perspective d'un humanisme post-nietzschéen, débarrassé des idoles de la métaphysique.

Par opposition à l'esprit « borné », la pensée élargie pourrait se définir, dans un premier temps, comme celle qui parvient à s'arracher à soi pour se « mettre à la place d'autrui », non seulement pour mieux le comprendre, mais aussi pour tenter, en un mouvement de retour à soi, de regarder ses propres jugements du point de vue qui pourrait être celui des autres.

C'est là ce qu'exige l'autoréflexion dont nous avons parlé tout à l'heure : pour prendre conscience de soi, il faut bien se situer en quelque façon *à distance de soi-même*. Là où l'esprit borné reste englué dans sa communauté d'origine au point de juger qu'elle est la seule possible ou, à tout le moins, la seule bonne et légitime, l'esprit élargi parvient, en se plaçant autant qu'il est possible du point de vue d'autrui, à contempler le monde en spectateur intéressé et bienveillant. Acceptant de décentrer sa perspective initiale, de s'arracher au cercle limité de l'égocentrisme, il peut pénétrer les coutumes et les valeurs éloignées des siennes, puis, en revenant en lui-même, prendre conscience de soi d'une manière distanciée, moins dogmatique, et enrichir ainsi ses propres vues.

C'est aussi en quoi, j'aimerais que tu le notes au passage et que tu mesures la profondeur des racines intellectuelles de l'humanisme, la notion de « pensée élargie » prolonge celle de « perfectibilité » dont nous avons vu comment Rousseau voyait en elle le propre de l'humain, par opposition à l'animal. Toutes deux supposent, en effet, l'idée de liberté entendue comme la faculté de s'arracher à sa condition particulière pour accéder à plus d'universalité, pour entrer dans une histoire individuelle ou collective – celle de l'éducation d'un côté, de la culture et de la politique de l'autre – au cours de laquelle s'effectue ce que l'on pourrait nommer l'humanisation de l'humain.

Or c'est aussi ce processus d'humanisation qui donne tout son sens à la vie et qui, dans l'acception quasi théologique du terme, la « justifie » dans la perspective de l'humanisme. J'aimerais t'expliquer aussi clairement que possible pourquoi.

Dans mon livre *Qu'est-ce qu'une vie réussie ?*, j'avais longuement cité un discours prononcé à l'occasion de la remise de son prix Nobel de littérature, en décembre 2001, par le grand écrivain anglo-indien V. S. Naipaul. Il me semblait, en effet, décrire à merveille cette expérience de la pensée élargie et les bienfaits qu'elle peut apporter, non seulement dans l'écriture d'un roman, mais plus profondément dans la conduite d'une vie humaine. Je voudrais y revenir un instant encore avec toi.

Dans ce texte, Naipaul raconte son enfance dans l'île de Trinidad et il évoque les limitations inhérentes à cette vie des petites communautés, refermées sur elles-mêmes et repliées sur leurs particularismes, en des termes auxquels j'aimerais que tu réfléchisses :

> « Nous autres Indiens, immigrés de l'Inde [...] nous menions pour l'essentiel des vies ritualisées et n'étions pas encore capables de l'autoévaluation nécessaire pour commencer à apprendre. [...] A Trinidad, où, nouveaux arrivants, nous formions une communauté désavantagée, cette idée d'exclusion était une sorte de protection qui nous permettait, pour un moment seulement, de vivre à notre manière et selon nos propres règles, de vivre dans notre propre Inde en train de s'effacer. D'où un extraordinaire égocentrisme. Nous regardions vers l'intérieur ; nous accomplissions nos journées ; le monde extérieur existait dans une sorte d'obscurité ; nous ne nous interrogions sur rien... »

Et Naipaul explique comment, une fois devenu écrivain, « ces zones de ténèbres » qui l'environnaient enfant – c'est-à-dire tout ce qui était présent plus ou moins sur l'île mais que le repli sur soi empêchait de voir : les aborigènes, le Nouveau Monde, l'Inde, l'univers musulman, l'Afrique, l'Angleterre – sont devenues les sujets de prédilection qui lui permirent, prenant quelque distance, d'écrire un jour un livre sur son île natale. Tu comprends déjà que tout son itinéraire d'homme et d'écrivain – les deux sont ici inséparables – a consisté à élargir l'horizon en faisant un gigantesque effort de « décentration », d'arrachement à soi en vue de parvenir à s'approprier les fameuses « zones d'ombre » en question.

Puis il ajoute ceci, qui est peut-être l'essentiel :

> « Mais quand ce livre a été terminé, j'ai eu le sentiment que j'avais tiré tout ce que je pouvais de mon île. J'avais beau réfléchir, aucune autre histoire ne me venait. Le hasard est alors venu à mon secours. Je suis devenu voyageur. J'ai voyagé aux Antilles et j'ai bien mieux compris le mécanisme colonial dont j'avais fait partie. Je suis allé en Inde, la patrie de mes ancêtres, pendant un an ; ce voyage a brisé ma vie en deux. Les livres que j'ai écrits sur ces deux voyages m'ont hissé vers de nouveaux domaines d'émotion, m'ont donné une vision du monde que je n'avais jamais eue, m'ont élargi techniquement. »

Point de reniement, ici, ni de renonciation aux particularités d'origine. Seulement une distanciation, un élargissement (et il est tout à fait significatif que Naipaul utilise lui-même le terme) qui permet de les saisir d'une autre perspective, moins immergée, moins égocentrique – par où l'œuvre de Naipaul, loin d'en rester, comme l'artisanat local, au seul registre du folklore, a pu s'élever jusqu'au rang de la « littérature mondiale ». Je veux dire par là qu'elle n'est pas réservée au public des « indigènes » de Trinidad, ni même à celui des anciens colonisés, parce que l'itinéraire qu'elle décrit n'est pas seulement particulier : il possède une signification humaine universelle qui, par-delà la particularité de la trajectoire, peut toucher et faire réfléchir tous les êtres humains.

Au plus profond, l'idéal littéraire, mais aussi existentiel, que dessine ici Naipaul signifie qu'il nous faut nous arracher à l'égocentrisme. Nous avons besoin des autres pour nous comprendre nous-mêmes, besoin de leur liberté et, si possible de leur bonheur, pour accomplir notre propre vie. En quoi la considération de la morale fait signe, pour ainsi dire d'elle-même, vers une problématique plus haute : celle du sens.

Dans la Bible, connaître veut dire aimer. Pour dire les choses un peu brutalement : quand on dit de quelqu'un « il la connut bibliquement », cela signifie « il a fait l'amour avec elle ». La problématique du sens est une sécularisation de cette équivalence biblique : si connaître et aimer sont une seule et même chose, alors, ce qui par-dessus tout donne un sens à nos vies, tout à la fois une orientation et une signification, c'est bien l'idéal de la pensée élargie. Lui seul, en effet, nous permet, en nous invitant, dans tous les sens du terme, au voyage, en nous exhortant à sortir de nous-mêmes pour mieux nous retrouver – c'est là ce que Hegel nommait l'« expérience » – de mieux connaître et de mieux aimer les autres.

A quoi sert de vieillir ? A cela et peut-être à rien d'autre. A élargir la vue, apprendre à aimer la singularité des êtres comme celle des œuvres, et vivre parfois, lorsque cet amour est intense, l'abolissement du temps que nous donne sa présence. En quoi nous parvenons, mais seulement par moments, comme nous y invitaient les Grecs, à nous affranchir de la tyrannie du passé et de l'avenir pour habiter ce présent enfin déculpabilisé et serein dont tu as maintenant compris qu'il était alors comme un « moment d'éternité », comme un instant où la crainte de la mort n'est enfin plus rien pour nous.

C'est en ce point que la question du sens et celle du salut se rejoignent.

Mais je ne veux pas en rester là, car ces formules, qui annoncent une pensée, sont encore très insuffisantes pour te la faire comprendre. Il nous faut aller plus loin et tâcher de saisir en quoi il existe bel et bien une « sagesse de l'amour », une vision de l'amour qui permet de saisir pleinement les raisons pour lesquelles il donne seul, du moins dans cette perspective qui est celle de l'humanisme, du sens à nos vies.

La sagesse de l'amour

Je te propose de partir, pour la mieux cerner, d'une analyse très simple de ce qui caractérise toute grande œuvre d'art.

Dans quelque domaine que ce soit, cette dernière est toujours, au départ, caractérisée par la particularité de son contexte culturel d'origine. Elle est toujours marquée historiquement et géographiquement par l'époque et l'« esprit du peuple » dont elle est issue. C'est là, justement, son côté « folklorique » – le mot folklore vient du mot *folk*, qui veut dire « peuple » – sa dette envers la logique de l'artisanat populaire, local, si tu veux. On voit immédiatement, même sans être un grand spécialiste, qu'une toile de Vermeer n'appartient ni au monde asiatique, ni à l'univers arabo-musulman, qu'elle n'est manifestement pas non plus localisable dans l'espace de l'art contemporain, mais qu'elle a sûrement plus à voir avec l'Europe du Nord du XVIIe siècle. De même, à peine quelques mesures suffisent parfois pour déterminer qu'une musique vient d'Orient ou d'Occident, qu'elle est plus ou moins ancienne ou récente, destinée à une cérémonie religieuse ou plutôt dédiée à une danse, etc. D'ailleurs, même les plus grandes œuvres de la musique classique empruntent aux chants et aux danses populaires dont le caractère national n'est jamais absent. Une polonaise de Chopin, une rapsodie hongroise de

Brahms, les danses populaires roumaines de Bartok le disent explicitement. Mais, lors même que ce n'est pas dit, le particulier d'origine laisse toujours des traces et, si grande soit-elle, si universelle que soit sa portée, la grande œuvre n'a jamais tout à fait rompu les liens avec son lieu et sa date de naissance.

Pourtant, c'est vrai, le propre de la grande œuvre, à la différence du folklore, c'est qu'elle n'est pas rivée à un « peuple » particulier. Elle s'élève à l'universel ou pour mieux dire, si le mot fait peur, elle s'adresse potentiellement à l'humanité tout entière. C'est ce que Goethe appelait déjà, s'agissant des livres, la « littérature mondiale » (*Weltlitteratur*). L'idée de « mondialisation » n'était nullement liée dans son esprit à celle d'uniformité : l'accès de l'œuvre au niveau mondial ne s'obtient pas en bafouant les particularités d'origine, mais en assumant le fait d'en partir et de s'en nourrir pour les *transfigurer* toutefois dans l'espace de l'art. Pour en faire quelque chose d'autre que du simple folklore.

Du coup, les particularités, au lieu d'être sacralisées comme si elles n'étaient vouées à ne trouver de sens que dans leur communauté d'origine, sont intégrées dans une perspective plus large, dans une expérience assez vaste pour être potentiellement commune à l'humanité. Et voilà pourquoi la grande œuvre, à la différence des autres, parle à tous les êtres humains, quels que soient le lieu et le temps où ils vivent.

Maintenant, faisons un pas de plus.

Pour comprendre Naipaul, tu remarqueras que j'ai mobilisé deux concepts, deux notions clefs : le particulier et l'universel.

Le particulier, c'est en l'occurrence, dans l'expérience que décrit le grand écrivain, le point de départ : la petite île, et même, plus précisément, au sein de l'île, la communauté indienne à laquelle appartient Naipaul. Et, en effet, il s'agit bien d'une réalité particulière, avec sa langue, ses traditions religieuses, sa cuisine, ses rituels, etc. Et puis, à l'autre bout de la chaîne, si l'on peut dire, il y a l'universel. Ce n'est pas seulement le vaste monde, les autres, mais aussi la finalité de l'itinéraire qu'entreprend Naipaul quand il s'attaque aux « zones d'ombre », à ces éléments d'altérité qu'il ne connaît ni ne comprend à première vue.

Ce que je voudrais que tu comprennes, car c'est crucial pour percevoir en quoi l'amour donne du sens, c'est qu'entre ces deux réalités, le particulier et cet universel qui se confond à la limite avec l'humanité elle-même, il existe une place pour un moyen terme : le singulier ou l'individuel. Or c'est ce dernier et lui seul qui est, tout à la fois, l'objet de nos amours et le porteur de sens.

Tâchons de voir cela d'un peu plus près afin de rendre sensible cette idée qui est, tout simplement, la poutre maîtresse de l'édifice philosophique de l'humanisme sécularisé.

Pour nous aider à y voir plus clair, je partirai d'une définition de la singularité, héritée du romantisme allemand, dont tu vas pouvoir mesurer tout l'intérêt pour notre propos.

Si, comme le veut depuis l'Antiquité grecque la logique classique, on désigne sous le nom de « singularité » ou d'« individualité » une particularité qui n'en est pas restée au seul particulier mais qui s'est fondue dans un horizon supérieur pour accéder à plus d'universel, alors tu mesures en quoi la grande œuvre d'art nous en offre le modèle le plus parfait. C'est parce qu'ils sont, en ce sens bien précis, des auteurs d'œuvres singulières, tout à la fois enracinées dans leur culture d'origine et dans leur époque, mais cependant capables de s'adresser à tous les hommes de toutes les époques, que nous lisons encore Platon ou Homère, Molière ou Shakespeare, ou que nous écoutons encore Bach ou Chopin.

Il en va ainsi de toutes les grandes œuvres et même de tous les grands monuments de l'histoire : on peut être français, catholique, et cependant profondément ébloui par le temple d'Angkor, par la mosquée de Kairouan, par une toile de Vermeer ou une calligraphie chinoise... Parce qu'ils se sont élevés jusqu'au niveau suprême de la « singularité », parce qu'ils ont accepté de ne plus s'en tenir ni au particulier qui formait, comme pour tout homme, la situation initiale, ni à un universel abstrait, désincarné, comme celui, par exemple, d'une formule chimique ou mathématique. L'œuvre d'art digne de ce nom n'est ni l'artisanat local, ni non plus cet universel dénué de chair et de saveur qu'incarne le résultat d'une recherche scientifique pure. Et c'est cela, cette singularité, cette individualité ni seulement particulière, ni tout à fait universelle que nous aimons en elle.

Par où tu vois aussi par quel biais la notion de singularité peut être rattachée directement à l'idéal de la pensée élargie : *en m'arrachant à moi-même pour comprendre autrui, en élargissant le champ de mes expériences, je me singularise puisque je dépasse tout à la fois le particulier de ma condition d'origine pour accéder, sinon à l'universalité, du moins à une prise en compte chaque fois plus large et plus riche des possibilités qui sont celles de l'humanité tout entière.*

Pour reprendre un exemple simple : lorsque j'apprends une langue étrangère, lorsque je m'installe pour y parvenir dans un pays autre que le mien, je ne cesse, que je le veuille ou non, d'élargir l'horizon. Non seulement je me donne les moyens d'entrer en communication avec plus d'êtres humains, mais toute une culture s'attache à la langue que je découvre et, ce faisant, je m'enrichis de manière irremplaçable d'un apport extérieur à ma particularité initiale.

En d'autres termes : la singularité n'est pas seulement la caractéristique première de cette « chose » extérieure à moi qu'est la grande œuvre d'art, mais c'est aussi une dimension subjective, personnelle, de l'être humain comme tel. *Et c'est cette dimension, à l'exclusion des autres, qui est le principal objet de nos amours*. Nous n'aimons jamais le particulier en tant que tel, jamais non plus l'universel abstrait et vide. Qui tomberait d'ailleurs amoureux d'un nourrisson ou d'une formule algébrique ?

Si nous suivons encore le fil de la singularité, auquel l'idéal de la pensée élargie nous a conduits, il faut donc y ajouter la dimension de l'amour : seul il donne sa valeur et son sens ultimes à tout ce processus d'« élargissement » qui peut et doit guider l'expérience humaine. Comme tel, il est le point d'aboutissement d'une sotériologie humaniste, la seule réponse plausible à la question du sens de la vie – en quoi, une fois encore, l'humanisme non métaphysique peut bien apparaître comme une sécularisation du christianisme.

Un fragment, magnifique, des *Pensées* de Pascal (323) t'aidera à mieux le comprendre. Il s'interroge, en effet, sur la nature exacte des objets de nos affections en même temps que sur l'identité du moi. Le voici :

« Qu'est-ce que le moi ?

« Un homme qui se met à la fenêtre pour voir les passants ; si je passe par là, puis-je dire qu'il s'est mis là pour me voir ? Non : car il ne pense pas à moi en particulier. Mais celui qui aime quelqu'un à cause de sa beauté l'aime-t-il ? Non : car la petite vérole, qui tuera la beauté sans tuer la personne, fera qu'il ne l'aimera plus.

« Et si on m'aime pour mon jugement, pour ma mémoire, m'aime-t-on moi ? Non, car je puis perdre ces qualités sans me perdre moi-même. Où donc est ce moi s'il n'est ni dans le corps ni dans l'âme ? Et comment aimer le corps ou l'âme sinon pour ces qualités, qui ne sont point ce qui fait le moi, puisqu'elles sont périssables ? Car aimerait-on la substance de l'âme d'une personne abstraitement, et quelques qualités qui y fussent ? Cela ne se peut, et serait injuste

On n'aime donc jamais personne, mais seulement des qualités.

« Qu'on ne se moque donc plus de ceux qui se font honorer pour des charges et des offices, car on n'aime personne que pour des qualités empruntées. »

La conclusion que l'on tire généralement de ce texte est la suivante : le moi, dont Pascal ne cesse par ailleurs de dire qu'il est « haïssable », parce que toujours plus ou moins voué à l'égoïsme, n'est pas un objet d'amour défendable. Pourquoi ? Tout simplement parce que nous tendons tous à nous attacher aux particularités, aux qualités « extérieures » des êtres que nous prétendons aimer : beauté, force, humour, intelligence, etc., voilà ce qui, d'abord, nous séduit. Mais comme de tels attributs sont éminemment périssables, l'amour finit un jour ou l'autre par céder la place à la lassitude et à l'ennui. C'est même là, selon Pascal, l'expérience la plus commune :

> « Il n'aime plus cette personne qu'il aimait il y a dix ans. Je crois bien ! Elle n'est plus la même, ni lui non plus. Il était jeune et elle aussi ; elle est tout autre. Il l'aimerait peut-être encore, telle qu'elle était alors » (*Pensées*, 123).

Eh oui : loin d'avoir aimé en l'autre ce qu'on prenait pour son essence la plus intime, ce que nous avons nommé ici sa singularité, on ne s'est attaché qu'à des qualités particulières et par conséquent tout à fait abstraites *en ce sens qu'on pourrait tout aussi bien les retrouver chez n'importe qui d'autre*. La beauté, la force, l'intelligence, etc., ne sont pas propres à tel ou tel, elles ne sont nullement liées de manière intime et essentielle à la « substance » d'une personne à nulle autre pareille, mais elles sont, pour ainsi dire, interchangeables. S'il persiste dans la logique qui fut la sienne au départ, il est probable que notre ancien amant du fragment 123 va divorcer pour chercher une femme plus jeune et plus belle, et en cela très semblable à celle qu'il avait épousée dix ans plus tôt...

Bien avant les philosophes allemands du XIXe siècle, Pascal découvre que le particulier brut et l'universel abstrait, loin de s'opposer, « passent l'un dans l'autre » et ne sont que les deux faces d'une même réalité. Pour dire les choses plus simplement, réfléchis à cette expérience toute bête : quand tu téléphones à quelqu'un, si tu lui dis seulement « Allô ! C'est moi », voire « C'est moi-même », cela ne lui indiquera rien. Ce « moi » abstrait n'a rien d'une singularité car *tout le monde peut dire « c'est moi » au même titre que toi* ! Seule la prise en compte d'autres éléments permettra peut-être à ton correspondant de t'identifier. Par exemple ta voix, mais sûrement pas, en tout cas, la simple référence au moi qui reste paradoxalement de l'ordre du général, de l'abstrait, de ce qu'il y a de moins aimable.

De la même façon, je crois saisir le cœur d'un être, ce qu'il a de plus essentiel, d'absolument irremplaçable en l'aimant pour ses qualités abstraites, mais la réalité est tout autre : je n'ai saisi de lui que des attributs aussi anonymes qu'une charge ou une distinction honorifiques, et rien de plus. *En d'autres termes : le particulier n'était pas le singulier.*

Or il faut que tu comprennes bien que seule la singularité, qui dépasse à la fois le particulier et l'universel, peut être objet d'amour.

Si l'on s'en tient aux seules qualités particulières/générales, on n'aime jamais vraiment personne et, dans cette optique, Pascal a raison, il faut cesser de moquer les vaniteux qui prisent les honneurs. Après tout, que l'on mette en avant sa beauté ou ses médailles revient à peu près au même : la première est (presque) aussi extérieure à la personne que les secondes. Ce qui fait qu'un être est aimable, ce qui donne le sentiment qu'on pourrait continuer à l'aimer quand bien même la maladie l'aurait défiguré, n'est pas réductible à une qualité. si importante soit-elle. Ce que l'on aime en lui (et qu'il aime en nous, le cas échéant) et que par conséquent nous devons développer pour autrui comme en soi, ce n'est ni la particularité pure, ni les qualités abstraites (l'universel), mais la singularité qui le distingue et le rend à nul autre pareil. A celui ou celle qu'on aime, on peut dire affectueusement, comme Montaigne, « parce que c'était lui, parce que c'était moi », mais pas : « parce qu'il était beau, fort, intelligent »...

Et cette singularité, tu t'en doutes, n'est pas donnée à la naissance. Elle se fabrique de mille manières, sans d'ailleurs que nous en soyons toujours conscients, loin de là. Elle se forge au fil de l'existence, de l'expérience, et c'est pourquoi, justement, elle est, au sens propre, irremplaçable. Les nourrissons se ressemblent tous. Comme les petits chats. Ils sont adorables, bien sûr, mais c'est vers l'âge d'un mois, avec l'apparition de son premier sourire, que le petit d'homme commence à devenir *humainement* aimable. Car c'est à ce moment qu'il entre dans une histoire proprement humaine, celle du rapport à autrui.

En quoi l'on peut aussi, toujours en suivant le fil rouge de la pensée élargie et de la singularité ainsi entendue, réinvestir l'idéal grec de cet « instant éternel », ce présent qui, par sa singularité, justement, parce qu'on le tient pour irremplaçable et qu'on en mesure l'épaisseur au lieu de l'annuler au nom de la nostalgie de ce qui le précède ou l'espoir de ce qui pourrait le suivre, se libère des angoisses de mort liées à la finitude et au temps.

C'est en ce point, à nouveau, que la question du sens rejoint celle du salut. Si l'arrachement au particulier et l'ouverture à l'universel forment une expérience singulière, si ce double processus tout à la fois singularise nos propres vies et nous donne accès à la singularité des autres, il nous offre en même temps que le moyen d'élargir la pensée celui de la mettre en contact avec des moments uniques, des moments de grâce d'où la crainte de la mort, toujours liée aux dimensions du temps extérieures au présent, est absente.

Tu m'objecteras peut-être que, par rapport à la doctrine chrétienne, par rapport notamment à la promesse qu'elle nous fait, avec la résurrection des corps, de retrouver après la mort ceux que nous aimons, l'humanisme non métaphysique ne pèse pas lourd. Je te l'accorde volontiers : au banc d'essai des doctrines du salut, rien ne peut concurrencer le christianisme... pourvu, cependant, que l'on soit croyant.

Si on ne l'est pas – et on ne peut tout de même pas se forcer à l'être ni faire semblant – alors il faut apprendre à considérer autrement la question ultime de toutes les doctrines du salut, à savoir celle du deuil de l'être aimé.

Voici, à mon sens, comment.

Le deuil d'un être aimé

Il y a, à mes yeux trois façons de penser au deuil d'une personne que l'on aime, trois façons, si tu veux, de t'y préparer.

On peut être tenté par les recommandations du bouddhisme – qui rejoignent d'ailleurs, presque mot pour mot, celles des stoïciens. Elles se résument au fond à un précepte premier : ne pas s'attacher. Non pas par indifférence – une fois encore, le bouddhisme, comme le stoïcisme, plaide pour la compassion, et même pour les devoirs de l'amitié. Mais par précaution : si nous nous laissons peu à peu piéger par les attachements que l'amour installe toujours en nous, nous nous préparons inévitablement les pires souffrances qui soient puisque la vie est changement, impermanence, et que les êtres sont tous périssables. Bien plus, ce n'est pas seulement du bonheur, de la sérénité que nous nous privons par avance, mais de la liberté. Les mots sont d'ailleurs parlants : être *attaché*, c'est être *lié*, non libre et si l'on veut s'affranchir de ces liens que tisse l'amour, il faut s'exercer le plus tôt possible à cette forme de sagesse qu'est le non-attachement.

Une autre réponse, rigoureusement inverse, est celle des grandes religions, surtout du christianisme puisque seul il professe la résurrection des corps et non seulement des âmes. Elle consiste, tu t'en souviens, à promettre que si nous pratiquons, avec les êtres chers, l'amour en Dieu, l'amour qui porte en eux sur ce qu'ils ont d'éternel plutôt que de mortel, nous aurons le bonheur de les retrouver – de sorte que l'attachement n'est pas prohibé pourvu qu'il soit convenablement situé. Cette promesse est symbolisée dans l'Evangile par l'épisode relatant la mort de Lazare, un ami du Christ. Comme le premier être humain venu, le Christ pleure lorsqu'il apprend que son ami est mort – ce que Bouddha ne se serait jamais permis de faire. Il pleure parce que ayant pris forme humaine, il éprouve en lui la séparation comme un deuil, une souffrance. Mais, bien entendu, il sait qu'il va bientôt retrouver Lazare, parce que l'amour est plus fort que la mort.

Voilà donc deux sagesses, deux doctrines du salut, qui pour être en tout point, ou presque, opposées, n'en traitent pas moins, comme tu vois, le même problème : celui de la mort des êtres chers.

Pour te dire très simplement ce que j'en pense, aucune de ces deux attitudes, si profondes puissent-elles paraître à certains, ne me convient. Non seulement je ne puis m'empêcher de m'attacher, mais je n'ai pas même envie d'y renoncer. Je n'ignore à peu près rien des souffrances à venir – j'en connais même déjà l'amertume. Mais, comme l'avoue d'ailleurs le dalaï-lama, le seul véritable moyen de vivre le non-attachement est la vie monastique, au sens étymologique du terme : il faut vivre seul pour être libre, pour éviter les liens et pour tout te dire, je crois qu'il a raison. Il me faut donc renoncer à la sagesse des bouddhistes comme j'ai renoncé à celle des stoïciens. Avec respect, estime et considération, mais cependant une irrémédiable distance.

Je trouve le dispositif chrétien infiniment plus tentant... à ce détail près que je n'y crois pas. Mais si c'était vrai, comme dit l'autre, je serais volontiers preneur. Je me souviens de mon ami François Furet, l'un des plus grands historiens français pour lequel j'avais une très grande affection. Un jour, il fut invité à la télévision, chez Bernard Pivot, qui terminait toujours son émission par le fameux questionnaire de Proust. Une dizaine de questions, donc, auxquelles on doit répondre brièvement. La dernière demande ce que nous aimerions que Dieu nous dise si nous le rencontrions. François, qui était on ne peut plus athée, avait répondu sans hésiter, comme le premier chrétien venu : « Entre vite, tes proches t'attendent ! »

J'aurais dit comme lui, et comme lui, je n'y crois pas non plus.

Alors que faire, à part attendre la catastrophe en y pensant le moins possible ?

Peut-être rien, en effet, mais peut-être aussi, malgré tout, développer sans illusion, en silence, juste pour soi quelque chose comme une « sagesse de l'amour ». Chacun sait bien, par exemple, qu'il faut se réconcilier avec ses parents – presque inévitablement, la vie a créé des tensions – avant qu'ils ne disparaissent. Car après, quoi qu'en dise le christianisme, c'est trop tard. Si l'on pense que le dialogue avec les êtres chers n'est pas infini, il faut en tirer les conséquences.

Je t'en indique une, au passage, pour te donner juste une idée de ce que j'entends ici par sagesse de l'amour. Je pense que les parents ne doivent jamais mentir sur des choses importantes à leurs enfants. Je connais, par exemple, plusieurs personnes qui ont découvert, après la mort de leur père, qu'il n'était pas leur père biologique

– soit que leur mère ait eu un amant, soit qu'une adoption ait été cachée. Dans tous les cas de figure, ce genre de mensonge fait des dégâts considérables. Pas simplement, loin de là, parce que la découverte, un jour ou l'autre, de la vérité tourne invariablement au désastre. Mais surtout parce que, après la mort du père qui ne l'était pas au sens ordinaire, il est impossible à l'enfant devenu adulte de s'expliquer avec lui, de comprendre un silence, une remarque, une attitude qui l'ont marqué et sur lesquels il aimerait pouvoir mettre un sens – ce qui lui est désormais interdit à jamais.

Je n'insiste pas davantage – je t'ai dit que cette sagesse de l'amour me semblait devoir être élaborée par chacun d'entre nous et, surtout, en silence. Mais il me semble que nous devrions, à l'écart du bouddhisme et du christianisme, apprendre enfin à vivre et à aimer en adultes, en pensant, s'il le faut, chaque jour à la mort. Point par fascination du morbide. Tout au contraire, pour chercher ce qu'il convient de faire ici et maintenant, dans la joie, avec ceux que nous aimons et que nous allons perdre à moins qu'ils ne nous perdent avant. Et je suis sûr, même si je suis encore infiniment loin de la posséder, que cette sagesse-là existe et qu'elle constitue le couronnement d'un humanisme enfin débarrassé des illusions de la métaphysique et de la religion.

En guise de conclusion...

Tu l'as compris, j'aime la philosophie et, par-dessus tout cette idée de la pensée élargie à laquelle je prête, finalement, beaucoup. L'essentiel, peut-être, de la philosophie moderne et de l'humanisme contemporain.

Elle permet à mes yeux de penser une *theoria* qui accorde à l'autoréflexion la place qu'elle mérite, une morale ouverte à l'univers mondialisé que nous allons désormais devoir affronter, mais aussi une doctrine post-nietzschéenne du sens et du salut.

Par-delà ces trois grands axes, elle permet aussi de penser enfin autrement, dépassant le scepticisme et le dogmatisme, la réalité énigmatique de la pluralité des philosophies.

Généralement, le fait qu'il y ait plusieurs systèmes philosophiques et que ces systèmes ne soient pas d'accord entre eux suscite deux attitudes : le scepticisme et le dogmatisme.

Le scepticisme tient à peu près le discours suivant : depuis l'aube des temps, les différentes philosophies se combattent entre elles sans parvenir jamais à s'entendre sur la vérité. Cette pluralité même, par son caractère irréductible, prouve bien que la philosophie n'est pas une science exacte, que cette discipline est marquée par le plus grand flou, par une incapacité à dégager une position vraie qui, par définition même, devrait être unique. Dès lors qu'il existe plusieurs visions du monde et qu'elles ne parviennent pas à s'accorder, il faut admettre aussi qu'aucune ne saurait prétendre sérieusement à détenir plus que les autres la vraie réponse aux questions que nous nous posons sur la connaissance, l'éthique ou le salut, de sorte que toute philosophie est vaine.

Le dogmatisme tient, bien entendu, un langage inverse : certes, il y a plusieurs visions du monde, mais la mienne, ou du moins celle en laquelle je me retrouve, est à l'évidence supérieure et plus vraie que celles des autres qui ne forment, au final, qu'un long tissu d'erreurs. Combien de fois ai-je ainsi entendu des spinozistes m'expliquer que Kant était délirant, et des kantiens dénoncer l'absurdité structurelle du spinozisme !

Lassé par ces vieux débats, miné par le relativisme, culpabilisé aussi par le souvenir de son propre impérialisme, l'esprit démocratique contemporain se range volontiers à des positions de compromis qui, au nom du louable souci de « respecter les différences », vont se nicher dans des concepts mous : « tolérance », « dialogue », « souci de l'Autre », etc., auxquels il est parfois bien difficile de conférer un sens assignable.

La notion de pensée élargie suggère une autre voie.

A l'écart du choix entre un pluralisme de pure façade et un renoncement à ses propres convictions, elle nous invite à dégager chaque fois ce qu'une grande vision du monde qui n'est pas la sienne peut avoir de juste, ce par quoi on peut la comprendre, voire la reprendre pour une part à son compte.

J'ai un jour écrit un livre avec mon ami André Comte-Sponville, le philosophe matérialiste pour lequel j'ai le plus de respect et d'amitié. Tout nous opposait : nous avions à peu de chose près le même âge, nous aurions pu être concurrents. André venait, politiquement, du communisme, moi de la droite républicaine et du gaullisme. Philosophiquement, il puisait toute son inspiration chez Spinoza et dans les sagesses de l'Orient, moi chez Kant et dans le christianisme. Simplement nous nous sommes rencontrés, et au lieu de nous haïr, comme il eût été si simple de le faire, nous avons commencé à nous croire l'un l'autre, je veux dire : à ne pas supposer *a priori* que l'autre était de mauvaise foi, mais à chercher de toutes nos forces à comprendre ce qui pouvait séduire et convaincre dans une vision du monde qui n'était pas la sienne.

Grâce à André, j'ai compris la grandeur du stoïcisme, du bouddhisme, du spinozisme, de toutes ces philosophies qui nous invitent à « espérer un peu moins et aimer un peu plus ». J'ai compris, aussi, combien le poids du passé et de l'avenir gâtait le goût du présent et j'en ai même mieux aimé Nietzsche et sa doctrine de l'innocence du devenir. Je ne suis pas devenu matérialiste pour autant, mais je ne peux plus me passer du matérialisme pour décrire et penser certaines expériences humaines. Bref, j'ai, je crois, élargi l'horizon qui était le mien il y a encore quelque temps.

Toute grande philosophie résume en pensées une expérience fondamentale de l'humanité, comme toute grande œuvre d'art ou de littérature traduit les possibles des attitudes humaines dans des formes plus sensibles. Le respect d'autrui n'exclut pas ici le choix personnel. Tout au contraire, il en est à mes yeux la condition première.

Bibliographie

Evidemment, je pourrais faire comme on faisait jadis à l'université. La première heure de cours se passait à noter sous la dictée une bibliographie de cent cinquante titres ou plus, énumérant tous les ouvrages de Platon à Nietzsche, avec les commentaires autorisés, le tout à lire impérativement avant la fin de l'année. Le seul ennui, c'est que cela ne sert rigoureusement à rien, encore moins aujourd'hui qu'hier où tu peux trouver sur Internet, en quelques secondes, toutes les bibliographies que tu voudras sur tous les auteurs que tu souhaiteras. Je préfère donc te donner une toute petite biblio-graphie, mais « raisonnée », juste pour t'indiquer les quelques livres que tu dois pouvoir d'ores et déjà lire, ceux par lesquels je te conseillerais de commencer... sans préjuger de la suite, bien évidemment. Et pour être honnête, il y a déjà de quoi t'occuper pendant pas mal de temps...

Pierre HADOT, *Qu'est-ce que la philosophie antique ?*
Jean-Jacques ROUSSEAU, *Discours sur l'origine de l'inégalité parmi les hommes.*
Emmanuel KANT, *Fondements de la métaphysique des mœurs.*
Frédéric NIETZSCHE, *Le Crépuscule des idoles.*
Jean-Paul SARTRE, *L'existentialisme est un humanisme.*
André COMTE-SPONVILLE, *Le Bonheur, désespérément.*

Martin HEIDEGGER, *Qu'est-ce que la métaphysique ?*, et aussi *Le Dépassement de la métaphysique* (en sachant que ces deux essais, bien que très courts, sont sans doute encore trop difficiles alors que les autres livres sont plus accessibles).

Table

Table 301

Cet ouvrage a été composé par
Nord Compo (Villeneuve-d'Ascq)
et imprimé par **Bussière**
à Saint-Amand-Montrond (Cher)
pour le compte des Éditions Plon
76, rue Bonaparte
Paris 6e

Achevé d'imprimer en mai 2006.

N° d'édition : 13983. — N° d'impression : 062153/1.
Dépôt légal : février 2006.
Imprimé en France